O SILÊNCIO DAS MONTANHAS

Khaled Hosseini

O silêncio das montanhas

Tradução: Claudio Carina

GLOBOLIVROS

Copyright © 2013 Editora Globo S. A. para a presente edição
Copyright © 2013 by Khaled Hosseini and Roya Hosseini, as Trustees of The Khaled and Roya Hosseini Family Charitable Remainder Unitrust No. 2 dated February 29, 2012 All rights reserved.
Copyright © Epígrafe by Coleman Barks

Todos os direitos reservados. Nenhuma parte desta edição pode ser utilizada ou reproduzida – em qualquer meio ou forma, seja mecânico ou eletrônico, fotocópia, gravação etc. – nem apropriada ou estocada em sistema de banco de dados sem a expressa autorização da editora.

Texto fixado conforme as regras do Novo Acordo Ortográfico da Língua Portuguesa (Decreto Legislativo nº 54, de 1995).

Título original: *And the montains echoed*

Editora responsável: Aida Veiga
Editora assistente: Elisa Martins
Preparação de texto: Ana Tereza Clemente
Revisão: Laila Guilherme, Carmen T. S. Costa, Ana Maria Barbosa e Iuri Pereira
Diagramação: Crayon Editorial
Capa: Victor Burton
Foto de capa: Latinstock/© Stapleton Collection/Corbis (montanhas) e Claudia Dewald/Getty Images (pessoas)

1ª edição, 2013
13ª reimpressão, 2022

Dados Internacionais de Catalogação na Publicação (CIP)
(Câmara Brasileira do Livro, SP, Brasil)

Hosseini, Khaled
    O silêncio das montanhas / Khaled Hosseini ; tradução Claudio Carina. -- São Paulo : Globo, 2013.

    Título original: And the mountains echoed.
    ISBN 978-85-250-5408-1

    1. Família - Ficção 2. Ficção norte-americana 3. Relações interpessoais - Ficção I. Título.

13-03544   CDD-813.5

Índice para catálogo sistemático:
1. Ficção : Literatura norte-americana 813.5

Direitos de edição em língua portuguesa para o Brasil adquiridos por Editora Globo S. A.
Rua Marquês de Pombal, 25 — 20230-240 — Rio de Janeiro — RJ
www.globolivros.com.br

*Este livro é dedicado a Haris e Farah,
os dois* noor *dos meus olhos,
e ao meu pai, que teria se
sentido orgulhoso*

Para Elaine

Além das noções
de malfeito e benfeito,
existe uma ravina.
Encontro você lá.

Jelaluddin Rumi, século xiii

Um

Outono de 1952

Então, é isso. Vocês querem uma história, e eu vou contar uma. Mas somente uma. Nem pensem em me pedir mais. É tarde e temos um longo dia de viagem pela frente, Pari, você e eu. Você precisa de uma boa noite de sono. E você também, Abdullah. Estou contando com você, garoto, enquanto sua irmã e eu estivermos fora. E sua mãe também. Bem. Uma história, então. Escutem, vocês dois, escutem com atenção. E não me interrompam.

Era uma vez, nos tempos em que devs, jinis e gigantes vagavam pela terra, um fazendeiro chamado Baba Ayub, que morava com a família numa pequena aldeia chamada Maidan Sabz. Como tinha uma família grande para alimentar, Baba Ayub via seus dias ser consumidos por trabalho árduo. Todos os dias, ele trabalhava do amanhecer ao pôr do sol, arando o campo, afofando a terra e cuidando de suas poucas árvores de pistache. A qualquer momento do dia, podia ser visto na lavoura, inclinado para a frente, as costas curvas como a foice que empunhava o dia inteiro. Suas mãos eram sempre calosas e sangravam com frequência, e todas as noites o sono o raptava assim que encostava a cabeça no travesseiro.

Devo dizer a seu favor que não era só ele. A vida em Maidan Sabz era difícil para todos os moradores. Havia outras aldeias ao norte, mais afortunadas, construídas em vales floridos e com árvores frutíferas, com ar agradável e riachos de águas frias e límpidas. Mas Maidan Sabz era um lugar desolado, não se parecendo em nada com a imagem sugerida pelo seu nome, Campo de Verde, se você tirasse uma foto. Ficava numa planície poeirenta rodeada por uma cadeia de montanhas escarpadas. O vento era quente e soprava poeira nos olhos. Encontrar água era uma batalha diária, porque os poços da aldeia, até os mais fundos, quase sempre tinham pouca água. Sim, havia um rio, mas os aldeões precisavam enfrentar uma caminhada de meio dia para chegar até lá, e mesmo assim as águas corriam lamacentas o ano todo. Agora, depois de dez anos de estiagem, o rio também estava seco. Vamos dizer que as pessoas de Maidan Sabz trabalhavam duas vezes mais para conseguir metade do necessário para sobreviver.

Ainda assim, Baba estava entre os mais afortunados, pois tinha uma família que prezava acima de todas as coisas. Amava a esposa e nunca erguia a voz para ela, muito menos a mão. Valorizava seus conselhos e sentia um prazer genuíno em sua companhia. Quanto a filhos, foi abençoado com tantos quanto os dedos de uma mão, três filhos e duas filhas, e amava muito a todos eles. As filhas eram diligentes, amáveis e de bom caráter e reputação. Aos filhos, ele já tinha ensinado o valor da honestidade, da coragem, da amizade e do trabalho árduo sem queixas. Eles lhe obedeciam como os bons filhos devem obedecer, e ajudavam o pai nas colheitas.

Embora amasse a todos os filhos, Baba Ayub tinha uma preferência secreta e especial por um deles, o mais jovem, Qais, que estava com três anos de idade. Qais era um garotinho de olhos azul-escuros. Encantava qualquer um que o conhecesse com sua risada maliciosa. Era também um desses garotos tão cheios de energia que chegava a drenar a energia dos outros. Quando aprendeu a andar, ficou tão maravilhado que andava o dia inteiro, enquanto estava acordado, e depois, de forma preocupante, até à noite, durante o sono. Saía sonambulando da casa de taipa da família para vagar sob a luz do luar. Era natural que seus pais se preocupassem. E se ele caísse num poço, ou se perdesse, ou, pior de tudo, se fosse atacado por uma das criaturas à espreita nas planícies à noite? Tentaram diversos remédios, mas nenhum funcionou. No fim, a solução que Baba Ayub encontrou foi simples, como costumam ser as melhores soluções: retirou a sineta de uma das cabras e pendurou no pescoço de Qais. Dessa forma, a sineta sempre acordaria alguém se Qais se levantasse no meio da noite. O sonambulismo parou depois de um tempo, mas Qais se apegou à sineta e não quis mais se separar dela. E assim, mesmo sem mais servir ao seu uso original, a sineta continuou amarrada a um cordão ao redor do pescoço do garoto. Quando Baba Ayub voltava para casa depois de um longo dia de trabalho, Qais saía correndo e enfiava a cara na barriga do pai, com a sineta tocando no ritmo de cada passinho. Baba Ayub o erguia nos braços e o levava para casa, e Qais observava com muita atenção enquanto Baba Ayub se lavava, antes de se sentar à mesa ao lado do pai para o jantar. Depois de comerem, Baba Ayub bebericava o seu chá, observando a família, imaginando o dia em que todos os filhos já casados teriam seus próprios filhos, quando ele seria o orgulhoso patriarca de uma prole ainda maior.

Infelizmente, Abdullah e Pari, os dias de felicidade de Baba Ayub tiveram um fim.

Um dia, um dev chegou a Maidan Sabz. Quando ele se aproximou da aldeia, vindo da direção das montanhas, a terra tremeu com cada um de seus passos. Os aldeões largaram as pás, as enxadas e os machados e saíram correndo. Trancaram-se em suas casas e ficaram abraçados uns aos outros. Quando o som ensurdecedor dos passos do dev parou, os céus sobre Maidan Sabz escureceram com a sua sombra. Dizem que da cabeça brotavam chifres curvados e que um pelo áspero e negro recobria os ombros e o poderoso rabo. Dizem que os olhos eram de um vermelho brilhante. Ninguém sabia ao certo — vocês compreendem? —, pelo menos ninguém que estivesse vivo: o dev devorava no ato quem se atrevesse a lançar um único olhar a ele. Cientes disso, os aldeões sabiamente mantinham os olhos grudados no chão.

Todo mundo na aldeia sabia por que o dev estava lá. Já tinham ouvido as histórias de suas visitas a outras aldeias e até se surpreendiam com o fato de Maidan Sabz ter conseguido escapar de sua atenção por tanto tempo. Talvez, deduziram, a vida pobre e difícil que tinham em Maidan Sabz tivesse funcionado a favor deles, pois as crianças não eram muito bem alimentadas e não tinham muita carne recobrindo os ossos. Mesmo assim, um dia a sorte deles mudou.

Maidan Sabz tremeu e prendeu a respiração. Famílias rezavam para que o dev não notasse suas casas, pois sabiam que se o dev batesse no teto, eles teriam de dar um filho. O dev poria então a criança num saco, jogaria em cima do ombro e voltaria para o lugar de onde viera. Nunca mais ninguém veria a pobre coitada. Se alguma família se recusasse, o dev levaria todas as crianças da casa.

Mas para onde o dev levava as crianças? Para a sua fortaleza, que ficava no alto de uma montanha escarpada. A fortaleza do dev era muito distante de Maidan Sabz. Vales, vários desertos e duas cadeias de montanhas tinham de ser percorridos para chegar até lá. E por que alguém em sã consciência faria isso, só para encontrar a própria morte? Diziam que a fortaleza era cheia de calabouços com cutelos pendurados nas paredes. Ganchos de açougue pendiam dos tetos. Diziam que havia grandes espetos e bocas de fogo. Diziam que se o dev pegasse algum invasor, era fato conhecido que superaria sua aversão à carne de adultos.

Acho que vocês já sabem qual teto recebeu o temível tamborilar do dev. Quando ouviu aquilo, um grito de agonia escapou dos lábios de Baba Ayub, e sua mulher desmaiou na hora. As crianças choraram, de terror e também de tristeza, pois sabiam que a perda de um deles agora era certa. A família tinha até a manhã seguinte para fazer sua oferenda.

O que posso dizer a vocês da angústia que Baba Ayub e a esposa sofreram naquela noite? Nenhum pai ou mãe deveria ser obrigado a fazer uma escolha como essa. Longe dos ouvidos das crianças, Baba Ayub e a mulher discutiram sobre qual atitude tomar. Falavam e choravam, falavam e choravam. A noite toda andaram em círculos, a manhã já se aproximava, e eles ainda não tinham chegado a uma decisão — o que talvez fosse o que o dev quisesse, pois aquela indecisão permitiria que ele levasse os cinco filhos em vez de um só. No fim, Baba Ayub recolheu do lado de fora da casa cinco pedras de tamanhos e formas idênticos. Na superfície de cada uma escreveu o nome de um filho e, quando acabou, jogou as pedras dentro de um saco de aniagem. Quando apresentou o saco para a esposa, ela se retraiu, como se ali dentro houvesse uma cobra venenosa.

— Eu não consigo fazer isso — disse ao marido, negando com a cabeça.
— Não quero ser eu a fazer essa escolha. Eu não aguentaria.

— Nem eu — começou a dizer Baba Ayub, mas viu pela janela que o sol surgiria a qualquer momento sobre as colinas do leste. O tempo estava acabando. Olhou para seus cinco filhos com uma expressão infeliz. Um dedo teria de ser cortado, para salvar a mão. Fechou os olhos e retirou uma pedra do saco.

Imagino que vocês já saibam qual pedra Baba Ayub pegou por acaso. Quando viu o nome na pedra, ergueu o rosto em direção ao céu e soltou um grito. Com o coração partido, pegou o filho mais novo no colo; e Qais, que tinha uma fé cega no pai, enlaçou os braços no pescoço de Baba Ayub com toda a alegria. Só quando Baba Ayub o deixou fora da casa e trancou a porta o garoto percebeu que estava perdido, e lá ficou Baba Ayub, olhos bem fechados, lágrimas escorrendo, encostado na porta, enquanto seu adorado Qais a esmurrava com suas mãozinhas, chorando para que Baba o deixasse voltar para dentro, e Baba Ayub ficou lá murmurando: "Perdão, perdão, perdão", com o solo tremendo com os passos do dev, o filho gritando e a terra tremendo e tremendo enquanto o dev partia de Maidan Sabz, até que, afinal, foi embora, a terra se aquietou, e tudo ficou em silêncio, a não ser Baba Ayub, que continuou chorando e pedindo o perdão de Qais.

Abdullah, sua irmã caiu no sono. Cubra os pés dela com uma manta. Isso. Muito bem. Talvez seja melhor parar agora. Não? Quer que eu continue? Tem certeza, garoto? Tudo bem.

Onde eu estava? Ah, sim. Seguiu-se um período de quarenta dias de luto. Todos os dias os vizinhos faziam comida para a família e mantinham vigília. As pessoas traziam as doações que podiam, chá, açúcar, pão, amêndoas, e prestavam suas condolências e sua solidariedade. Baba Ayub precisava se esforçar muito para dizer uma palavra de agradecimento. Ficava num canto, chorando, torrentes de lágrimas jorrando dos olhos, como se quisesse interromper a sucessão de secas na aldeia com elas. Nem ao mais vil dos homens se pode desejar tal tormento e aflição.

Muitos anos se passaram. As secas continuaram, e Maidan Sabz caiu numa pobreza ainda pior. Vários bebês morreram de sede ainda no berço. Os poços ficaram cada vez mais baixos, e o rio secou, no sentido inverso da angústia de Baba Ayub, um rio que aumentava e aumentava a cada dia que passava. Ele não tinha mais utilidade para a família. Não trabalhava, não rezava, mal comia. A mulher e os filhos argumentaram com ele, mas não adiantou. Os filhos restantes tiveram de assumir seu trabalho, pois todos os dias Baba Ayub não fazia nada além de se postar junto à plantação, uma figura triste e solitária olhando na direção das montanhas. Parou de falar com os aldeões, pois acreditava que eles cochichavam coisas às suas costas. Diziam que era um covarde por ter dado o filho de bom grado. Que não era um bom pai. Um verdadeiro pai teria lutado contra o dev. Teria morrido defendendo a família.

Uma noite ele mencionou isso à esposa.

— Eles não dizem essas coisas — contestou a esposa. — Ninguém acha que você é um covarde.

— Eu ouço o que eles falam — disse.

— É a sua própria voz que você está ouvindo, meu marido — falou. Mas não contou que os aldeões cochichavam mesmo às suas costas. E o que cochichavam era que talvez ele tivesse enlouquecido.

Então, um dia, Baba Ayub provou que eles estavam certos. Acordou ao amanhecer. Sem despertar a mulher e os filhos, jogou alguns restos de pão num saco de aniagem, calçou os sapatos, amarrou a foice na cintura e partiu.

Caminhou durante muitos e muitos dias. Andou até o sol se tornar um brilho vermelho desmaiado a distância. À noite, ele dormia em cavernas ouvindo o vento farfalhar do lado de fora. Ou dormia à beira de rios, debaixo de árvores ou sob uma cobertura de rochas. Comeu o pão que trouxe e depois comeu o que conseguia encontrar — frutinhas silvestres, cogumelos, peixes que apanhava só com as mãos nos riachos, e em alguns dias não comia nada. Mas continuou caminhando. Quando passantes perguntavam para onde ia, ele respondia, e alguns riam, outros fugiam de medo de que fosse um maluco, e alguns rezavam por ele, pois também haviam perdido um filho para o dev. Baba Ayub mantinha a cabeça baixa e andava. Quando os sapatos se desfizeram, ele os amarrou aos pés com cordas, e, quando as cordas arrebentaram, ele continuou em frente com os pés descalços. Dessa forma, Baba Ayub atravessou desertos, vales e montanhas.

Finalmente chegou à montanha em cujo ápice ficava a fortaleza do dev. Tão ansioso estava para cumprir sua missão que não descansou e imediatamente começou sua escalada, as roupas esfarrapadas, os pés sangrando, o cabelo emplastrado de pó, porém inabalável em sua resolução. As pedras pontudas rasgavam as solas dos pés. Gaviões bicavam seu rosto quando ele passava perto de algum ninho. Violentas rajadas de vento quase o arrancavam da encosta da montanha. Mas ele continuou subindo, de uma rocha para a seguinte, até que afinal se postou diante dos enormes portões da fortaleza do dev.

Quem se atreve?, trovejou a voz do dev quando Baba Ayub atirou uma pedra no portão.

Baba Ayub anunciou seu nome. — Eu sou da aldeia de Maidan Sabz — falou.

Você quer morrer? Deve querer, com certeza, vindo me perturbar na minha casa! Qual é o seu propósito?

— Eu vim aqui para matar você.

Houve uma pausa no outro lado do portão. Depois os portões se abriram com um rangido, e lá estava o dev, bem maior do que Baba Ayub, em toda a sua glória aterrorizante.

Você veio me matar?, falou, numa voz grossa como trovão.

— Exatamente — respondeu Baba Ayub. — De um jeito ou de outro, hoje um de nós vai morrer.

Por um momento pareceu que o dev ia atacar Baba Ayub e acabar com ele com uma mordida de seus dentes afiados como adagas. Mas alguma coisa fez a criatura hesitar. O dev estreitou os olhos. Talvez fosse a loucura das palavras do homem. Talvez fossem a aparência do velho, a roupa em farrapos, a face sangrando, a poeira que o recobria da cabeça aos pés, as feridas abertas na pele. Ou talvez porque, nos olhos do velho, o dev não tivesse encontrado o menor sinal de medo.

De onde você disse que veio?

— De Maidan Sabz — respondeu Baba Ayub.

Deve ser bem longe, pela sua aparência, essa Maidan Sabz.

— Não vim aqui para tagarelar. Eu vim para...

O dev ergueu uma pata cheia de garras. Sim. Sim. Você veio aqui para me matar. Eu sei. Mas com certeza eu tenho direito a algumas últimas palavras antes de ser morto.

— Muito bem — disse Baba Ayub. — Mas só umas poucas palavras.

Agradeço. O dev arreganhou os dentes. Posso perguntar que mal cometi contra você para desejar minha morte?

— Você levou o meu filho mais novo — respondeu Baba Ayub. — Ele era a coisa mais preciosa do mundo para mim.

O dev grunhiu e levou um dedo ao queixo. Eu já tirei muitos filhos de muitos pais, falou.

Baba Ayub sacou a foice, com raiva. — Então, eu vou me vingar por eles também.

Devo dizer que sua coragem me desperta uma onda de admiração.

— Você não sabe nada de coragem — disse Baba Ayub. — Para ter coragem, é preciso haver algo em risco. Eu vim aqui sem nada a perder.

Você tem sua vida a perder, disse o dev.

— Você já tirou isso de mim.

O dev rosnou outra vez e examinou Baba Ayub, pensativo. Depois de um tempo, falou: Muito bem, então. Vou aceitar o seu desafio. Mas antes vou pedir que me acompanhe.

— Seja rápido — disse Baba Ayub. — Eu estou sem paciência.

Mas o dev já se encaminhava a um corredor gigantesco, e Baba Ayub não teve escolha, a não ser segui-lo. Acompanhou o dev por um labirinto de corredores, com tetos que quase roçavam as nuvens, todos apoiados em enormes colunas. Passaram por muitas escadas e aposentos, grandes o suficiente para conter toda Maidan Sabz. Andaram dessa maneira até que afinal o dev conduziu Baba Ayub a um salão enorme, com uma cortina na parede do fundo.

Chegue mais perto, gesticulou.

Baba Ayub ficou ao lado do dev.

O dev abriu as cortinas. Atrás havia uma janela de vidro. Pela janela, Baba Ayub viu um imenso jardim. Fileiras de ciprestes rodeavam o jardim, com canteiros cheios de flores de todas as cores. Havia piscinas feitas de azulejos azuis, terraços de mármore, fontes de água rumorejante à sombra de árvores de romã. Nem em três vidas Baba Ayub poderia ter imaginado um lugar tão lindo.

Mas o que realmente fez com que caísse de joelhos foi a imagem de crianças correndo e brincando felizes pelo jardim. Elas corriam umas atrás das outras pelos caminhos e ao redor das árvores. Brincavam de esconde-esconde atrás das sebes. O olhar de Baba Ayub procurou entre as crianças e, afinal, achou o que estava procurando. Lá estava ele! Seu filho, Qais, vivo, e mais do que bem. Tinha aumentado em altura, e o cabelo estava mais longo do que Baba Ayub recordava. Usava uma linda camisa branca por cima de calças bonitas. Ria com alegria correndo atrás de dois companheiros.

— Qais — murmurou Baba Ayub, a respiração embaçando o vidro. Começou a gritar o nome do filho.

Ele não pode ouvir você, disse o dev. Nem ver.

Baba Ayub começou a pular, acenando com os braços e esmurrando o vidro, até o dev fechar as cortinas.

— Eu não entendo — disse Baba Ayub. — Eu pensei...

Essa é a sua recompensa, disse o dev.

— Explique-se! — exclamou Baba Ayub.

Eu o forcei a passar por um teste.

— Um teste?

Um teste de seu amor. Foi um desafio difícil, admito, e devo reconhecer quanto custou a você. Mas você passou. E esta é a sua recompensa. E a dele.

— E se eu não tivesse aceitado? — vociferou Baba Ayub. — E se tivesse recusado o seu teste?

Nesse caso todos os seus filhos teriam perecido, respondeu o dev, pois estariam desgraçados de qualquer forma, tendo um homem fraco como pai. Um covarde, que preferiu ver todos morrer a assumir o peso em sua consciência. O que você fez, o peso que carregou nos ombros, exigiu coragem. Por isso, devo reconhecer sua honra.

Baba Ayub tirou a foice num gesto hesitante, mas ela caiu no piso de mármore com um ruído estridente. Seus joelhos fraquejaram, e ele teve de se sentar.

Seu filho não se lembra mais de você, continuou o dev. Essa é a vida dele agora, e você viu o quanto está feliz. Aqui, ele desfruta as melhores comidas e roupas, amizade e afeto. Tem aulas de artes e linguagens, de ciências e dos caminhos da sabedoria e da caridade. Nada lhe falta. Algum dia, quando se tornar um homem, pode preferir ir embora e estará livre para partir. Imagino que vá influenciar muitas vidas com sua bondade e levar felicidade aos que estão presos ao sofrimento.

— Eu quero falar com ele — disse Baba Ayub. — Quero levá-lo para casa. Quer mesmo?

Baba Ayub olhou para o dev.

A criatura foi até um gabinete que ficava perto das cortinas e retirou uma ampulheta de uma das gavetas. Você sabe o que é isso, Abdullah, uma ampulheta? Sabe. Ótimo.

Então, o dev pegou a ampulheta, virou-a de cabeça para baixo e colocou-a aos pés de Baba Ayub.

Vou permitir que ele volte para casa com você, disse o dev. Se você quiser isso, ele nunca mais poderá voltar aqui. Se não quiser, *você* nunca mais poderá voltar. Quando toda a areia tiver escoado, vou perguntar qual é a sua escolha.

E, com isso, o dev saiu do aposento, deixando Baba Ayub diante de mais uma dolorosa escolha a fazer.

Eu vou levar Qais para casa, pensou Baba Ayub de imediato. Era o que mais desejava, com todas as fibras de seu ser. Já não tinha visualizado isso em mil sonhos? Abraçar o pequeno Qais outra vez, beijar seu rosto e sentir a suavidade daquelas mãozinhas nas suas? No entanto... se o levasse para casa, que tipo de vida esperava por Qais em Maidan Sabz? A vida dura de um pastor, no máximo, como a sua, e pouco mais. Isto é, se Qais não morresse por causa das secas, como haviam morrido tantas crianças da aldeia. Você vai poder se perdoar, se isso acontecer?, perguntou Baba Ayub a si mesmo. Sabendo que o arrancou, por conta de suas razões egoístas, de uma vida de luxo e oportunidades? Porém, se deixasse Qais para trás, sabendo que o filho estava vivo, sabendo de seu paradeiro, e mesmo assim ser proibido de vê-lo? Como poderia suportar isso? Baba Ayub chorou. Sentiu-se tão desesperado que pegou a ampulheta e a atirou na parede. Ela se quebrou em mil pedaços e espalhou areia fina pelo chão.

O dev retornou ao recinto e encontrou Baba Ayub ao lado dos cacos de vidro, os ombros curvados.

— Você é uma fera cruel — falou Baba Ayub.

Quando alguém vive tanto quanto eu, replicou o dev, percebe que crueldade e benevolência são tonalidades da mesma cor. Você fez sua escolha?

Baba Ayub enxugou as lágrimas, pegou sua foice e a enfiou no cinto. Andou lentamente em direção à porta, cabeça baixa.

Você é um bom pai, disse o dev, quando Baba Ayub passou por ele.

— Quero que você queime no fogo do inferno pelo que fez comigo — retrucou Baba Ayub, desanimado.

Saiu do aposento e estava se dirigindo ao corredor quando o dev foi atrás dele.

Leve isso, disse o dev. A criatura deu a Baba Ayub um pequeno frasco de vidro contendo um líquido escuro. Beba quando estiver voltando para casa. Adeus.

Baba Ayub pegou o frasco e saiu sem dizer uma palavra.

Muitos dias depois, a mulher de Baba Ayub estava na orla da plantação da família, procurando pelo marido, assim como ele ficava ali, esperando ver Qais. A cada dia que passava, as esperanças pela volta dele diminuíam. As pessoas da aldeia já falavam de Baba Ayub no passado. Um dia, lá estava ela na plantação de novo, uma oração nos lábios, quando viu uma figura esguia se aproximando de Maidan Sabz, vindo das montanhas. De início, achou que fosse um dervixe perdido, um homem magro com roupas surradas, olhos vazios e têmporas encovadas, e só quando se aproximou ela reconheceu o marido. Seu coração saltou de alegria, e ela deu um grito de alívio.

Depois de se lavar, se servir de água para beber e de comida para se alimentar, Baba Ayub estava em casa com os aldeões ao seu redor fazendo perguntas atrás de perguntas.

Aonde você foi, Baba Ayub?

O que você viu?

O que aconteceu com você?

Baba Ayub não podia responder, pois não se lembrava do que tinha acontecido com ele. Não se lembrava de nada da viagem, de ter escalado a montanha do dev, de ter falado com o dev, do grande palácio, do salão com as cortinas. Era como se tivesse acordado de um sonho já esquecido. Não se lembrava do jardim secreto, das crianças e, mais do que tudo, não se lembrava de ter visto o filho Qais brincando com os amigos entre as árvores. Aliás, quando alguém mencionava o nome de Qais, Baba Ayub piscava os olhos com perplexidade. Quem?, perguntava. Nem se lembrava de ter tido um filho chamado Qais.

Você entende, Abdullah, que isso foi um ato de misericórdia? A poção, que apagou as lembranças dele? Foi a recompensa de Baba Ayub por ter passado no segundo teste do dev.

Naquela primavera, os céus finalmente se abriram sobre Maidan Sabz. O que caiu não foi a chuvinha fraca dos anos anteriores, mas sim um grande, um imenso temporal. A chuva pesada caiu do céu, e os aldeões a acolheram, sedentos. O dia todo, a água tamborilou nos tetos de Maidan Sabz e abafou todos os outros sons do mundo. Gotas de chuva grandes e pesadas escorriam da ponta das folhas. Os poços encheram, e o rio subiu. As colinas do leste ficaram verdes. Flores silvestres se abriram, e pela primeira vez em muitos anos as crianças brincaram na grama onde as vacas pastavam. Todos ficaram contentes.

Quando as chuvas pararam, a aldeia teve algum trabalho a fazer. Diversas paredes de taipa tinham derretido, alguns tetos cederam, e as plantações se transformaram em charcos. Mas, depois da miséria da seca devastadora, as pessoas de Maidan Sabz não estavam se queixando. Paredes foram reconstruídas, tetos consertados, e canais de irrigação foram drenados. Naquele outono, Baba Ayub teve a colheita de pistache mais abundante de sua vida, e, no ano seguinte e no subsequente, as colheitas aumentaram tanto em quantidade como em qualidade. Nas grandes cidades onde vendia seus produtos, Baba Ayub posava satisfeito atrás de suas pirâmides de pistache e sorria como o homem mais feliz que já tivesse andado na Terra. Nunca mais Maidan Sabz teve uma seca.

Há pouco mais a dizer, Abdullah. Mas você pode perguntar se algum dia um homem garboso montando um cavalo passou pela aldeia a caminho de grandes aventuras. Será que parou para tomar um gole de água, que agora a aldeia tinha de sobra, ou para se confraternizar com os aldeões, talvez com o próprio Baba Ayub? Isso eu não sei dizer, garoto. O que *posso* dizer é que Baba

Ayub viveu até se tornar muito velho. Posso dizer que viu seus filhos se casarem, como sempre desejou, e posso dizer que seus filhos lhe deram muitos netos e todos proporcionaram grande alegria para Baba Ayub.

E posso dizer também que, em algumas noites, sem nenhuma razão específica, Baba Ayub não conseguia dormir. Apesar de agora estar muito velho, ainda podia andar com as próprias pernas, desde que usasse uma bengala. E assim, nessas noites insones, ele se esgueirava da cama sem acordar a mulher, pegava a bengala e saía de casa. Andava pela escuridão, a bengala tateando à frente, a brisa da noite fustigando seu rosto. Havia uma pedra achatada na orla de seu terreno, onde ele se sentava. Em geral, permanecia ali por uma hora ou mais, olhando as estrelas, as nuvens flutuando perto da lua. Pensava em sua longa vida, e agradecia por toda a generosidade e alegria que lhe haviam sido proporcionadas. Querer mais, desejar ainda mais, ele sabia, seria mesquinharia. Suspirava com prazer e ouvia o vento descendo das montanhas, os pios das aves noturnas.

Mas, de vez em quando, pensava ter ouvido outro ruído além desses. Era sempre o mesmo, o toque agudo de uma sineta. Não compreendia por que ouvia esse som, sozinho no escuro, com todas as ovelhas e cabras dormindo. Às vezes dizia a si mesmo que não tinha ouvido aquilo, e às vezes sentia-se tão convencido do contrário que falava para a escuridão: — Alguém está aí? Quem está aí? Apareça. — Mas nunca obteve resposta. Baba Ayub não entendia. Assim como não entendia por que uma onda de alguma coisa, alguma coisa como a parte final de um sonho triste, sempre o envolvia quando ouvia o toque da sineta, surpreendendo-o todas as vezes, como uma inesperada lufada de vento. Mas depois passava, como passam todas as coisas. Passava.

Então é isso, garoto. Esse é o fim da história. Não tenho mais nada a dizer. E agora já está realmente tarde, e estou cansado, e sua irmã e eu temos de acordar ao amanhecer. Por isso, apague essa vela. Deite a cabeça e feche os olhos. Durma bem, garoto. Vamos fazer nossas despedidas pela manhã.

Dois

Outono de 1952

O PAI NUNCA HAVIA BATIDO em Abdullah. Por isso, quando bateu, quando deu um tapa com força no rosto dele, logo acima da orelha, de repente, com a palma da mão aberta, lágrimas de surpresa brotaram dos olhos de Abdullah. Ele piscou para conter o choro.

— Vá para casa — disse o pai com os dentes cerrados.

À sua frente, Abdullah ouviu Pari começando a soluçar.

Depois o pai bateu nele outra vez, com mais força, dessa vez no lado esquerdo do rosto. A cabeça de Abdullah virou para o lado. O rosto se afogueou, e mais lágrimas escorreram. O ouvido esquerdo zumbia. O pai se abaixou, chegando tão perto que seu rosto severo e marcado eclipsou totalmente o deserto, as montanhas e o céu.

— Eu mandei ir para casa, garoto — disse com um olhar de sofrimento.

Abdullah não emitiu um som. Engoliu em seco e estreitou os olhos, fitando o pai, piscando para o rosto que protegia seus olhos do sol.

Da pequena carrocinha vermelha ali perto, Pari gritou o nome do irmão, a voz aguda, trêmula de apreensão. — Abollah!

O pai o manteve sob um olhar cortante e caminhou de volta à carroça. Na carrocinha, Pari estendeu os braços para o irmão. Abdullah deixou que os dois saíssem na frente. Depois, enxugou os olhos com a palma da mão e seguiu atrás deles.

Um pouco mais tarde, o pai atirou uma pedra nele, do mesmo jeito que as crianças de Shadbagh faziam com o cachorro de Pari, Shuja — só que eles queriam acertar Shuja para machucar. A pedra do pai caiu a poucos metros de Abdullah, inofensiva. Ele parou, mas quando o pai e Pari começaram a andar outra vez, Abdullah continuou a segui-los.

Finalmente, com o sol já além do zênite, o pai parou outra vez. Voltou até onde estava Abdullah, pareceu reconsiderar e fez um gesto com a mão.

— Você não vai desistir — falou.

A mão de Pari, dentro da carrocinha, logo pegou a de Abdullah. Ficou olhando para ele, com os olhos lacrimejando, sorrindo com seus dentes separados como se nada de ruim pudesse acontecer com ela se o irmão estivesse ao seu lado. Abdullah enlaçou os dedos da mão dela, como fazia todas as noites quando dormia com a irmã na mesma cama, as cabeças se tocando, as pernas entrelaçadas.

— Você devia ter ficado em casa — disse o pai. — Com sua mãe e Iqbal. Como eu mandei.

Abdullah pensou: *Ela é a sua mulher. Minha mãe, nós enterramos.* Mas soube reprimir as palavras antes que fossem proferidas.

— Então, tudo bem. Pode vir — concordou o pai. — Mas sem choradeira. Está me entendendo?

— Sim.

— Estou avisando. Não vou tolerar choradeira.

Pari abriu um sorriso para Abdullah, que baixou os olhos para aqueles olhos róseos e pálidos, as bochechas redondas, e retribuiu o sorriso.

Depois disso, Abdullah caminhou ao lado da carroça, que sacolejava no terreno rugoso do deserto, segurando a mão de Pari. Trocavam olhares felizes e furtivos, irmão e irmã, mas falavam pouco, com medo de azedar o humor do pai e estragar a boa sorte que tiveram. Durante longos trechos eles andaram sozinhos, só os três, com nada e ninguém à vista além de desfiladeiros avermelhados e grandes penhascos de arenito. O deserto se descortinava à frente, amplo e aberto, como se tivesse sido criado para eles e só para eles, o ar imóvel, morno e ardente, o céu alto e azul. Pedras cintilavam nas rachaduras do solo arenoso. Os únicos sons que Abdullah ouvia eram sua própria respiração e o rangido rítmico das rodas enquanto o pai puxava a carrocinha vermelha em direção ao norte.

Pouco depois, pararam para descansar à sombra de uma rocha. Com um gemido, o pai largou as cordas no chão. Estremeceu ao arquear as costas, o rosto voltado para o sol.

— Quanto tempo mais até Cabul? — perguntou Abdullah.

O pai examinou os dois de cima a baixo. O nome dele era Saboor. Tinha a pele escura e uma expressão dura, ossuda e angulosa, o nariz curvo como o bico de um gavião do deserto, olhos fundos no crânio. Era um homem magro como um bambu, mas toda uma vida de trabalho fortaleceu seus músculos, que se enlaçavam como juncos no braço de uma cadeira. — Amanhã à tarde — responde, levando o odre de couro de cabra até os lábios. — Se andarmos num bom ritmo. Deu um longo gole, o pomo de adão subindo e descendo.

— Por que o tio Nabi não trouxe a gente? — perguntou Abdullah. — Ele tem carro.

O pai girou os olhos na direção dele.

— Nós não precisaríamos ter andado todo esse caminho.

O pai não disse nada. Tirou o gorro sujo de fuligem e enxugou o suor da testa com a manga da camisa.

O dedo de Pari apareceu saindo da carrocinha. — Olha, Abdullah — gritou com entusiasmo. — Outra.

Abdullah seguiu a direção do dedo, localizando um ponto na sombra do rochedo onde repousava uma pena, longa, cinzenta, como carvão depois de queimado. Abdullah andou até lá e pegou a pena pela ponta. Soprou as partículas de poeira. Um falcão, pensou, girando-a nos dedos. Talvez um pombo, ou uma cotovia do deserto. Já tinha visto muitas iguais naquele dia. Não, era de falcão. Deu mais um sopro e entregou-a a Pari, que pegou a pena da mão dele, toda feliz.

Em sua casa em Shadbagh, Pari guardava embaixo do travesseiro uma velha lata de chá que tinha ganhado de Abdullah. O fecho estava enferrujado, e a tampa mostrava um indiano barbudo de turbante, com uma longa túnica vermelha, segurando uma fumegante xícara de chá com as mãos. Dentro da lata de chá estavam todas as penas que Pari recolhia. Eram seus pertences mais queridos. Penas de galo verde-escuras e cor de vinho encorpado; uma pena de pardal, marrom cor de terra, salpicada de manchas escuras; e uma das que Pari mais gostava, uma pena de pavão verde e iridescente, com um lindo olho grande marcando a ponta.

Era um presente dado por Abdullah dois meses antes. Ele tinha ouvido falar de uma família de outra aldeia que possuía um pavão. Um dia, quando o pai estava fora cavando valetas numa cidade ao sul de Shadbagh, Abdullah foi até essa outra aldeia, encontrou um garoto e pediu uma pena da ave. Seguiu-se uma negociação, e por fim Abdullah concordou em trocar seus sapatos pela pena. Quando voltou a Shadbagh, com a pena do pavão espetada na calça embaixo da camisa, seus calcanhares estavam feridos e deixavam manchas de sangue no chão. Farpas e espinhos haviam se cravado na pele das solas dos pés. Cada passo provocava fagulhas de dor em seus pés.

Quando chegou em casa, encontrou a madrasta, Parwana, no lado de fora do casebre, agachada diante do *tandoor*, preparando o *naan* de cada dia. Escondeu-se atrás do gigantesco carvalho perto da casa e esperou que ela terminasse. Espiando por trás do tronco, observou-a enquanto trabalhava, uma mulher de ombros largos e braços compridos, mãos de pele áspera e dedos grossos, uma mulher com um rosto redondo e rechonchudo que não revelava nada da formosura da borboleta de que derivava seu nome.

Abdullah gostaria de poder amá-la como tinha amado a mãe. A mãe que havia sangrado até morrer ao dar à luz Pari, três anos e meio atrás, quando Abdullah tinha sete anos. A mãe cujo rosto ele quase já havia esquecido, a mãe que segurava sua cabeça com as mãos, apertava-o no peito e acariciava seu rosto todas as noites antes de dormir, cantando uma canção de ninar.

Encontrei uma fadinha triste
Na sombra de uma árvore de papel.
Conheço uma fadinha triste
Que foi soprada pelo vento da noite.

Abdullah gostaria de amar sua nova mãe da mesma maneira. E talvez, conjeturava, Parwana desejasse o mesmo em segredo, conseguir amar o *enteado*. Da forma como amava Iqbal, seu filho de um ano, cujo rosto ela sempre beijava, preocupando-se com cada tosse ou espirro. Ou do modo como amava seu primeiro filho, Omar. Ela o adorava. Mas Omar havia morrido de frio no antepenúltimo inverno. Duas semanas depois de ter nascido. Parwana e o pai mal tinham acabado de dar um nome a ele. Foi um dos três bebês que aquele inverno brutal arrebatou de Shadbagh. Abdullah se lembrava de Parwana abraçada ao pequeno cadáver de Omar, enfaixado, de suas convulsões de pesar. Lembrava-se do dia em que o enterraram na colina, um montinho no solo congelado, abaixo de um céu cor de cobre, o mulá Shekib dizendo suas preces, o vento soprando partículas de neve e gelo nos olhos de todos.

Abdullah imaginava que logo mais Parwana ficaria furiosa, ao saber que ele tinha trocado seu único par de sapatos por uma pena de pavão. O pai havia trabalhado duro sob o sol para pagar por eles. Parwana ia ficar brava com ele quando soubesse. Talvez até batesse nele, pensou Abdullah. Já havia batido algumas vezes antes. Tinha mãos fortes e pesadas — de todos aqueles anos levantando a irmã inválida — e sabia como usar um cabo de vassoura ou desfechar uma bofetada certeira.

Mas, a seu favor, Parwana parecia não sentir nenhum prazer em bater nele. Nem era uma pessoa incapaz de sentir ternura por seus enteados. Uma vez, fez um vestido verde e prateado para Pari com uma peça de tecido que Saboor havia trazido de Cabul. Em outra ocasião, ensinou Abdullah, com surpreendente paciência, a quebrar dois ovos ao mesmo tempo sem estourar as gemas. Na mesma época, mostrou a ele e à irmã como torcer e moldar cascas de milho para fazer pequenas bonecas, do mesmo jeito que fazia com a irmã quando eram pequenas. Mostrou como fazer vestidos para as bonecas com tirinhas de tecido rasgadas.

No entanto eram gestos, Abdullah sabia, atos de dever, retirados de um poço bem mais raso do que o que ela reservava para Iqbal. Se uma noite a casa pegasse fogo, Abdullah não tinha dúvida de qual criança Parwana pegaria ao correr para fora. Ela não pensaria duas vezes. No final, resumia-se a uma só coisa: eles não eram filhos dela, ele e Pari. As pessoas amam os parentes de sangue. Não podia ser diferente; ele e a irmã não pertenciam ao mundo de Parwana. Eram sobras de outra mulher.

Esperou Parwana levar o pão para dentro, observou quando ela retornou do casebre, carregando Iqbal num braço e uma trouxa de roupa suja no outro. Ficou olhando enquanto ela andava com passos lentos em direção ao riacho e esperou até que ela estivesse fora de sua visão para entrar escondido na casa, a sola dos pés latejando cada vez que tocavam o chão. Uma vez dentro, sentou e calçou as velhas sandálias de plástico, agora o único calçado que possuía. Abdullah sabia que não tinha feito uma coisa sensata. Mas quando ajoelhou ao lado de Pari, sacudiu-a com delicadeza para acordá-la de uma soneca e tirou a pena de trás das costas, como um mágico, tudo valeu a pena — pelo jeito que a expressão dela se abriu de surpresa, depois com deleite, pelo jeito que estalou beijos em seu rosto e riu quando ele fez cócegas com a ponta mais macia da pena no queixo dela. De repente, seus pés não estavam mais doendo.

O pai enxugou o rosto com a manga mais uma vez. Cada um teve sua vez para beber a água do odre. Quando terminaram, o pai falou: — Está cansado, garoto?

— Não — respondeu Abdullah, apesar de estar. Estava exausto. E os pés doíam. Não era fácil atravessar um deserto de sandálias.

O pai disse: — Suba aqui.

Na carroça, Abdullah sentou-se atrás de Pari, as costas apoiadas nas tábuas laterais, as pequenas juntas da coluna da irmã pressionando sua barriga e o osso do peito. Enquanto o pai os puxava para a frente, Abdullah olhava para o céu, para as montanhas, as fileiras e fileiras de colinas sinuosas e sobrepostas, difusas na distância. Ele observava as costas do pai puxando a carrocinha, sua cabeça baixa, seus pés chutando pequenas nuvens de areia marrom-avermelhada. Uma caravana de nômades *kuchis* passou por eles, uma empoeirada procissão de sinetas tocando e camelos grunhindo, e uma mulher de olhos pintados de *kohl* e cabelo cor de trigo sorriu para Abdullah.

Os cabelos da mulher lembraram os de sua mãe, e Abdullah sentiu mais uma vez uma pontada de dor e saudade da delicadeza dela, de sua felicidade inata, de seu espanto diante da crueldade das pessoas. Lembrou sua risada que parecia um soluço, a maneira tímida com que às vezes pendia a cabeça. Sua mãe era delicada, tanto em natureza como na estatura, uma mulher esguia, de cintura fina e uma mecha de cabelos sempre escapando debaixo do lenço. Abdullah ficava imaginando como um corpinho tão frágil conseguia abrigar tanta alegria, tanta bondade. Não era possível. Os sentimentos transbordavam dela, jorravam pelos seus olhos. O pai era diferente. O pai era mais duro. Seus olhos viam o mesmo mundo que a mãe, mas sem nenhum entusiasmo. Uma labuta sem fim. O mundo do pai era inclemente. Nada de bom era obtido de graça. Nem amor. Todas as coisas tinham um preço. E, se você fosse pobre, o sofrimento era a moeda corrente. Abdullah observou o descamado repartido no cabelo da irmã, seu pulso fino pendurado ao lado da carroça, e sabia que, ao morrer, uma parte de sua mãe havia passado a Pari. Alguma coisa de sua devoção alegre, de inocência, de sua inquebrantável esperança. Pari era a única pessoa no mundo que jamais, jamais iria magoá-lo. Em algumas ocasiões, Abdullah sentia que ela era sua única família.

As cores do dia lentamente se dissolveram em cinza, e os distantes picos das montanhas se transformaram em silhuetas opacas de gigantes agachados. No início do dia, eles tinham passado por várias aldeias, a maioria tão remota e empoeirada quanto Shadbagh. Casas pequenas e quadradas feitas de barro cozido, às vezes erguidas na encosta de uma montanha e às vezes não, nuvens de fumaça subindo dos telhados. Linhas de varais, mulheres acocoradas perto de fogareiros. Poucos álamos, algumas galinhas, um punhado de vacas e cabras, e sempre uma mesquita. A última aldeia por que passaram ficava ao lado de um campo de papoulas, onde um velho que trabalhava nas vagens acenou para eles. Gritou alguma coisa que Abdullah não conseguiu ouvir. O pai retribuiu o aceno.

Pari disse: — Abollah?

— Sim.

— Você acha que Shuja está triste?

— Acho que ele está bem.

— Ninguém vai fazer mal a ele?

— Ele é um cachorro grande, Pari. Sabe se defender.

Shuja era um *cachorrão*. O pai disse que devia ter sido cão de briga em algum momento da vida, pois alguém havia cortado suas orelhas e seu rabo. Mas se ele conseguiria ou poderia se defender, essa era outra questão. Quando aquele cão sem dono apareceu em Shadbagh, os garotos atiraram pedras, espetaram-no com galhos de árvores e aros de bicicleta enferrujados. Shuja não reagiu. Com o tempo, os meninos da aldeia se cansaram dos tormentos e o deixaram em paz, mas a atitude de Shuja continuou sendo de cautela, desconfiança, como se não tivesse esquecido a descortesia com que havia sido tratado.

Evitava todo mundo em Shadbagh, com exceção de Pari. Era com Pari que Shuja perdia toda a compostura. Seu amor por ela era imenso e indisfarçável. Ela era o seu universo. De manhã, quando via Pari sair de casa, Shuja pulava, e todo o seu corpo tremia. O toco do rabo mutilado balançava agitado, e ele sapateava como se estivesse andando em brasas. Empinava em círculos alegres ao redor dela. O dia inteiro o cachorro seguia Pari, farejando seus calcanhares, e à noite, quando se separavam, permanecia do lado de fora da porta, desconsolado, esperando pela manhã seguinte.

— Abollah?
— Sim.
— Quando eu crescer, vou morar com você?

Abdullah olhou para o sol alaranjado, bem mais baixo, chegando ao horizonte. — Se você quiser. Mas acho que não vai querer.

— Vou querer sim!
— Você vai querer ter a sua casa.
— Mas nós podemos ser vizinhos.
— Talvez.
— Você não vai morar longe.
— E se você enjoar de mim?

Pari cutucou as costelas dele com o cotovelo. — Eu não vou enjoar!

Abdullah sorriu. — Tudo bem, tudo bem.

— Você vai estar perto.
— Sim.
— Até ficarmos velhos.

— Muito velhos.

— Para sempre.

— Sim, para sempre.

Na parte da frente da carroça, ela virou-se e olhou para ele. — Você promete, Abdullah?

— Para sempre e para sempre.

Depois, o pai colocou Pari nas costas, e Abdullah continuou atrás, empurrando a carrocinha vazia. Enquanto andavam, Abdullah foi tomado por um transe irrefletido. Estava consciente apenas dos movimentos de seus joelhos para cima e para baixo, as gotas de suor escorrendo da aba do gorro. Os pezinhos de Pari balançavam no quadril do pai. Abdullah via somente a sombra de seu pai e de sua irmã se alongando na areia do deserto, afastando-se dele como se ele estivesse diminuindo o passo.

FORA O TIO NABI QUEM havia arranjado esse último trabalho para o pai — tio Nabi era o irmão mais velho de Parwana, e por isso era tio de Abdullah por afinidade. Tio Nabi trabalhava como cozinheiro e chofer em Cabul. Uma vez por mês, vinha de carro de Cabul para visitar a família em Shadbagh, com sua chegada sendo anunciada por um *staccato* de buzinas e pela gritaria de uma horda de crianças da aldeia correndo atrás do grande automóvel azul de capota marrom e rodas cromadas. Batiam nos para-lamas e nas janelas, até ele desligar o motor e sair do carro sorrindo, o belo tio Nabi, com suas costeletas compridas e o cabelo preto ondulado penteado para trás a partir da testa, o terno cor de oliva folgado demais, camisa branca e mocassins marrons. Todos vinham vê-lo porque ele dirigia um automóvel, apesar de ser de seu empregador, e porque usava um terno e trabalhava na grande cidade, Cabul.

Foi em sua última visita que tio Nabi falou com o pai sobre o trabalho. As pessoas ricas para quem trabalhava estavam construindo um adendo à casa em que moravam — uma pequena casa de hóspedes completa nos fundos, com banheiro, separada da construção principal —, e tio Nabi havia sugerido que contratassem o pai, que entendia de construção. Falou que o trabalho era bem pago e que levaria um mês para ser concluído, mais ou menos.

O pai entendia de construção. Já havia trabalhado em muitas delas. Desde que Abdullah conseguia se lembrar, o pai estava sempre procurando serviço, batendo nas portas em busca de um dia de trabalho. Já tinha entreouvido o pai dizer uma vez ao ancião da aldeia, o mulá Shekib: *Se eu tivesse nascido um animal, mulá Sahib, juro que teria nascido uma mula.* Às vezes, o pai levava Abdullah em suas tarefas. Já tinham colhido maçãs numa cidade que ficava a um dia inteiro a pé de Shadbagh. Abdullah se lembrava do pai em cima da escada até o crepúsculo, os ombros curvados, a nuca enrugada queimada pelo sol, a pele nua dos braços, os dedos grossos girando e arrancando maçãs, uma de cada vez. Também já tinham feito tijolos para uma mesquita em outra cidade. O pai mostrou a Abdullah como escolher a melhor terra, a camada mais funda e de cor mais clara. Peneiraram a terra juntos, acrescentando palha, e o pai o ensinou com toda a paciência a dosar a água para que a mistura não ficasse aguada. Durante o último ano, o pai havia carregado pedras. Experimentou revolver a terra, na tentativa de arar o solo. Havia trabalhado com outros homens asfaltando uma estrada.

Abdullah sabia que o pai se culpava por Omar. Se trabalhasse mais, ou se fizesse trabalhos melhores, poderia ter comprado roupas de inverno melhores para o bebê, cobertores mais pesados, talvez até uma estufa adequada para aquecer a casa. Isso era o que o pai pensava. Não tinha dito uma palavra a Abdullah sobre Omar desde o enterro, mas Abdullah sabia.

Lembrava-se de ter visto o pai uma vez, alguns dias depois da morte de Omar, sozinho embaixo do gigantesco carvalho. O carvalho era mais alto do que qualquer coisa em Shadbagh, e a coisa viva mais velha da aldeia. O pai disse que não se surpreenderia se a árvore tivesse visto o imperador Babur conduzindo seu exército para tomar Cabul. Contou que havia passado metade da infância à sombra daquela copa maciça ou galgando seus longos galhos. O pai dele, avô de Abdullah, amarrara uma longa corda a um de seus galhos mais grossos e construíra um balanço, uma geringonça que sobrevivera a incontáveis estações inclementes e até ao próprio velho. O pai disse que costumava se revezar com Parwana e a irmã Masooma naquele balanço, quando todos eram crianças.

Mas, naqueles dias, o pai estava cansado demais do trabalho quando Pari o puxava pela manga e pedia para ser empurrada no balanço.

Talvez amanhã, Pari.
Só um pouquinho, baba. Por favor, levante.
Agora, não. Em outra ocasião.

E ela acabava desistindo, largava a manga dele e saía de perto, resignada. Às vezes, o rosto magro do pai desabava ao ver Pari se afastando. Virava-se na cama, puxava o acolchoado e fechava os olhos cansados.

Abdullah não conseguia imaginar que o pai tivesse brincado alguma vez em um balanço. Não conseguia imaginar que o pai tivesse um dia sido um garoto como ele. Um garoto. Despreocupado, com leveza nos pés. Correndo pelo campo aberto com os amigos. O pai cujas mãos eram cheias de cicatrizes, cujo rosto era rabiscado por profundas linhas de exaustão. O pai, que poderia muito bem já ter nascido com uma pá na mão e barro sob as unhas.

NAQUELA NOITE, ELES TIVERAM DE dormir no deserto. Comeram pão e a última batata cozida que Parwana havia embalado para eles. O pai acendeu uma fogueira e pôs a chaleira no fogo para o chá.

Abdullah deitou ao lado do fogo, encolhido debaixo do cobertor de lã atrás de Pari, ela com as solas dos pés gelados encostadas nele.

O pai debruçou-se acima do fogo e acendeu um cigarro.

Abdullah deitou-se de costas, e Pari se acomodou, encaixando a bochecha no conhecido recesso abaixo da clavícula. Ele sentiu o aroma de cobre do pó do deserto e olhou para o céu, coalhado de estrelas luminosas e cintilantes como cristais de gelo. Uma delicada lua crescente ornamentava a escuridão, um fantasmagórico contorno de sua plenitude.

Abdullah rememorou o antepenúltimo inverno, com tudo mergulhado na escuridão, o vento passando pela porta, zunindo insistente e sonoro, zunindo por todas as frestas do telhado. Do lado de fora, não se distinguia os aldeões encobertos pela neve. As noites longas e sem estrelas, os dias curtos, sombrios, o sol raramente surgindo, somente para uma rápida aparição antes de desaparecer. Abdullah lembrou-se dos gritos sofridos de Omar, e depois de seu silêncio, do pai triste entalhando com a foice uma prancha de madeira sob a lua, como essa acima deles agora, martelando a prancha na terra dura e queimada pelo gelo, na cabeceira da pequena cova.

E, agora, o fim do outono estava à vista mais uma vez. O inverno já estava à espreita na próxima esquina, mas nem o pai nem Parwana falavam a respeito, como se a mera menção pudesse apressar sua chegada.

— Pai — chamou ele.

Do outro lado da fogueira, o pai deu um leve grunhido.

— Você vai me deixar ajudar? Na construção da casa de hóspedes...

Uma fumaça espiralava do cigarro do pai, que olhava para a escuridão.

— Pai?

O pai se acomodou na pedra onde estava sentado. — Acho que você pode me ajudar a misturar a argamassa — respondeu.

— Eu não sei como.

— Eu mostro. Você vai aprender.

— E eu? — perguntou Pari.

— Você? — disse o pai lentamente. Deu uma tragada no cigarro e cutucou o fogo com um graveto. Pequenas fagulhas se espalharam e dançaram na escuridão. — Você pode ser a encarregada da água. Cuide para que nunca tenhamos sede. Porque um homem não pode trabalhar se estiver com sede.

Pari ficou em silêncio.

— O pai está certo — disse Abdullah. Percebeu que Pari queria sujar as mãos, andar pela lama, e estava desapontada com a tarefa designada pelo pai. — Sem você indo buscar água, nós nunca vamos terminar a construção da casa de hóspedes.

O pai enfiou o graveto no cabo da chaleira e ergueu-a do fogo. Colocou-a de lado para esfriar.

— Vou dizer uma coisa — falou. — Se me mostrar que é capaz de cumprir a tarefa da água, eu encontro mais alguma coisa para você fazer.

Pari levantou o queixo e olhou para Abdullah, a expressão iluminada por um largo sorriso.

Abdullah lembrou o tempo em que Pari era bebê, quando dormia sobre o peito dele, e às vezes ele abria os olhos no meio da noite e a via sorrindo em silêncio, com essa mesma expressão.

Foi ele quem a criou. Era verdade. Embora ele mesmo ainda fosse uma criança. Dez anos de idade. Quando ainda era bebê, Pari acordava Abdullah à noite com guinchos e murmúrios, e era ele quem levantava para balançar o berço no escuro. Trocava as fraldas sujas. Dava banho em Pari. Não era uma tarefa que o pai faria — por ser homem —, além de ele estar sempre cansado por causa do trabalho. E Parwana, já grávida de Omar, demorava a atender às necessidades de Pari. Nunca tinha paciência ou energia. Por isso, aqueles cuidados eram delegados a Abdullah, mas ele não se incomodava nem um pouco. Fazia aquilo com prazer. Adorou ser a pessoa que havia ajudado Pari em seus primeiros passos, a entender a primeira palavra enunciada. Era o seu propósito, acreditava ele, a razão de ter sido feito por Deus, para estar lá para cuidar de Pari quando Ele levou sua mãe.

— *Baba* — disse Pari. — Conte uma história.
— Está ficando tarde — contestou o pai.
— Por favor.

O pai era um homem fechado por natureza. Raramente resmungava mais do que duas sentenças consecutivas. Mas em determinadas ocasiões, por razões que Abdullah desconhecia, alguma coisa nele destravava, e as histórias, de repente, começavam a jorrar. Às vezes, ele arrebatava Abdullah e Pari, enquanto Parwana batia as panelas na cozinha, contando histórias que sua avó havia passado a ele quando era garoto, transportando os dois para terras habitadas por sultões, jinis e devs malignos e sábios dervixes. Outras vezes, ele inventava as narrativas. Criava de improviso histórias que revelavam uma capacidade de imaginar e sonhar que sempre surpreendeu Abdullah. Nunca o pai se fazia mais presente para Abdullah, mais vibrante, mais aberto, mais verdadeiro, do que quando contava suas histórias, como se aquelas narrativas fossem orifícios em seu mundo opaco e inescrutável.

Mas Abdullah sabia, pela expressão no rosto do pai, que hoje não haveria nenhuma história.

— É tarde — repetiu o pai. Pegou a chaleira com a ponta do xale que cobria seus ombros e serviu uma xícara de chá. Soprou o vapor e deu um gole, o rosto refletindo a luz alaranjada das chamas. — Hora de dormir. Amanhã, longo dia.

Abdullah cobriu a cabeça com o cobertor. Embaixo da coberta, cantou na nuca de Pari:

Encontrei uma fadinha triste
Na sombra de uma árvore de papel.

Pari, já dormindo, entoou morosamente seu verso:

Conheço uma fadinha triste
Que foi soprada pelo vento da noite.

Quase instantaneamente, começou a ressonar.

Abdullah acordou um pouco mais tarde e descobriu que o pai não estava lá. Sentou-se assustado. A fogueira estava quase apagada, só restando agora uns poucos pedaços de brasa mortiça. O olhar de Abdullah dardejou para a esquerda, depois para a direita, mas seus olhos não conseguiam penetrar a escuridão, subitamente vasta e sufocante. Sentiu o rosto empalidecer. Com o coração acelerado, apurou o ouvido, prendeu a respiração.

— Pai? — sussurrou.

Silêncio.

O pânico começou a brotar do fundo do peito. Ficou perfeitamente imóvel por um longo tempo, o corpo tenso e ereto, escutando. Mas não ouviu nada. Estavam sozinhos, ele e Pari, a escuridão fechando-se sobre os dois. Tinham sido abandonados. O pai os havia abandonado. Pela primeira vez, Abdullah sentiu a verdadeira vastidão do deserto, e do mundo. Como era fácil uma pessoa se perder ali. Ninguém para ajudar, ninguém para indicar o caminho. Em seguida, um pensamento ainda pior pululou em sua cabeça. O pai havia morrido. Alguém havia cortado a garganta dele. Bandidos. Haviam matado seu pai e, agora, estavam se aproximando dele e de Pari, sem pressa, desfrutando o momento, transformando aquilo num jogo.

— Pai?

Nenhuma resposta.

— Pai?

Chamou pelo pai diversas vezes, sentindo um nó na garganta. Perdeu a noção de quantas vezes ou por quanto tempo chamou pelo pai, mas nenhuma resposta veio da escuridão. Imaginou rostos, escondidos nas montanhas projetadas da terra, observando, sorrindo maldosamente para ele e Pari. Foi tomado por um pânico que contraía suas vísceras. Começou a tremer e choramingar baixinho. Sentiu que estava prestes a gritar.

Então, som de passos. Uma forma materializou-se no escuro.

— Pensei que você tivesse ido embora — disse Abdullah, a voz embargada.

O pai sentou perto do que restava da fogueira.

— Aonde você foi?

— Vai dormir, garoto.

— Você não nos deixaria aqui. Não faria isso, pai.

O pai olhou para ele, mas no escuro seu rosto se dissolvia numa expressão que Abdullah não conseguiu divisar. — Assim, você vai acordar a sua irmã.

— Não nos abandone.

— Já chega disso por ora.

Abdullah deitou outra vez, a irmã agarrada firme nos braços, o coração batendo na boca.

ABDULLAH NÃO CONHECIA CABUL. O que sabia sobre Cabul vinha de histórias contadas pelo tio Nabi. Conhecia algumas cidades menores, de viagens de trabalho com o pai, mas não uma verdadeira metrópole, e realmente nada do que tio Nabi dissera poderia tê-lo preparado para o barulho e a agitação da maior e mais movimentada cidade de todas. Em toda parte, ele via sinais de tráfego, casas de chá, restaurantes, lojas com vitrines de vidro e luminosos multicoloridos. Carros matraqueando ruidosamente por ruas movimentadas, buzinando, passando de raspão por ônibus, pedestres e bicicletas. *Garis* puxados a cavalo tilintavam para cima e para baixo nos bulevares, as rodas de aro de ferro solavancando no pavimento. As calçadas por onde caminhava com Pari e o pai estavam abarrotadas de vendedores de cigarros e de goma de mascar, barraquinhas de produtos diversos, ferreiros malhando ferraduras. Nos cruzamentos, guardas de trânsito em uniformes mal-ajambrados sopravam os apitos e faziam gestos autoritários a que aparentemente ninguém obedecia.

Com Pari no colo, Abdullah sentou num banco na calçada perto de um açougue, dividindo um prato de estanho de feijão com chutney e salsinha que o pai havia comprado numa barraca de rua.

— Olhe, Abollah — disse Pari, apontando uma loja do outro lado da rua. A vitrine mostrava uma jovem com um lindo vestido verde bordado com miçangas e pequenos espelhos. Ela usava também um longo lenço, que combinava com joias de prata, e uma calça cor de vinho. Estava perfeitamente imóvel, olhando com indiferença os passantes, sem piscar. Não moveu um dedo durante o tempo em que Abdullah e Pari comeram os feijões, e continuou imóvel depois disso também. No mesmo quarteirão, Abdullah viu um enorme cartaz na fachada de um edifício alto. Mostrava uma mulher indiana, jovem e bonita, debaixo de uma chuva forte, sorridente, protegida atrás de uma espécie de bangalô. Ela sorria com timidez, o sári molhado marcando suas curvas. Abdullah conjeturou se era aquilo que tio Nabi havia chamado de cinema, aonde as pessoas iam para assistir a filmes, e tinha a esperança de que no próximo mês tio Nabi o levasse com Pari a um cinema. O pensamento o fez sorrir.

Somente quando o chamado à oração soou de uma mesquita de teto azul perto dali Abdullah viu tio Nabi estacionando no meio-fio. Tio Nabi saiu pelo lado do motorista, com seu terno verde-oliva, e a porta quase acertou um jovem ciclista num *chapan*, que se desviou bem a tempo.

Tio Nabi contornou depressa o carro pela frente e abraçou o pai. Quando viu Abdullah e Pari, o rosto se abriu num grande sorriso. Abaixou-se para ficar no mesmo nível que eles.

— O que estão achando de Cabul, crianças?

— É muito barulhento — respondeu Pari, e tio Nabi deu risada.

— Isso é mesmo. Vamos lá, subam. Vocês vão ver muito mais quando estiverem dentro do carro. Limpem os pés antes de entrar. Saboor, você vai na frente.

O banco de trás era fresco, liso e azul-claro, para combinar com a parte externa. Abdullah ocupou o lugar atrás do motorista, ajudando Pari a sentar em seu colo. Notou a maneira invejosa como os transeuntes olhavam para o automóvel. Pari virou a cabeça para ele, e os dois trocaram um sorriso.

Observavam o movimento da cidade enquanto tio Nabi dirigia. Ele contou que iria fazer o trajeto mais longo, para que os dois pudessem conhecer um pouco de Cabul. Apontou uma cordilheira chamada Tapa Maranjan, cujo mausoléu tinha vista para a cidade. Disse que Nader Shah, pai do rei Zaher Shah, estava enterrado ali. Mostrou a fortaleza de Bala Hissar no topo do monte Sherdarwaza e explicou que os britânicos usaram o local em sua segunda guerra contra o Afeganistão.

— O que é aquilo, tio Nabi? — perguntou Abdullah, batendo no vidro e apontando um edifício grande, amarelo e retangular.

— Aquilo é a Silo. A nova fábrica de pão. — Tio Nabi tirou uma das mãos do volante e virou a cabeça para dar uma piscada. — Presente dos nossos amigos russos.

Uma fábrica que faz pão, admirou-se Abdullah, e visualizou Parwana em Shadbagh, quando sovava os discos de massa nas laterais do *tandoor* de barro da família.

Finalmente, tio Nabi entrou numa rua larga e limpa, ladeada de ciprestes espaçados com regularidade. As casas eram maiores e mais elegantes do que qualquer uma que Abdullah já vira. Eram brancas, amarelas, azul-claras. A maioria tinha dois andares, era cercada por muros altos e fechada por portões de metal duplos. Abdullah avistou vários carros iguais ao do tio Nabi estacionados na rua.

Tio Nabi entrou em uma vereda enfeitada por uma fileira de arbustos esmeradamente aparados. No fim do caminho, a casa de dois andares e paredes brancas parecia assustadoramente grande.

— Sua casa é tão grande! — exclamou Pari, os olhos revirando de deslumbramento.

Tio Nabi jogou a cabeça para trás e deu risada. — Seria demais. Não, essa é a casa dos meus empregadores. Você vai conhecê-los. Seja bem-educada.

A CASA SE MOSTROU AINDA mais impressionante quando tio Nabi levou Abdullah, Pari e o pai para dentro. Abdullah estimou que era tão grande que poderia conter pelo menos metade das casas de Shadbagh. Sentiu como se estivesse entrando no palácio do dev. O jardim, lá no fundo, era uma linda paisagem com canteiros de flores de todas as cores, muito bem aparados, arbustos que iam até a cintura e árvores frutíferas — Abdullah reconheceu pés de cereja, maçã, damasco e romã. Uma cobertura ligava a casa ao jardim — tio Nabi disse que aquilo se chamava varanda — e era fechada por uma grade baixa recoberta de vinhas e folhagens. No caminho até a sala onde o sr. e a sra. Wahdati esperavam os visitantes, Abdullah avistou um banheiro com o vaso sanitário de porcelana que tio Nabi havia mencionado, assim como a cintilante pia com torneiras cor de bronze. Abdullah, que passava horas toda semana puxando baldes de água do poço comunitário de Shadbagh, maravilhou-se com uma vida em que a água estava ao alcance de uma torção do pulso.

Abdullah, Pari e o pai sentaram-se num grande sofá com babados dourados. As almofadas macias às costas eram estampadas com pequenos espelhos octogonais. Em frente ao sofá, uma pintura ocupava quase toda a parede. Mostrava um velho entalhador de pedra, curvado sobre uma bancada, que martelava um bloco de rocha com seu malho. Cortinas pregueadas cor de vinho guarneciam as grandes janelas que se abriam para um balcão com uma grade de ferro à altura da cintura. Tudo na sala era lustroso, sem nada de poeira.

Nunca na vida Abdullah se sentiu tão consciente de sua própria sujeira.

O patrão do tio Nabi, sr. Wahdati, estava numa poltrona de couro, braços cruzados no peito. Olhava para eles com uma expressão não exatamente pouco amistosa, mas remota e impenetrável. Era mais alto que o pai; Abdullah percebeu isso quando ele se levantou para cumprimentá-los. Tinha ombros estreitos, lábios finos e uma testa alta e brilhante. Vestia terno branco acinturado e camisa verde com o colarinho aberto, cujos punhos eram abotoados por duas pedras ovais de lazurita. Durante o tempo todo, ele não disse mais que uma dúzia de palavras.

Pari observava a bandeja de biscoitos na mesa de vidro à sua frente. Abdullah nunca imaginou que tanta variedade pudesse existir. Palitos de chocolate com tranças de creme, pequenas bolachas redondas com recheio de laranja, biscoitos verdes em forma de folhas, e muito mais.

— Estão servidos? — ofereceu a sra. Wahdati. Era ela quem conduzia a conversa. — Fiquem à vontade. Os dois. Estão aí para vocês.

Abdullah virou em direção ao pai pedindo permissão, logo seguido por Pari. A atitude pareceu encantar a sra. Wahdati, que ergueu as sobrancelhas, inclinou a cabeça e sorriu.

O pai anuiu levemente. — Uma para cada um — disse em voz baixa.

— Ah, não — retrucou a sra. Wahdati. — Eu fiz Nabi ir a uma padaria do outro lado de Cabul para comprar esses doces.

O pai corou, desviou o olhar. Estava sentado na beira da almofada e segurava o gorro surrado com as mãos. Os joelhos estavam voltados na direção oposta à sra. Wahdati, e ele mantinha o olhar no marido.

Abdullah pegou dois biscoitos, deu um a Pari.

— Ah, pegue mais um. Não vamos desperdiçar todo o trabalho do Nabi — comentou a sra. Wahdati com um delicado tom de reprovação. Sorriu para tio Nabi.

— Não foi trabalho nenhum — disse tio Nabi, corando.

Tio Nabi estava em pé perto da porta, ao lado de um gabinete de madeira alto com grossas portas de vidro. Nas prateleiras internas, Abdullah viu fotos do sr. e da sra. Wahdati em molduras de prata. Lá estavam eles, ao lado de outro casal, usando cachecóis grossos e casacos pesados, um rio espumante fluindo no fundo. Em outra fotografia, a sra. Wahdati segurava um copo na mão, ria, e tinha o braço descoberto enlaçado na cintura de um homem que, algo impensável para Abdullah, não era o sr. Wahdati. Havia uma foto de casamento também: ele, alto e alinhado num terno preto; ela, num vestido branco flutuante, e os dois sorrindo de boca fechada.

Abdullah lançou um olhar furtivo para ela, viu sua cintura fina, a boca pequena e bonita, as sobrancelhas perfeitamente arqueadas, as unhas cor-de-rosa combinando com o batom. Lembrava-se dela agora, de alguns anos atrás, quando Pari tinha menos de dois anos. Tio Nabi a havia levado para Shadbagh, pois ela disse que queria conhecer a família dele. Usava um vestido cor de pêssego sem mangas — lembrou-se da expressão de surpresa no rosto do pai — e óculos escuros com uma armação branca e grossa. Sorriu o tempo todo, fez perguntas sobre a aldeia, sobre a vida, perguntou o nome e a idade das crianças. Agia como se pertencesse ao lugar, mostrava-se à vontade na casa de taipa de teto baixo da família, quando encostou-se numa parede enegrecida de fuligem e sentou-se ao lado da janela suja de moscas e do laminado de plástico leitoso que separava o cômodo principal da cozinha, onde também dormiam Abdullah e Pari. Fez um espetáculo de sua visita e insistiu em tirar os sapatos de salto alto na porta, preferindo o chão quando o pai educadamente ofereceu uma cadeira. Como se fosse um deles. Abdullah tinha somente oito anos, mas percebeu tudo.

O que Abdullah mais se lembrava daquela visita era da figura amortalhada de Parwana — que na época estava grávida de Iqbal — sentada num canto, imóvel e em silêncio, enrodilhada como uma bola. Mantinha os ombros encolhidos, os pés debaixo da barriga inchada, como que tentando desaparecer na parede. O rosto estava coberto por um véu manchado, e ela segurava o nó emaranhado debaixo do queixo. Abdullah quase podia ver a vergonha exalando dela como um vapor, o constrangimento, o quanto ela se sentia pequena, e foi envolvido por uma surpreendente onda de solidariedade pela madrasta.

A sra. Wahdati pegou um maço perto da bandeja de doces e acendeu um cigarro.

— Fizemos um grande desvio no caminho, e mostrei a eles um pouco da cidade — explicou tio Nabi.

— Ótimo! Ótimo! — disse a sra. Wahdati. — Já tinha vindo a Cabul antes, Saboor?

O pai respondeu: — Uma ou duas vezes, Bibi Sahib.

— E posso perguntar quais são suas impressões?

O pai deu de ombros. — Muito cheia de gente.

— Sim.

O sr. Wahdati tirou um fiapo de fibra da manga da jaqueta, olhou para o tapete.

— Cheia, sim, e às vezes também muito cansativa — continuou a esposa.

O pai aquiesceu, como se compreendesse.

— Cabul é uma ilha. Alguns dizem que é progressista, o que pode ser verdade. Talvez seja, mas perdeu muito contato com o restante do país.

O pai olhou para o gorro nas mãos e piscou.

— Não me entenda mal — continuou. — Eu apoiaria de coração qualquer programa progressista da cidade. Deus sabe que este país precisa disso. Assim mesmo, Cabul parece, às vezes, um tanto satisfeita demais consigo mesma para o meu gosto. Juro que a pompa deste lugar — deu um suspiro

— acaba se tornando cansativa. Sempre admirei o campo, pessoalmente. Tenho muita simpatia pela zona rural. As províncias distantes, as *qarias*, os pequenos vilarejos. O verdadeiro Afeganistão, por assim dizer.

O pai assentiu, sem muita convicção.

— Posso não concordar com todas ou com a maioria das tradições tribais, mas me parece que no interior as pessoas têm vida mais autêntica. Uma humildade reconfortante. Hospitalidade, também. E resistência. Um sentimento de orgulho. É essa a palavra certa, Suleiman? Orgulho?

— Pare com isso, Nila — disse o marido em voz baixa.

Seguiu-se um denso silêncio. Abdullah viu o sr. Wahdati tamborilar os dedos no braço da poltrona, e sua mulher, a sra. Wahdati, sorrir apertado, a mancha rósea na ponta do cigarro, os tornozelos cruzados, o cotovelo apoiado no braço da poltrona.

— Talvez não seja a palavra certa — falou, rompendo o silêncio. — Dignidade, talvez. — Sorriu, revelando dentes brancos e bem alinhados. Abdullah nunca tinha visto dentes como aqueles. — Isso mesmo. Muito melhor. As pessoas do campo mostram um sentimento de dignidade. É uma coisa que ostentam, não é? Como um distintivo? Estou sendo sincera. Vejo isso em você, Saboor.

— Obrigado, Bibi Sahib — murmurou o pai, mexendo-se no sofá, ainda olhando para o gorro.

A sra. Wahdati aquiesceu. Depois mudou o olhar para Pari. — E devo dizer que você é adorável. — Pari chegou mais perto de Abdullah.

Bem lentamente, a sra. Wahdati recitou: — Hoje eu vi o encanto, a beleza, a insondável graça do rosto que estava procurando. — Sorriu. — Rumi. Já ouviu falar? Dá para pensar que ele compôs isso para você, minha querida.

— A sra. Wahdati é uma poeta de talento — observou tio Nabi.

Do outro lado da sala, o sr. Wahdati pegou um biscoito, partiu na metade e deu uma pequena mordida.

— Nabi está sendo gentil — disse a sra. Wahdati, lançando um olhar amável em sua direção. Mais uma vez Abdullah notou um rubor subindo pelas bochechas do tio Nabi.

A sra. Wahdati amassou o cigarro e bateu várias vezes a bituca no cinzeiro. — Talvez eu deva levar as crianças para dar uma volta? — sugeriu.

O sr. Wahdati bufou, bateu a palma das mãos nos braços da poltrona e fez menção de se levantar, mas continuou sentado.

— Vou levar as crianças ao bazar — disse a sra. Wahdati, agora para o pai. — Se não fizer objeção, Saboor. Nabi pode nos levar de carro. Suleiman vai mostrar o local de trabalho lá atrás. Assim, você pode ver por si mesmo.

O pai concordou.

O sr. Wahdati fechou os olhos.

Eles se levantaram para sair.

De repente, Abdullah desejou que o pai agradecesse àquelas pessoas pelo chá e pelos biscoitos, pegasse os dois filhos pela mão e saísse daquela casa cheia de pinturas, de cortinas e de todo aquele luxo e conforto. Poderiam reabastecer as bolsas de água, comprar pão e alguns ovos cozidos e voltar pelo mesmo caminho pelo qual haviam chegado. Atravessar outra vez o deserto, os rochedos, as colinas, com o pai contando histórias. Poderiam se revezar puxando Pari na carroça. E em dois dias, talvez três, apesar da poeira nos pulmões e do cansaço nos membros, eles estariam de volta a Shadbagh. Shuja estaria esperando por eles, correria ao encontro deles e faria círculos em volta de Pari. Eles estariam em casa.

O pai disse: — Podem ir, crianças.

Abdullah deu um passo à frente, como se fosse dizer alguma coisa, mas tio Nabi pôs a mão pesada em seu ombro e o fez se virar, já os levando pelo corredor, dizendo: — Esperem só até ver os bazares desta cidade. Vocês nunca viram nada igual.

A SRA. WAHDATI ENTROU NO banco de trás com os dois, inundando o ar com seu perfume espesso e pesado, e alguma coisa mais que Abdullah não reconheceu, algo doce, um pouco pungente. Ela fez uma série de perguntas enquanto tio Nabi dirigia. Quem eram os amigos deles? Já estavam na escola? Perguntas sobre suas tarefas, os vizinhos, os jogos que brincavam. O sol iluminava o lado direito de seu rosto. Abdullah podia ver as penugens no queixo, a linha tênue que delimitava a maquiagem abaixo da mandíbula.

— Eu tenho um cachorro — disse Pari.
— É mesmo?
— É uma figura — comentou tio Nabi no banco dianteiro.
— O nome dele é Shuja. Ele sabe quando estou triste.
— Os cachorros são assim mesmo — disse a sra. Wahdati. — São melhores nessas coisas do que algumas pessoas que conheci.

Passaram por um grupo de três colegiais saltitando na calçada. Usavam uniformes pretos com lenços brancos amarrados no queixo.

— Eu sei o que disse antes, mas Cabul não é tão ruim. — A sra. Wahdati brincava com o lenço, distraída. Olhava pela janela com uma expressão meio pesarosa. — Eu gosto mais no final da primavera, depois das chuvas. O ar fica tão limpo. A primeira mostra do verão. A maneira como o sol bate nas montanhas. — Deu um sorriso abatido. — Vai ser bom ter crianças em casa. Um pouco de barulho, para variar. Um pouco de vida.

Abdullah olhou para ela e sentiu algo alarmante naquela mulher, atrás da maquiagem e do perfume e das atitudes simpáticas, alguma coisa profundamente dividida. De repente, começou a pensar na fumaça saindo da comida de Parwana, na prateleira da cozinha cheia de jarros e pratos descasados e potes manchados. Sentiu saudade do colchão que dividia com Pari, apesar da sujeira e da constante ameaça das molas que poderiam escapar. Sentiu saudade de tudo aquilo. Nunca sentira tanta saudade de casa.

A sra. Wahdati afundou no banco com um suspiro e abraçou a bolsa, como uma mulher grávida seguraria a barriga.

Tio Nabi estacionou numa movimentada viela. Do outro lado da rua, ao lado de uma mesquita com altos minaretes, estava o bazar, composto de movimentados labirintos de vielas abertas e cobertas. Caminharam por corredores de barracas que vendiam casacos de couro, anéis, joias e pedras coloridas, especiarias de todos os tipos. Tio Nabi na retaguarda, a sra. Wahdati e os dois na frente. Agora que estavam ao ar livre, a sra. Wahdati usava óculos escuros que a deixavam com um rosto estranhamente felino.

Os gritos dos vendedores ecoavam por toda parte. Música soava de quase todas as barracas. Eles andaram por lojinhas que vendiam livros, rádios, abajures e panelas niqueladas. Abdullah viu dois soldados com botas empoeiradas e sobretudo marrom-escuro dividindo um cigarro, olhando tudo com tédio e indiferença.

Pararam numa loja de calçados. A sra. Wahdati revirou as fileiras de sapatos expostos em caixas. Tio Nabi vagueou até a barraca ao lado, mãos cruzadas nas costas, dando uma olhada por cima do nariz em algumas moedas antigas.

— Que tal essa? — perguntou a sra. Wahdati a Pari, mostrando um par de sandálias amarelas.

— São muito bonitas — comentou Pari, olhando as sandálias com ar de descrença.

— Vamos experimentar.

A sra. Wahdati ajudou Pari a calçar as sandálias, ajustou o laço e a fivela. Olhou para Abdullah por cima dos óculos. — Acho que você também está precisando de um par de sapatos. Mal acredito que veio andando desde a sua aldeia com essas sandálias.

Abdullah abanou a cabeça e olhou para o outro lado. Perto dali, um velho com uma barba andrajosa e pés deformados pedia esmola aos passantes.

— Olhe, Abollah! — Pari levantou um pé, depois o outro. Bateu os pés no chão, deu um pulinho. A sra. Wahdati chamou tio Nabi e pediu que andasse com Pari pela viela para ver se os sapatos serviam. Tio Nabi levou Pari pela mão.

A sra. Wahdati olhou para Abdullah.

— Você acha que sou má pessoa — falou. — Por causa do que eu disse antes.

Abdullah viu Pari e tio Nabi passarem pelo velho mendigo de pés deformados. O velho disse alguma coisa a Pari, ela virou o rosto para tio Nabi e falou alguma coisa, e tio Nabi jogou uma moeda para o velho.

Abdullah começou a chorar sem emitir nenhum som.

— Oh, que garoto sensível — disse a sra. Wahdati, assustada. — Coitado de você, meu querido. — Pegou um lenço da bolsa e o ofereceu.

Abdullah afastou o lenço. — Não faça isso, por favor — retrucou, a voz entrecortada.

A sra. Wahdati agachou ao lado dele, os óculos afastados para cima do cabelo. Os olhos dela também estavam úmidos, e o lenço ficou manchado de preto quando os enxugou. — Você não tem culpa de me odiar. É um direito seu. Mas — e não espero que você entenda, não agora — isso é para o seu bem. De verdade, Abdullah. É para o seu bem. Um dia você vai entender.

Abdullah virou o rosto para o céu e ficou esperando Pari chegar saltitante até ele, os olhos transbordando gratidão, o rosto luminoso de felicidade.

CERTA MANHÃ DAQUELE INVERNO, o pai pegou o machado e derrubou o carvalho gigante. Contou com a ajuda do filho do mulá Shekib, Baitullah, e de alguns outros homens. Ninguém tentou interferir. Abdullah só assistiu, junto a outros garotos. A primeira coisa que o pai fez foi desmontar o balanço. Subiu na árvore e cortou as cordas com uma faca. Depois, ele e os outros homens desferiram machadadas no grande tronco até o final da tarde, quando o velho carvalho finalmente tombou com um gemido grave. O pai disse a Abdullah que eles precisavam de lenha para o inverno. Mas suas machadadas na velha árvore foram tão violentas, sua mandíbula estava tão contraída, a expressão tão crispada, que Abdullah não conseguiu continuar olhando.

Agora, sob um céu cor de pedra, os homens atacavam o tronco caído, com narizes e bochechas corados pelo frio, e as lâminas ecoavam no vazio ao atingirem a madeira. Perto da árvore, Abdullah separava os galhos menores dos maiores. A primeira neve do inverno havia caído dois dias antes. Nada muito pesado, ainda não, só uma promessa das coisas que viriam. Em breve, o inverno se abateria sobre Shadbagh, o inverno e seus pingentes de gelo, nevadas de uma semana e ventos que rachavam a pele das costas das mãos num minuto. Por enquanto, o branco no terreno era esparso, manchado de pálidos borrões de terra amarronzados desde ali até as altas colinas.

Abdullah recolheu uma braçada de gravetos e os levou até uma pilha comunitária que ia crescendo. Usava novas botas de neve, luvas e um casaco de inverno. Era de segunda mão, mas, à parte o zíper quebrado, que o pai consertou, estava como novo, acolchoado, azul-escuro com costuras cor de laranja no forro. Tinha quatro bolsos grandes que abriam e fechavam, um capuz forrado que aderia ao rosto de Abdullah quando ele puxava os cordões. Tirou o capuz da cabeça, soltando uma longa e vaporosa expiração.

O sol estava caindo no horizonte. Abdullah ainda conseguia distinguir o velho moinho cinzento e esquálido assomando atrás das paredes de barro. As pás faziam um rangido estridente sempre que uma lufada penetrante soprava das colinas. No verão, o moinho era basicamente ocupado pelas garças azuis, mas, agora que o inverno havia chegado, as garças partiram, e os corvos tomaram o seu lugar. Toda manhã, Abdullah acordava com seus pios e grasnados ásperos.

Alguma coisa chamou sua atenção, à direita, no chão. Andou até lá e se ajoelhou.

Uma pena. Pequena. Amarela.

Tirou uma das luvas e a pegou.

Naquela noite, eles iam a uma festa, ele, o pai e seu pequeno meio-irmão Iqbal. Baitullah tivera mais um filho. Um *motreb* ia cantar para os homens, e alguém tocaria um pandeiro. Seria servido chá, pão quente recém-assado e sopa de *shorwa* com batata. Depois, o mulá Shekib molharia os dedos numa cuia de água adocicada e deixaria o bebê chupar. Pegaria sua pedra negra brilhante e a navalha de dois gumes, ergueria o pano que cobria o diafragma do garoto. Um ritual comum. A vida continuava em Shadbagh.

Abdullah girou a pena na mão.

Não vou tolerar choradeira, o pai havia dito. *Sem choradeira.*

E não houve choradeira nenhuma. Ninguém na aldeia perguntou sobre Pari. Ninguém nem falava o nome dela. Abdullah ficou espantado com a facilidade com que ela havia desaparecido da vida deles.

Somente em Shuja Abdullah via um reflexo de sua dor. O cachorro aparecia na porta da casa todos os dias. Parwana atirava pedras. O pai ameaçava com um bastão. Mas ele continuava voltando. Todas as noites ouviam-se seus uivos de tristeza, e todas as manhãs ele permanecia deitado na porta, focinho entre as patas da frente, piscando para seus agressores com olhos melancólicos e nada acusadores. Isso durou semanas, até que certa manhã Abdullah viu Shuja manquejando em direção às colinas, a cabeça baixa. Ninguém em Shadbagh o viu desde então.

Abdullah guardou a pena amarela e começou a andar em direção ao moinho.

Às vezes, em momentos de fraqueza, Abdullah flagrava o rosto do pai se anuviando, mesclando tonalidades confusas de emoção. O pai parecia menor para ele agora, como se tivesse perdido alguma coisa essencial. Andava lentamente pela casa, ou desfrutava o calor da nova grande estufa de ferro batido com o pequeno Iqbal no colo, olhando para as labaredas sem ver nada. A voz se arrastava de um jeito que Abdullah não lembrava, como se alguma coisa pesasse em cada palavra que falava. Recolhia-se em longos silêncios, a cara fechada. Não contava mais histórias, nunca mais contou uma história desde que voltara de Cabul com Abdullah. Talvez, pensava Abdullah, o pai tivesse vendido também sua musa aos Wahdati.

Ausente.

Desaparecida.

Sem deixar vestígio.

Sem explicação.

Nada a não ser as palavras de Parwana: *Tinha de ser ela. Desculpe, Abdullah. Tinha de ser ela.*

O dedo cortado, para salvar a mão.

Ajoelhou-se no chão atrás do moinho, ao pé da esquálida torre de pedra. Tirou as luvas e cavou a terra. Pensou nas sobrancelhas pesadas da irmã, na testa ampla e redonda, no sorriso de dentes separados. Ouviu na cabeça o titilar de sua risada rolando pela casa, como antes. Pensou no tumulto que irrompeu quando eles voltaram do bazar. Pari estava em pânico. Gritava. Tio Nabi saiu com ela rapidamente. Abdullah escavou a terra até os dedos tocarem num metal. Remexeu abaixo da superfície e retirou uma caixa de chá do buraco. Raspou a sujeira gelada da tampa.

Havia algum tempo ele vinha pensando muito na história que o pai havia contado na noite anterior à viagem a Cabul, do velho camponês Baba Ayub e o dev. Abdullah estava em um lugar onde Pari costumava ficar, a ausência dela era como um cheiro saindo da terra debaixo dos pés. As pernas fraquejaram, o coração desabou sobre si mesmo, ele ansiava por um gole da poção mágica que o dev dera a Baba Ayub, para poder esquecer.

Mas não havia como esquecer. Pari insistia em pairar nos limites do campo visual de Abdullah aonde quer que ele fosse. Era como o pó que se apegava à sua camisa. Estava nos silêncios que se tornaram tão frequentes na casa, silêncios que intumesciam entre as palavras trocadas, às vezes frios e vazios, às vezes prenhes de coisas que não eram ditas, como uma nuvem cheia de uma chuva que jamais caía. Algumas noites ele sonhava que estava outra vez no deserto, sozinho, rodeado pelas montanhas e, a distância, um único e cintilante ponto de luz, acendendo, apagando, acendendo, apagando, como uma mensagem.

Abriu a caixa de chá. Estavam todas lá, as penas de Pari, penas que caíram de galos, patos, pombos, e também a pena do pavão. Jogou a pena amarela na caixa. Um dia, pensou.

Quem sabe.

Seus dias em Shadbagh estavam contados, como os de Shuja. Agora ele sabia disso. Não havia mais nada para ele aqui. Não havia mais um lar. Ia esperar até o inverno passar, até o degelo da primavera, levantaria numa manhã antes do amanhecer e sairia pela porta. Escolheria uma direção e começaria a andar. Continuaria andando até estar o mais longe possível de Shadbagh, para onde o levassem seus pés. E se um dia, caminhando por um vasto campo aberto, se sentisse tomado pelo desespero, iria parar de andar, fechar os olhos e pensar na pena de falcão que Pari achara no deserto. Imaginaria a pena soltando-se do pássaro, perto das nuvens, um quilômetro acima do mundo, rodopiando e girando nas violentas correntes, arremessada por tumultuadas rajadas de vento por quilômetros e quilômetros de deserto e montanhas, para afinal pousar, entre tantos lugares e, contra tantas probabilidades, aos pés daquela pedra, para sua irmã encontrar. Teria uma sensação de assombro, e de esperança também, que tais coisas acontecessem. E mesmo sem se deixar enganar por essa sensação, reuniria suas forças, abriria os olhos e continuaria andando.

Três

Primavera de 1949

PARWANA SENTE O CHEIRO ANTES de puxar a colcha e constatar o que aconteceu ali. A mancha está por toda parte, na bunda de Masooma, abaixo de suas coxas, nos lençóis e no colchão e também na coberta. Masooma olha para Parwana por cima do ombro, com um tímido pedido de desculpa e vergonha — ainda a vergonha, depois de todo esse tempo, todos esses anos.

— Desculpe — murmura Masooma.

Parwana quer berrar, mas consegue esboçar um sorriso sem graça. Em momentos como esse, é preciso muito esforço para se lembrar, para não perder de vista uma verdade inabalável: É obra dela, essa bagunça. Nada do que está acontecendo é injusto ou indevido. É o que ela merece. Suspira, examinando os panos sujos, antecipando o trabalho pela frente. — Eu vou limpar você — diz.

Masooma começa a chorar sem emitir nenhum som, sem ao menos mudar a expressão. Somente lágrimas, vertendo, escorrendo.

Do lado de fora, no início frio da manhã, Parwana acende o fogareiro. Quando as labaredas se firmam, enche um balde com água do poço comunitário de Shadbagh e o põe para aquecer. Estende a palma das mãos sobre o fogo. Daqui ela pode ver o moinho e a mesquita da aldeia onde o mulá

Shekib ensinara as duas irmãs a ler quando eram pequenas, e também a casa do mulá Shekib, no sopé de um ligeiro declive. Mais tarde, quando o sol estiver mais alto, o telhado será um perfeito quadrado vermelho e contrastado, na poeira, dos tomates que sua mulher pôs para secar. Parwana olha as estrelas da manhã, desmaiadas, pálidas, piscando com indiferença. Reúne suas forças.

Do lado de dentro, ela vira Masooma de barriga para baixo. Molha o pano na água e o esfrega na bunda de Masooma, limpando a sujeira de suas costas e da carne flácida das pernas.

— Por que água quente? — pergunta Masooma, deitada no travesseiro. — Por que esse trabalho? Não precisa fazer isso. Eu não sinto diferença.

— Talvez. Mas eu sinto — diz Parwana, fazendo uma careta por causa do mau cheiro. — Agora, pare de falar e me deixe terminar.

Depois disso, o dia de Parwana se desenrola como sempre, como tem acontecido nos quatro anos desde a morte dos pais. Ela alimenta as galinhas. Corta lenha e puxa baldes de água do poço. Faz a massa e assa o pão no *tandoor* do lado de fora da casa de taipa. Limpa o chão. À tarde, acocora-se à beira do riacho ao lado de outras mulheres da aldeia e lava roupa nas pedras. Depois, por ser sexta-feira, visita o túmulo dos pais no cemitério e faz uma pequena prece para cada um. Ao longo de todo o dia, no intervalo entre essas tarefas, arranja tempo para virar Masooma de um lado para outro, enfiando um travesseiro sob a bunda de um lado e de outro.

Nesse dia, ela vê Saboor duas vezes.

Na primeira, ele está agachado fora de sua pequena casa de taipa, abanando uma chama no fogareiro, os olhos semicerrados por causa da fumaça, ao lado do filho, Abdullah. Encontra-o novamente mais tarde, conversando com outros homens que, como Saboor, agora também têm suas famílias, mas já foram garotos da aldeia com quem Saboor discutia, empinava pipas, corria atrás de cachorros, brincava de esconde-esconde. Paira um peso sobre Saboor nesses dias, uma mortalha trágica, uma esposa morta e dois filhos órfãos, um ainda bebê. Ele fala com uma voz cansada, quase inaudível. Perambula pela aldeia como uma minhoca, uma versão encolhida de si mesmo.

Parwana o observa de longe, com uma ansiedade quase paralisante. Tenta evitar seu olhar quando passa por ele. E se, por acaso, os olhares se cruzam, ele faz apenas um sinal de cabeça, e ela sente o sangue afluir ao rosto.

Naquela noite, quando se deita para dormir, Parwana mal consegue erguer os braços. A exaustão provoca uma espécie de vertigem. Fica deitada na cama, à espera do sono.

Então, na escuridão:

— Parwana.

— Sim.

— Lembra-se daquela vez que andamos de bicicleta juntas?

— Hã-hã.

— Como nós corremos! Descendo a ladeira. Os cachorros atrás de nós.

— Eu lembro.

— Nós duas gritando. E quando batemos naquela pedra... — Parwana quase consegue ouvir a irmã sorrir no escuro. — Mamãe ficou tão brava com a gente. E Nabi, também. Nós destruímos a bicicleta dele.

Parwana fecha os olhos.

— Parwana?

— Sim.

— Você pode dormir comigo esta noite?

Parwana afasta a coberta, vai até a cama de Masooma e se enfia no cobertor ao seu lado. Masooma descansa o queixo no ombro de Parwana, um braço estendido no peito da irmã.

Masooma sussurra: — Você merece mais do que cuidar de mim.

— Não comece com isso de novo — cochicha Parwana. Brinca com o cabelo de Masooma com carícias longas e pacientes, do jeito que Masooma gosta.

As duas conversam por algum tempo, em vozes abafadas, sobre coisas pequenas e sem consequência, o hálito de uma aquecendo o rosto da outra. São momentos relativamente felizes para Parwana. Eles a fazem lembrar de quando as duas eram garotinhas, encolhidas nariz com nariz embaixo da coberta, cochichando segredos e fofocas, dando risinhos silenciosos. Logo, Masooma está dormindo, a língua enrolando sons por conta de algum sonho, e Parwana está olhando pela janela para um céu negro como breu. A mente pula de um pensamento fragmentado a outro, chegando a uma imagem, que vira uma vez numa velha revista, de dois sorridentes irmãos siameses, unidos pelo torso por um grande pedaço de pele. Duas criaturas inexoravelmente ligadas, o sangue formado na medula de um correndo nas veias do outro, uma união permanente. Parwana sente o coração constrito, um desespero apertando o peito como uma garra. Respira fundo. Tenta direcionar mais uma vez os pensamentos para Saboor, mas a cabeça viaja pelos boatos que ouviu pela aldeia. De que ele está procurando uma nova esposa. Tenta tirar o rosto dele da cabeça. Belisca o pensamento tolo.

Parwana foi uma surpresa.

Masooma já estava fora, revirando-se em silêncio nos braços da parteira, quando um grito revelou que o cocuruto de outra cabeça fendia sua mãe pela segunda vez. A chegada de Masooma ocorrera sem problemas. *Nascera sozinha, um anjo*, diria a parteira depois. O nascimento de Parwana foi prolongado, agonizante para a mãe, perigoso para o bebê. A parteira teve de libertar Parwana do cordão enrolado no pescoço, como num criminoso acesso de medo da separação. Em seus piores momentos, quando não consegue deixar de ser engolfada por uma torrente de raiva de si mesma, Parwana acha que talvez o cordão soubesse o que estava fazendo. Talvez soubesse qual era a melhor metade.

Masooma comia regularmente, dormia na hora certa. Chorava só quando precisava comer ou ser lavada. Quando acordada, era brincalhona, bem-humorada, deliciava-se com qualquer coisa, um pacote enfaixado de risinhos e gritinhos felizes. Gostava de chupar o chocalho.

Que bebê tranquilo, as pessoas diziam.

Parwana era uma tirana. Exercia toda a força de sua autoridade sobre a mãe. O pai, desnorteado pelo histrionismo da filha, pegava o irmão mais velho das duas, Nabi, e fugia para dormir na casa da mãe. As noites eram de uma infelicidade de proporções épicas para a mãe da menina, pontuadas por poucos momentos de um vacilante descanso. Embalava Parwana e andava com ela a noite toda, todas as noites. Balançava o berço e cantava para ela. Fazia esgares quando Parwana arranhava seu seio intumescido e esfolado e mordia o mamilo como se quisesse sugar o leite dos ossos. Mas a amamentação não era um antídoto: mesmo com a barriga cheia, Parwana continuava agitada, gritando, imune às súplicas da mãe.

Masooma observava de seu canto da sala, com uma expressão pensativa e indefesa, como se tivesse pena da mãe naquela situação difícil.

Nabi nunca foi assim, disse a mãe um dia ao pai.

Cada bebê é diferente.

Ela está me matando, essa aí.

Vai passar, ele argumentou. *Assim como o mau tempo.*

E passou mesmo. Cólicas, talvez, ou alguma outra doença inócua. Mas era tarde demais. Parwana já havia deixado sua marca.

Em um fim de tarde de verão, as gêmeas estavam com dez meses, quando os aldeões se reuniram em Shadbagh para um casamento. As mulheres trabalhavam freneticamente para empilhar uma pirâmide de travessas de arroz branco bem solto salpicado com açafrão. Cortavam pão, raspavam arroz queimado do fundo das panelas, passavam pratos de berinjela frita com molho de iogurte e hortelã seca. Nabi brincava lá fora com outros garotos. A mãe das meninas estava sentada com as vizinhas num tapete embaixo do gigantesco carvalho. De vez em quando, olhava para as filhas, que dormiam lado a lado na sombra.

Depois da refeição, na hora do chá, as duas despertaram da soneca, e de imediato alguém pegou Masooma no colo. Foi passada por todos na maior alegria, de primo a tia e tio. Embalada no colo de um, balançada no joelho de outro. Muitas mãos fizeram cócegas na barriga dela. Muitos narizes se esfregaram no nariz dela. Caíram na risada quando ela agarrou a barba do mulá Shekib. Maravilhavam-se com seu comportamento fácil e sociável. Erguiam-na para admirar o rubor cor-de-rosa das bochechas, os olhos azuis iguais à safira, a graciosa curva da sobrancelha, precursores da estonteante beleza que a destacaria em poucos anos.

Parwana foi deixada no colo da mãe. Enquanto Masooma fazia o espetáculo, Parwana observava em silêncio, como que levemente surpresa, o único membro de uma plateia em êxtase que não entendia por que toda aquela agitação. De vez em quando, a mãe baixava os olhos para ela, apertava seus delicados pezinhos com carinho, quase pedindo desculpas. Quando alguém comentou que Masooma estava com dois dentes nascendo, a mãe de Parwana disse, com pouca convicção, que Parwana já tinha três. Mas ninguém prestou atenção.

Quando as meninas estavam com nove anos, a família se reuniu na casa de Saboor para um *iftar* no início da tarde, para encerrar o jejum do Ramadã. Os adultos ocupavam almofadas em volta do aposento, e a conversa era barulhenta. Chá, votos de felicidade e fofocas eram passados em igual proporção. Os homens dedilhavam contas de orações. E Parwana mantinha-se em silêncio, feliz por respirar o mesmo ar que Saboor, estar na vizinhança de seus olhos escuros como os de uma coruja. Durante o evento, lançava olhares na direção dele. Surpreendeu-o mordendo um cubo de açúcar, coçando a curva suave da testa, rindo com gosto de algo que um tio mais velho dissera. Se ele percebesse que estava olhando, Parwana logo desviava o olhar, tensa e constrangida. Os joelhos começavam a tremer. A boca ficava tão seca que mal conseguia falar.

Parwana pensava, então, no caderno de anotações escondido debaixo de uma pilha de coisas dela em casa. Saboor estava sempre contando histórias, cheias de jinis e fadas, demônios e devs; era comum os garotos da aldeia se juntarem ao seu redor, para ouvir em absoluto silêncio as fábulas que inventava para eles. Mais ou menos seis meses antes, Parwana entreouvira Saboor contando a Nabi que gostaria de escrever suas histórias algum dia. Tempos depois, Parwana estava com a mãe num bazar em outra cidade, e ali, numa banca que vendia livros usados, viu um caderno lindo, com páginas lisas e pautadas, com uma capa de couro marrom-escuro com relevos nas bordas. Segurou o caderno na mão, sabendo que não tinha dinheiro para comprar aquilo. Então, Parwana escolheu um momento em que o lojista não estava olhando e rapidamente enfiou o caderno embaixo do suéter.

Mas, nos seis meses que haviam se passado desde então, Parwana ainda não tinha criado coragem para dar o caderno a Saboor. Morria de medo que ele caçoasse dela, ou que visse o que era e devolvesse o presente. Todas as noites, ao deitar, Parwana se agarrava ao caderno, escondido nas mãos embaixo da colcha, os dedos acariciando os relevos da capa de couro. *Amanhã*, prometia a si mesma. *Amanhã eu vou dar o caderno a ele.*

Mais tarde naquele dia, depois do jantar em comemoração ao *iftar*, todos os meninos correram para brincar lá fora. Parwana, Masooma e Saboor se revezavam no balanço que o pai de Saboor havia pendurado num galho forte do carvalho gigante. Era a vez de Parwana se balançar, mas Saboor sempre se esquecia de empurrar o balanço, entretido em contar mais uma história. Dessa vez, era sobre o gigantesco carvalho, que ele dizia ter poderes mágicos. Se você tivesse um desejo, falou, só precisava se ajoelhar diante da árvore e dizê-lo em voz baixa. E se a árvore concordasse em realizar o desejo, soltaria exatamente dez folhas em sua cabeça.

Quando o balanço estava quase parando, Parwana virou-se para pedir a Saboor que continuasse empurrando, mas as palavras morreram em sua garganta. Saboor e Masooma estavam sorrindo um para o outro, e Parwana viu o caderno nas mãos de Saboor. O caderno *dela*.

Eu encontrei lá em casa, disse Masooma depois. *Era seu? Um dia eu pago de alguma forma, prometo. Você não achou ruim, achou? Simplesmente achei que era perfeito para ele. Para as histórias que conta. Você viu a expressão que ele fez? Você viu, Parwana?*

Parwana disse que não, que não achava ruim, mas se sentiu dilacerada por dentro. Vezes sem conta visualizou a irmã e Saboor sorrindo um para o outro, o olhar que trocavam. Parwana poderia até ter desaparecido em pleno ar, como um gênio das histórias de Saboor, tão alheios os dois estavam de sua presença. Foi uma ferida profunda. Naquela noite, na cama, ela chorou bem baixinho.

Quando ela e a irmã tinham onze anos, Parwana já tinha desenvolvido uma precoce compreensão do estranho comportamento dos meninos na frente de garotas de que gostavam secretamente. Via isso principalmente quando Masooma voltava a pé da escola. Na verdade, a escola era o quintal da mesquita da aldeia onde, além de ensinar récitas do Corão, o mulá Shekib ensinava todas as crianças a ler, a escrever e a memorizar poesia. Shadbagh era afortunada por ter um homem tão sábio para um *malik*, dizia o pai às meninas. Ao voltar para casa dessas aulas, as gêmeas costumavam encontrar um grupo de garotos sentados numa mureta. Quando as garotas passavam, os meninos às vezes faziam zombarias, às vezes atiravam pedras. Em geral,

Parwana devolvia os insultos e respondia às pedras com pedras ainda maiores, enquanto Masooma a puxava pelo cotovelo e pedia numa voz prudente para ela andar mais depressa, para não ficar brava com eles. Mas Masooma não entendia. Parwana não ficava brava por eles atirarem pedras, mas porque atiravam pedras só em Masooma. Parwana sabia: eles faziam um espetáculo daquela gozação, e, quanto maior o espetáculo, mais profundo era o desejo que sentiam. Percebeu como os olhos deles se desviavam dos dela para se fixar em Masooma, aflitos e admirados, incapazes de se afastar. Sabia que, por trás de suas piadas grosseiras e sorrisos lascivos, eles se sentiam apavorados com Masooma. Então, um dia um deles atirou não um pedregulho, mas uma pedra maior, que rolou aos pés da irmã. Masooma pegou a pedra do chão, enquanto os garotos davam risinhos e se acotovelavam. Um elástico amarrava um papel na pedra. Quando estavam a uma distância segura, Masooma desdobrou o papel. As duas leram a nota escrita.

Juro pela tua vida que, após contemplar teu rosto,
ainda que no reino mundano, tudo não passa de mera fantasia e fábula.
O jardim está perplexo: qual é a folha e qual a flor?
Os pássaros estão consternados: qual é a armadilha e qual a isca?

Um poema de Rumi, das lições do mulá Shekib.
Eles estão mais sofisticados, comentou Masooma dando risada.
No final do poema, o garoto havia escrito *Eu quero me casar com você.* E, mais embaixo, rabiscou o seguinte adendo: *Tenho um primo para a sua irmã. Os dois fazem um par perfeito. Podem pastar juntos no terreno do meu tio.*
Masooma rasgou o bilhete em dois pedaços. *Não ligue pra eles, Parwana,* falou. *São uns imbecis.*
Cretinos, concordou Parwana.
Como foi difícil manter um sorriso no rosto. A nota era maldosa por si só, mas o que realmente magoou foi a reação de Masooma. O garoto não tinha explicitado para qual das duas era a mensagem, mas Masooma casualmente presumiu que o poema era para ela e que o primo era para Parwana. Pela primeira vez, Parwana se viu pelos olhos da irmã. Percebeu como a irmã

a via. Da mesma maneira que todos os outros a viam. O que Masooma disse a jogou na sarjeta. Deixou-a acabrunhada.

Além do mais, acrescentou Masooma, sorrindo e dando de ombros, *eu já estou comprometida*.

NABI VEIO para uma de suas visitas mensais. Ele é a história de sucesso da família, talvez da aldeia inteira, por trabalhar em Cabul, chegar a Shadbagh dirigindo o carrão azul e cintilante do patrão, com uma águia cromada na frente do capô, todos se reunindo para assistir a sua chegada, os garotos da aldeia gritando e correndo ao lado do automóvel.

— Como vão as coisas? — pergunta ele.

Os três estão dentro de casa, tomando chá com amêndoas. Nabi é muito bonito, considera Parwana, com maçãs do rosto bem talhadas, olhos cor de avelã, costeletas e uma espessa muralha de cabelos negros penteados para trás. Ele está usando seu terno habitual verde-oliva, que parece um ou dois números maiores que o seu tamanho. Nabi se orgulha daquele terno, Parwana sabe, está sempre puxando as mangas, arrumando a lapela, ajeitando o vinco da calça, embora jamais tenha conseguido eliminar seu permanente bafo de cebolas queimadas.

— Bem, ontem a rainha Homaira veio tomar chá com bolachas conosco — diz Masooma. — Ela elogiou a sofisticação da nossa decoração. — Sorri com afeto para o irmão, mostrando os dentes amarelados, e Nabi acha graça, olhando para a xícara na mão. Antes de encontrar trabalho em Cabul, Nabi ajudava Parwana a cuidar da irmã. Ou ao menos tentou, por um tempo. Mas não conseguiu. Era demais para ele. Cabul foi a escapatória de Nabi. Parwana inveja o irmão, mas não se ressente, mesmo que o contrário não seja verdade; ela sabe que existe mais que um gesto de penitência no dinheiro que ele traz todo mês.

Masooma escovou os cabelos e pintou o contorno dos olhos com um pouco de *kohl*, como sempre faz quando Nabi vem visitá-las. Parwana sabe que ela faz isso somente em parte por ele, e mais pelo fato de o irmão ser sua referência a Cabul. Na cabeça de Masooma, ele é a ligação com o glamour e o luxo, com uma cidade de automóveis e luzes, de restaurantes fantásticos e palácios reais, por mais remoto que seja esse vínculo. Parwana lembra que Masooma costumava dizer, muito tempo atrás, que era uma garota da cidade aprisionada numa aldeia.

— E você? Ainda não encontrou uma esposa? — pergunta Masooma.

Nabi dá risada e faz um gesto com a mão, como costumava agir quando os pais formulavam a mesma pergunta.

— Então, quando vai me levar para passear em Cabul outra vez, meu irmão? — pergunta Masooma.

Nabi tinha levado as irmãs para Cabul uma vez, no ano anterior. Veio buscar as duas em Shadbagh e levou-as de carro até Cabul, onde passearam pelas ruas da cidade. Mostrou a elas todas as mesquitas, os bairros comerciais, os cinemas, os restaurantes. Mostrou a Masooma o palácio de Bagh-e-Bala, no alto da montanha perto da cidade. Nos jardins de Babur, ergueu Masooma do banco dianteiro e levou-a nos braços até o local onde estava a tumba do imperador. Rezaram ali, os três, na mesquita de Shahjahani, e depois, na beira de uma piscina de azulejos azuis, comeram o lanche que Nabi havia levado para elas. Talvez tenha sido o dia mais feliz da vida de Masooma desde o acidente, e por isso Parwana sentia-se grata ao irmão mais velho.

— Em breve, *Inshallah* — responde Nabi, batendo com o dedo na xícara.

— Você pode ajeitar essa almofada embaixo dos meus joelhos, Nabi? Ah, ficou muito melhor. Obrigada. — Masooma solta um suspiro. — Eu adorei Cabul. Se pudesse, iria andando até lá amanhã cedinho.

— Talvez um dia — comenta Nabi.

— Como assim, de eu andar?

— Não — balbucia ele —, eu quis dizer... — E sorri quando Masooma cai na risada.

Lá fora, Nabi entrega o dinheiro a Parwana. Apoia o ombro na parede e acende um cigarro. Masooma está lá dentro, tirando sua soneca da tarde.

— Encontrei Saboor mais cedo — comenta, olhando para um dedo. — Coisa terrível. Ele me disse o nome da menina. Agora me esqueço.

— Pari — diz Parwana.

Nabi aquiesce. — Eu não perguntei, mas ele disse que está querendo se casar outra vez.

Parwana olha para o outro lado, tentando fingir que não se importa, mas sente o coração batendo nos ouvidos. Sente uma camada de suor brotando na pele.

— Como já disse, eu não perguntei. Foi Saboor quem falou sobre o assunto. Ele me puxou de lado. Ele me puxou de lado e falou.

Parwana desconfia que Nabi sabe o que ela sente secretamente por Saboor há muitos anos. Masooma é sua irmã gêmea, mas Nabi é quem sempre a compreendeu. Parwana não entende por que seu irmão está contando essa notícia. Que bem isso pode fazer? O que Saboor precisa é de uma mulher sem amarras, uma mulher não comprometida, livre para se dedicar a ele, ao filho, à filha recém-nascida. O tempo de Parwana já está tomado. Comprometido. Por toda a vida.

— Tenho certeza de que ele vai encontrar alguém — diz Parwana.

Nabi concorda com a cabeça. — Eu volto no mês que vem. — Esmaga o cigarro com o pé e vai embora.

Quando Parwana entra no casebre, fica surpresa ao ver Masooma acordada. — Pensei que você estivesse dormindo.

Masooma arrasta o olhar até a janela, piscando devagar, cansada.

Quando tinham treze anos, às vezes as meninas iam a movimentados bazares em cidades próximas para a mãe. O cheiro de água recém-espargida subia das ruas de terra. As duas caminhavam pelas vielas, passando por barracas que vendiam narguilés, xales de seda, panelas de cobre, velhos relógios. Galinhas mortas pendiam pelos pés, em movimentos lentos e circulares sobre pedaços de cordeiro e carne de vaca.

Em todos os corredores Parwana via os olhares masculinos em alerta quando Masooma passava. Ela notava o esforço dos homens para se comportar de forma casual, mas os olhares se mantinham, incapazes de se afastar. Se Masooma olhava para alguns deles, eles se sentiam idiotamente privilegiados. Imaginavam ter partilhado um momento com ela. Ela interrompia conversas no meio da frase, tragadas no cigarro. Ela fazia joelhos tremerem, xícaras derramarem chá.

Em algumas ocasiões, aquilo chegava a ser demais para Masooma, como se ela se sentisse quase envergonhada, quando dizia a Parwana que queria ficar o dia todo em casa, que não queria ser vista. Nesses dias, Parwana achava que, em seu âmago mais profundo, a irmã entendia de maneira difusa que sua beleza era uma arma. Uma arma carregada, com o cano apontado para a própria cabeça. Na maioria dos dias, contudo, toda aquela atenção parecia agradar Parwana. Na maioria dos dias, ela se deliciava com o poder que a irmã tinha de descarrilar o pensamento de um homem com um único sorriso fugaz, porém estratégico, de deixar os homens sem fala.

Doía nos olhos uma beleza como a dela.

E lá estava Parwana, arrastando os pés ao lado da irmã, com seu peito achatado e compleição doentia. O cabelo encarapinhado, o rosto pesado e triste, pulsos grossos e ombros masculinos. Uma sombra patética, dividida entre a inveja e a emoção de ser vista com Masooma, desviando parte da atenção, como um capim lambendo a água destinada aos lírios correnteza acima.

Durante toda a sua vida, Parwana fez questão de nunca ficar em frente a um espelho ao lado da irmã. Tirava sua esperança ver seu rosto ao lado do de Masooma, perceber plenamente quanto lhe havia sido negado. Mas, em público, os olhos de qualquer estranho funcionavam como um espelho. Não havia como fugir.

PARWANA CARREGA Masooma para fora. As duas sentam-se na armação que Parwana preparou. Ela ajeita as almofadas com cuidado para Masooma se recostar confortavelmente na parede. A noite está silenciosa, a não ser pelo canto dos grilos, e escura também, iluminada somente por algumas lanternas ainda tremeluzindo nas janelas e pela luz branca e opaca da lua crescente.

Parwana enche o narguilé de água. Pega duas porções de flocos de ópio do tamanho de uma cabeça de palito de fósforo, uma pitada de tabaco e joga a mistura no fornilho do narguilé. Acende o carvão sobre a tela de metal e passa a boquilha para a irmã. Masooma dá uma longa tragada, reclina-se nas almofadas e pergunta se pode descansar as pernas no colo da irmã. Parwana ajeita as pernas flácidas dela sobre as suas.

Quando fuma, a expressão de Masooma relaxa. As pálpebras caem. A cabeça se inclina instável para o lado, e a voz assume uma característica arrastada e distante. A sombra de um sorriso se forma nos cantos da boca, esquisito, plácido, mais complacente do que feliz. Elas se falam pouco quando Masooma está nesse estado. Parwana ouve a brisa, a água borbulhando no narguilé. Observa as estrelas e a fumaça flutuando acima. O silêncio é agradável, nem ela nem Masooma sentem necessidade de preenchê-lo com palavras desnecessárias.

Até Masooma dizer: — Você pode fazer uma coisa por mim?

Parwana olha para ela.

— Quero que você me leve a Cabul. — Masooma exala lentamente a fumaça, que volteia, rodopia, molda formas num piscar de olhos.

— Está falando sério?

— Eu quero conhecer o palácio de Darulaman. Nós não fizemos isso da última vez. Talvez visitar de novo o túmulo de Babur.

Parwana inclina-se para a frente, tentando decifrar a expressão de Masooma. Procura algum sinal de que esteja brincando, mas vê apenas o brilho calmo e estático dos olhos da irmã sob a luz da lua.

— São pelo menos dois dias de caminhada. Talvez três.

— Imagine a cara de Nabi se aparecermos de surpresa na porta dele.

— Nós nem sabemos onde ele mora.

Masooma faz um gesto impaciente com a mão. — Ele já disse qual é o bairro. Podemos bater na porta de alguém e perguntar. Não é tão difícil.

— E como vamos chegar lá, Masooma, na sua condição?

Masooma tira a boquilha do narguilé dos lábios. — Enquanto você trabalhava hoje lá fora, o mulá Shekib veio me visitar, nós conversamos por muito tempo. Eu disse que nós vamos passar uns dias em Cabul. Só eu e você. Afinal, ele me deu sua bênção. E o jumento, também. Veja só, está tudo arranjado.

— Você está maluca — diz Parwana.

— Bem, é o que eu quero. É o meu desejo.

Parwana recosta outra vez na parede, balançando a cabeça. Seu olhar se ergue para a escuridão salpicada de nuvens.

— Eu estou morrendo de tédio, Parwana.

Parwana esvazia o peito com um suspiro e olha para a irmã.

Masooma leva a boquilha aos lábios. — Por favor. Não me negue isso.

Bem cedo numa manhã, quando tinham dezessete anos, as irmãs estavam sentadas num galho bem alto do carvalho, os pés balançando.

Saboor vai me pedir! Masooma disse isso com um suspiro agudo.

Pedir, comentou Parwana, sem entender, ao menos não imediatamente.

Bem, não ele, é claro. Masooma riu com a mão úmida na boca. *Claro que não. O pai dele vai fazer o pedido.*

Agora Parwana entendeu. O coração afundou até os pés. *Como você sabe?*, perguntou com lábios dormentes.

Masooma começou a falar, as palavras jorrando da boca num ritmo frenético, mas Parwana mal conseguia ouvir. Estava imaginando a irmã se casando com Saboor. Crianças vestindo suas melhores roupas, levando cestos de hena transbordando de flores, seguidas por jogadores de *shahnai* e *dohol*. Saboor abrindo os dedos de Masooma, depositando a hena na palma da mão, atando-a com uma fita branca. A récita das orações, a bênção da união. A oferenda de presentes. Os dois olhando um para o outro debaixo do véu bordado com fios dourados, servindo um ao outro uma colher de refresco adocicado e *malida*.

E ela, Parwana, estaria lá, entre os convidados, assistindo ao acontecimento. Teria de sorrir, aplaudir, estar feliz, mesmo que seu coração estivesse constrito e dilacerado.

Um vento passou pela árvore, fez os galhos balançarem e as folhas farfalharem ao redor. Parwana precisou se controlar.

Masooma havia parado de falar. Estava sorrindo, mordendo o lábio inferior. *Você perguntou como eu sei que ele vai me pedir. Eu vou dizer. Não. Eu vou mostrar.*

Virou-se para o outro lado e pôs a mão no bolso.

Então, aconteceu a parte que Masooma nunca ficou sabendo. Enquanto a irmã estava virada para o outro lado, remexendo no bolso, Parwana apoiou as palmas das mãos no galho, ergueu a bunda e sentou-se outra vez. O galho balançou. Masooma arquejou e perdeu o equilíbrio. Os braços se agitaram em desespero. Tombou para a frente. Parwana viu as próprias mãos se moverem. O que as mãos fizeram não foi exatamente *empurrar*, mas houve um *contato* entre as costas de Masooma e as pontas dos dedos de Parwana, e por um breve instante um sutil empurrão. Mas foi só um momento, e logo Parwana tentava segurar Masooma pela barra da blusa, antes de ela gritar o nome da irmã em pânico, e antes de Parwana gritar o nome de Masooma. Parwana chegou a agarrar a blusa, por um momento pareceu que poderia ter salvado Masooma. Mas o tecido rasgou e fugiu ao seu controle.

Masooma caiu da árvore. Pareceu levar uma eternidade. O torso bateu nos galhos durante a queda, assustando pássaros e desprendendo folhas, o corpo girou, trombou, quebrou ramos mais finos, até chegar a um galho mais baixo e grosso, o que sustentava o balanço, que aparou a base da coluna com um baque doentio e audível. Masooma se dobrou para trás, quase ao meio.

Poucos minutos depois, um círculo tinha se formado ao redor dela. Nabi e o pai das meninas gritaram, tentando despertar Masooma. Rostos olhavam para baixo. Alguém pegou a mão dela. Ainda estava fechada. Quando abriram os dedos, encontraram dez pequenas folhas amassadas na palma da mão.

MASOOMA DIZ, COM A VOZ um pouco trêmula: — Você precisa fazer isso agora. Se esperar até de manhã, vai perder a coragem.

Por todo o espaço ao redor, à parte o brilho mortiço da fogueira que Parwana acendeu com arbustos quebradiços e ervas secas, a grande expansão de areia e montanhas está envolvida pela escuridão. Há quase dois dias elas estão viajando por aquele território ressecado, em direção a Cabul, Parwana andando ao lado da mula, Masooma amarrada na sela, segurando a mão dela. Percorrendo caminhos íngremes e sinuosos, que sobem e descem pelas escarpas rochosas, o solo pontilhado de relva ocre e poeirenta sob os pés, causticado por extensas rachaduras que se alastram por todas as direções em forma de aranhas.

Parwana está ao lado da fogueira, olhando para Masooma, acomodada sobre uma saliência horizontal forrada, do outro lado do fogo.

— Mas, e Cabul? — pergunta Parwana.

— Ei, você não é a mais inteligente das duas?

Parwana diz: — Você não pode me pedir para fazer isso.

— Estou cansada, Parwana. Não é uma vida, isso que eu tenho. Minha existência é um castigo para nós duas.

— Vamos voltar — diz Parwana, a garganta começando a fechar. — Eu não consigo fazer isso. Não posso deixar você ir.

— Você não está fazendo isso. — Agora Masooma está gritando: — Eu é que estou deixando você ir. Deixando você livre.

Parwana recorda uma noite muito tempo atrás, Masooma no balanço, ela empurrando. Via Masooma esticar as pernas e espichar o pescoço no pico de cada balanço, as longas mechas do cabelo agitadas como lençóis no varal. Lembra-se de todas as bonecas de folhas de milho que fizeram juntas, de vestidos de casamento feitos de trapos de panos velhos.

— Diga uma coisa, minha irmã.

Parwana pisca para remover as lágrimas que turvam sua visão, enxuga o nariz com as costas da mão.

— O filho dele, Abdullah. E a menina, Pari. Você acha que poderia amar os dois como se fossem seus filhos?

— Masooma.

— Poderia?

— Eu poderia tentar — responde Parwana.

— Ótimo. Então, case com Saboor. Cuide dos filhos dele. Tenha seus próprios filhos.

— Saboor amava você. Ele não me ama.

— Vai amar com o tempo.

— Tudo isso é por minha causa — diz Parwana. — Minha culpa. Tudo isso.

— Não sei do que você está falando e não quero saber. A essa altura, isso é tudo o que eu desejo. As pessoas vão entender, Parwana. O mulá Shekib já terá contado a elas. Vai dizer que me deu suas bênçãos.

Parwana levanta o rosto para o céu escurecido.

— Seja feliz, Parwana, por favor, seja feliz. Faça isso por mim.

Parwana sentiu-se à beira de contar tudo, contar a Masooma o quanto ela está enganada, como sabe pouco da irmã com quem dividiu o mesmo útero, como há muitos anos a vida de Parwana tem sido um longo pedido de desculpas jamais revelado. Mas com que motivo? Seu próprio alívio, mais uma vez à custa de Masooma? Engole as palavras. Já causou dor demais para a irmã.

— Agora eu quero fumar — diz Masooma.

Parwana ensaia um protesto, mas Masooma a interrompe: — Chegou a hora — continua, agora mais firme, determinada.

Parwana pega o narguilé pendurado na alça da sela. Com as mãos trêmulas, começa a preparar a mistura habitual no fornilho.

— Mais — diz Masooma. — Ponha um pouco mais.

Fungando, as faces molhadas, Parwana acrescenta outra pitada, depois mais uma, e ainda outra mais. Acende o carvão e deposita o narguilé ao lado da irmã.

— Agora — começa Masooma, o brilho alaranjado das chamas luzindo no rosto, nos olhos —, se você um dia me amou, Parwana, se já foi minha irmã de verdade, vá embora. Sem beijos. Sem despedidas. Não me faça implorar.

Parwana começa a dizer alguma coisa, mas Masooma emite um som dolorido e engasgado e vira o rosto.

Parwana levanta-se devagar. Anda até a mula e afivela os arreios. Segura as rédeas do animal. De repente, percebe que talvez não saiba viver sem Masooma. Não sabe se vai conseguir. Como vai suportar os dias, quando a ausência de Masooma parecer um fardo bem mais pesado que sua presença? Como vai aprender a caminhar pela beira do enorme buraco antes ocupado por Masooma?

Tenha coragem, ela quase escuta Masooma dizendo.

Parwana puxa a rédea, faz a mula dar meia-volta e começa a andar.

Sai caminhando, cortando a escuridão, enquanto o vento frio da noite açoita seu rosto. Mantém a cabeça baixa. Vira-se para olhar uma só vez. Para seus olhos umedecidos, a fogueira é um minúsculo borrão amarelo distante, desmaiado. Imagina a irmã gêmea deitada perto do fogo, sozinha no escuro. Logo o fogo vai apagar, e Masooma vai sentir frio. Seu instinto é retornar, cobrir a irmã com uma manta e deitar junto a ela.

Parwana se esforça para não voltar e continuar caminhando.

Então, ouve alguma coisa. Um som abafado e distante, como um lamento. Parwana para. Inclina a cabeça e ouve de novo. O coração começa a martelar no peito. Considera, aterrorizada, se é Masooma, chamando-a de volta por ter se arrependido. Ou talvez não seja nada mais que um chacal ou raposa do deserto, uivando em algum lugar na escuridão. Parwana não sabe ao certo. Acha que pode ser o vento.

Não me abandone, irmã. Volte.

A única maneira de saber ao certo é voltar pelo mesmo caminho, e Parwana começa a fazer isso; faz meia-volta e dá alguns passos na direção de onde se encontra Masooma. Depois para. Masooma estava certa. Se ela voltar agora, não terá coragem de fazer aquilo quando o sol se levantar. Essa é sua única chance.

Parwana fecha os olhos. O vento agita o lenço em seu rosto.

Ninguém precisa saber. Ninguém vai saber. Será o segredo dela, um segredo que só as montanhas vão saber. A questão é se será um segredo com o qual ela conseguirá viver, mas Parwana acha que sabe a resposta. Tem vivido com segredos a vida toda.

Ouve a lamúria mais uma vez a distância.

Todos amavam você, Masooma.

Ninguém me amava.

E por quê, irmã? O que eu fiz?

Parwana permanece imóvel por um longo tempo na escuridão.

Finalmente, faz sua escolha. Vira-se, abaixa a cabeça e anda em direção a um horizonte que não consegue enxergar. Depois, não olha mais para trás. Sabe que, se fizer isso, vai enfraquecer. Perderá a pouca certeza que tem, pois verá uma velha bicicleta descendo a ladeira, trepidando nas pedras e no cascalho, o metal sacudindo as duas irmãs, nuvens de poeira levantadas a cada derrapagem. Ela está no cano, e é Masooma quem está no selim, é ela quem faz uma meia-volta a toda velocidade, embicando a bicicleta numa longa ladeira. Mas Parwana não sente medo. Sabe que a irmã não vai deixar que saia voando por cima do guidão, que não vai deixar que se machuque. O mundo se derrete num redemoinho vertiginoso de excitação, o vento assobia nos ouvidos, e Parwana olha para trás, para a irmã, a irmã devolve o olhar, e elas riem juntas, como cães de rua perseguindo um ao outro.

Parwana continua andando em direção à sua nova vida. Segue caminhando, a escuridão ao redor formando um útero materno, e, quando sobe o véu, quando contempla a névoa do amanhecer e vê um fiapo de luz mais clara vindo do leste atingir o lado de uma pedra, é como se estivesse nascendo.

Quatro

EM NOME DE ALÁ, o mais benevolente, o mais piedoso.

    Sei que já estarei morto quando o senhor ler esta carta, sr. Markos, pois quando a entreguei pedi para que só a abrisse depois de minha morte. Permita-me dizer que foi um prazer foi conhecê-lo durante os últimos sete anos, sr. Markos. Enquanto escrevo, penso com saudade em seu rito anual de plantar tomates no jardim, suas visitas matinais aos meus modestos aposentos para tomar chá e trocar amenidades, nossa improvisada troca de lições de persa por lições de inglês. Agradeço sua amizade, sua consideração e todo o trabalho que realizou neste país, e confio que vá estender minha gratidão aos seus queridos colegas, em especial à minha amiga sra. Amra Ademovic, com toda a sua capacidade de compaixão, e a sua corajosa e adorável filha Roshi.

    Devo dizer que não escrevi esta carta só para o senhor, sr. Markos, mas também para outra pessoa, a quem espero que a entregue, como explicarei mais adiante. Perdoe-me, então, se repetir alguma coisa que já sabe. Vou incluí-las por causa dela. Como vai entender, esta carta contém mais que um elemento de confissão, sr. Markos; contém também questões pragmáticas que levaram a esta narrativa. Para estas, temo ser necessário pedir a sua ajuda, meu amigo.

    Tenho pensado muito por onde começar esta história. Não é uma tarefa fácil, para um homem que deve estar com mais de oitenta anos. Minha idade exata é um mistério para mim, como para muitos afegãos da minha geração, mas confio em meus cálculos aproximados, porque me lembro muito bem de uma briga, de trocar sopapos com meu amigo Saboor, de ter sido seu cunhado depois, do dia em que soubemos que Nadir Shah havia sido morto a tiros e que seu filho, o jovem Zahir, estava assumindo o trono. Isso foi em 1933. Eu poderia começar desse ponto, suponho. Ou de algum outro. Uma história é como um trem em movimento: não importa onde embarquemos, cedo ou tarde estaremos fadados a chegar ao nosso destino. Mas acho que devo começar esta história com a mesma coisa que a encerra. Sim, acho que faz sentido iniciar este relato com Nila Wahdati.

Eu a conheci em 1949, no ano em que se casou com o sr. Wahdati. Na época, eu já trabalhava para o sr. Suleiman Wahdati fazia dois anos; havia me mudado para Cabul vindo de Shadbagh, a aldeia onde nasci, em 1946 — trabalhei durante um ano em outra residência no mesmo bairro. As circunstâncias de minha partida de Shadbagh não são algo de que me orgulho, sr. Markos. Considere esta a minha primeira confissão, quando digo que me sentia sufocado pela vida que tinha na aldeia com minhas irmãs, uma delas inválida. Não que isso me absolva, mas eu era jovem, sr. Markos, ansioso para conhecer o mundo, cheio de sonhos, por mais vagos e modestos que pudessem ser, e via minha juventude se esvaindo, minhas perspectivas cada vez mais truncadas. Por isso fui embora. Na esperança de melhorar a vida das minhas irmãs, sim, é verdade. Mas também para escapar.

Como trabalhava em tempo integral para o sr. Wahdati, morava também em tempo integral na casa dele. Naquela época, a casa não se encontrava no lamentável estado em que a encontrou no dia em que chegou a Cabul em 2002, sr. Markos. Era um lugar lindo e glorioso. A casa era de um branco cintilante na época, como se recoberta de diamantes. Os portões da frente se abriam para uma vereda larga e asfaltada. Entrava-se por um vestíbulo de teto alto decorado com grandes vasos de cerâmica e um espelho circular emoldurado em nogueira entalhada, exatamente o local onde o senhor pendurou por algum tempo a velha foto de família dos seus amigos de infância na praia. O piso de mármore da sala de visitas brilhava e era parcialmente coberto por um tapete turcomano escuro. Agora o tapete não existe mais, assim como os sofás de couro, a mesa de centro artesanal, o tabuleiro de xadrez de lazurita, o grande gabinete de mogno. Pouco daquela bela mobília sobreviveu, e temo que não esteja mais no mesmo estado em que se encontrava.

A primeira vez que entrei na cozinha de teto de pedra, meu queixo caiu. Achei que era grande o bastante para alimentar toda a minha aldeia de Shadbagh. Havia um fogão de seis bocas, refrigerador, uma torradeira e uma infinidade de potes, panelas, facas e utensílios à minha disposição. Os banheiros, os quatro, eram decorados com intrincados azulejos de mármore e tinham pias de porcelana. E aqueles buracos quadrados no balcão do seu banheiro do segundo andar, sr. Markos? Antes eram cheios de lazurita.

E ainda havia o quintal dos fundos. O senhor precisa ficar um dia na escada que leva ao seu escritório, sr. Markos, e olhar para o jardim, tentar imaginar como era. Chegava-se por uma varanda em forma de meia-lua rodeada por um parapeito coberto de folhagens de trepadeiras. Naquele tempo, o gramado era verde e luxuriante, espaçado por canteiros de flores, jasmins, rosas amarelas, gerânios, tulipas, ladeados por duas fileiras de árvores frutíferas. Era possível ficar embaixo de uma cerejeira, sr. Markos, fechar os olhos, ouvir a brisa roçando as folhas e pensar que não havia lugar melhor para viver no mundo.

Meus aposentos eram numa casinha no fundo do quintal, com uma janela, paredes pintadas de branco, espaço suficiente para acomodar um jovem solteiro e suas modestas necessidades. Eu tinha uma cama, uma mesa e uma cadeira e um bom lugar para estender meu tapete de orações cinco vezes por dia. Era o suficiente para mim, e até hoje seria.

Eu cozinhava para o sr. Wahdati, uma aptidão que adquiri primeiro observando minha falecida mãe, depois com um cozinheiro mais velho do Uzbequistão, que trabalhava numa casa em Cabul em que servi como seu auxiliar durante um ano. Eu também era, com muito prazer, o chofer do sr. Wahdati. Ele tinha um Chevrolet de meados dos anos 1940, azul com o teto marrom, bancos de vinil azuis e rodas cromadas, um belo automóvel, que atraía olhares por onde circulasse. Ele me deixava dirigir porque eu tinha demonstrado ser um motorista prudente e habilidoso, e também porque o sr. Wahdati pertencia à rara estirpe de homens que não gostam de dirigir um carro.

Por favor, não pense que estou me vangloriando, sr. Markos, quando digo que era um bom empregado. Por meio de cuidadosa observação, consegui entender de que o sr. Wahdati gostava ou não, suas peculiaridades, seus humores. Vim a conhecer também seus hábitos e rituais. Por exemplo, toda manhã, depois do café, ele gostava de sair para uma caminhada. Mas não gostava de andar sozinho, por isso eu devia acompanhá-lo. Eu atendia ao seu desejo, é claro, apesar de não compreender o motivo de minha presença. Ele mal me dirigia a palavra durante essas caminhadas, parecendo sempre perdido em seus pensamentos particulares. Andava depressa, mãos atrás das costas, assentindo para os passantes, os saltos dos mocassins bem engraxados soando no pavimento. Como suas pernas mais longas davam passos difíceis de acompanhar, eu sempre ficava para trás e tentava alcançá-lo. No resto do dia, quase sempre ele se recolhia ao estúdio no andar de cima, lia ou jogava xadrez consigo mesmo. Adorava desenhar — apesar de eu não poder julgar seu talento, pelo menos não até o momento, pois ele nunca me mostrou seus trabalhos de arte —, e eu sempre o via no estúdio, perto da janela, ou na varanda, com a testa franzida, concentrado, o lápis-carvão volteando e circulando no bloco de papel.

Alguns dias eu o levava de automóvel até a cidade. Ele visitava a mãe uma vez por semana. Havia também reuniões de família. E, embora evitasse a maioria, às vezes o sr. Wahdati comparecia, e por isso eu o levava a funerais, festas de aniversário, casamentos. Uma vez por mês eu ia com ele a uma papelaria, onde ele renovava seus pincéis de guache, o carvão, os apagadores, os apontadores e os cadernos de esboços. Às vezes, ele gostava de entrar no banco de trás e simplesmente sair passeando. Eu perguntava: *Para onde, Sahib?*, e ele dava de ombros; e eu dizia: *Tudo bem, Sahib*, engatava a marcha, e lá íamos nós. Dirigia pela cidade por horas, sem destino ou propósito, de um bairro a outro, ao longo do rio Cabul, até Bala Hissar, às vezes até o palácio de Darulaman. Algumas vezes, saíamos de Cabul e íamos até o lago Ghargha, onde eu estacionava perto da margem. Desligava o motor, e o sr. Wahdati ficava absolutamente imóvel no banco de trás, sem me dizer uma palavra, parecendo feliz só de descer o vidro e olhar os pássaros adejando de árvore em árvore, os raios da luz do sol que refletiam no lago e se espalhavam em milhares de gotículas de água. Eu olhava para ele no banco de trás, e ele me parecia a pessoa mais solitária do mundo.

Uma vez por mês, o sr. Wahdati fazia a bondade de me emprestar o carro para ir até Shadbagh, minha aldeia natal, visitar minha irmã Parwana e o marido, Saboor. Sempre que eu chegava na aldeia, era recebido por hordas de crianças gritando e correndo ao lado do carro, batendo no capô, tamborilando na janela. Alguns dos pirralhos chegavam a tentar subir no teto, e eu precisava correr com eles, de medo que arranhassem a pintura ou amassassem o para-lama.

Veja só, Nabi, Saboor me dizia. *Você é uma celebridade.*

Como os filhos dele, Abdullah e Pari, haviam perdido a mãe natural (Parwana era a madrasta), eu sempre tentava ser atencioso, principalmente com o garoto mais velho, que parecia precisar mais de afeto. Eu me oferecia para levá-lo a passear de carro, embora ele insistisse em carregar a irmã mais nova, e sempre a segurava firme no colo enquanto rodávamos por Shadbagh. Eu o deixava ligar o limpador de para-brisa, tocar a buzina, e também mostrava como ligar e regular os faróis.

Depois que toda a excitação em torno do carro amainava, eu ia tomar chá com minha irmã e Saboor e conversar sobre a vida em Cabul. Tomava cuidado para não falar muito sobre o sr. Wahdati. Eu gostava muito do sr. Wahdati, e falar sobre ele em sua ausência me parecia uma traição. Se fosse um empregado menos discreto, teria contado que Suleiman Wahdati era uma criatura que me surpreendia, um homem que parecia satisfeito em viver o resto da vida do dinheiro de sua herança, um homem sem profissão, sem nenhuma paixão aparente, que parecia não ter vontade de deixar sua marca neste mundo. Teria explicado que ele tinha uma vida sem propósito nem direção. Como aqueles passeios sem destino em que eu o levava. Uma vida no banco de trás, contemplada como uma paisagem desfocada. Uma vida indiferente.

Isso é o que eu teria dito, mas não disse. E ainda bem que não disse. Pois eu estava muito enganado.

UM DIA, O SR. WAHDATI saiu no quintal usando um belo terno risca de giz, um terno que eu nunca tinha visto, e pediu que o levasse até um bairro afluente da cidade. Quando chegamos, disse para eu estacionar na rua, em frente a uma linda casa de muro alto, e vi quando tocou a campainha do portão e entrou quando um empregado atendeu. A casa era imensa, maior que a do sr. Wahdati, e até mais bonita. Ciprestes altos e esguios adornavam a entrada de carros, assim como um denso conjunto de arbustos, de uma flor que não reconheci. O quintal era pelo menos duas vezes maior que o do sr. Wahdati, e os muros eram tão altos que, se um homem subisse nos ombros de outro, não conseguiria espiar lá dentro. Era riqueza de outra magnitude, percebi.

Era um dia luminoso no início do verão, e o céu brilhava com a luz do sol. O ar morno bafejava pelas janelas que eu tinha aberto. Embora o trabalho de um chofer seja dirigir, ele normalmente gasta mais tempo aguardando alguém ou alguma coisa. Espera na porta de lojas, com o motor desligado, espera na porta de um casamento, ouvindo os sons abafados da música. Naquele dia, joguei um pouco de baralho para passar o tempo. Quando me cansei do baralho, saí do carro e dei alguns passos numa direção ou na outra. Entrei outra vez, pensando se poderia tirar uma soneca até o sr. Wahdati voltar.

Foi então que o portão da frente se abriu, e uma jovem de cabelos pretos saiu por ele. A jovem usava óculos escuros e um vestido cor de tangerina de mangas curtas, que quase não chegava ao joelho. As pernas estavam nuas, assim como os pés. Não sabia se ela havia me visto sentado ali no carro; se viu, não deu nenhuma indicação. Descansou um calcanhar na parede, e ao fazer isso a barra do vestido subiu um pouco, revelando um pedaço da coxa. Senti um calor subir pelo pescoço e pelas bochechas.

Permita-me aqui outra confissão, sr. Markos, uma confissão um tanto desagradável, que deixa pouco espaço para um trato elegante. Naquela época eu devia estar perto dos trinta anos, um jovem no auge de seu desejo pela companhia de uma mulher. Diferentemente de muitos homens com quem cresci na minha aldeia — jovens que nunca tinham visto um pedaço de coxa de uma mulher adulta e em parte se casavam para poder desfrutar tal visão —, eu já tinha alguma experiência. Encontrara em Cabul, e visitava ocasionalmente, estabelecimentos em que as necessidades de um jovem podiam ser satisfeitas com discrição e conveniência. Só menciono esse fato para explicar que nenhuma prostituta com quem me deitei poderia se comparar àquela linda e graciosa criatura que acabara de sair da mansão.

Encostada na parede, ela acendeu um cigarro e fumou sem pressa, com uma graça encantadora, segurando-o com dois dedos e erguendo a mão em concha até a boca cada vez que levava o cigarro aos lábios. Olhei para ela com uma atenção extasiada. O jeito como dobrava o pulso e a mão me lembrou uma ilustração que vi certa vez num belo livro de poemas, uma mulher de cabelos escuros esvoaçantes, deitada com o amante em um jardim, oferecendo uma taça de vinho com dedos brancos e delicados. Em dado momento, algo pareceu chamar a atenção da mulher rua acima, na outra direção, e usei aquele breve período para ajeitar meu cabelo com os dedos, que estava começando a escorrer com o calor. Quando ela voltou à posição, me imobilizei outra vez. Ela deu mais algumas baforadas, apagou o cigarro no muro e voltou para dentro.

Finalmente, eu podia respirar.

Naquela noite, o sr. Wahdati me chamou à sala de visitas e disse: — Tenho uma novidade, Nabi. Eu vou me casar.

Afinal, parecia que eu havia superestimado o gosto dele pela solidão.

As notícias do noivado correram depressa. Assim como os boatos. Eu ficava sabendo de tudo pelos outros empregados que entravam e saíam da casa do sr. Wahdati. O mais falador era Zahid, um jardineiro que vinha três vezes por semana para manter o gramado e podar as árvores e os arbustos. Ele era um tipo desagradável, com o repugnante hábito de pôr a língua para fora a cada sentença, uma língua com a qual espalhava boatos com a mesma sem-cerimônia com que jogava punhados de fertilizante. Fazia parte de um grupo de prestadores de serviço que, assim como eu, trabalhavam no bairro como cozinheiros, jardineiros e mensageiros. Uma ou duas noites por semana, depois do trabalho, eles se amontoavam na minha casa para um chá depois do jantar. Não me lembro como esse ritual começou, mas, quando começou, não consegui mais interromper, para não ser indelicado ou pouco hospitaleiro e, pior, para não parecer que me achava superior aos meus pares.

Numa dessas noites de chá, Zahid contou aos outros homens que a família do sr. Wahdati não aprovava o casamento, por causa do caráter de sua futura noiva. Disse que era um fato bem conhecido em Cabul que ela não tinha nenhum *nang* ou *namoos*, não tinha honra, e que, apesar de só ter vinte anos, já havia "passado por toda a cidade", como o automóvel do sr. Wahdati. O pior de tudo, continuou, é que ela não fazia nada para negar essas alegações e ainda escrevia poemas a respeito. Um murmúrio de reprovação se espalhou pela sala quando ele disse isso. Um dos homens observou que em sua aldeia já teriam cortado a garganta dela.

Foi nesse momento que levantei e falei que já tinha ouvido o bastante. Repreendi-os por fofocarem como um grupo de velhas costureiras, lembrei-os que, sem pessoas como o sr. Wahdati, tipos como nós estaríamos ainda em aldeias catando esterco de vaca. *Onde está a lealdade e o respeito de vocês?* Exigi.

Houve um breve momento de pausa, durante o qual pensei ter dado uma lição naqueles broncos, mas logo depois eles começaram a rir. Zahid disse que eu era um puxa-saco, que talvez a futura mulher da casa escrevesse um poema e o chamasse de "Ode a Nabi, o grande puxa-saco". Saí indignado da sala, ao som de um alvoroço de gargalhadas.

Mas não me afastei muito. Aquelas fofocas me revoltavam e me fascinavam ao mesmo tempo. E, apesar da minha demonstração de correção, de toda a minha conversa sobre virtude e discrição, me mantive atento ao que diziam. Não queria perder nem um sórdido detalhe.

O noivado durou somente alguns dias e culminou não em uma grande cerimônia com cantores ao vivo e dançarinas e diversão por todo lado, mas sim com uma breve visita ao mulá, uma testemunha e duas assinaturas numa folha de papel. Com isso, menos de duas semanas depois que a vi pela primeira vez, a sra. Wahdati foi morar na casa.

Permita-me fazer aqui uma breve pausa, sr. Markos, para dizer que daqui para a frente vou me referir à esposa do sr. Wahdati como Nila. Desnecessário dizer, mas essa é uma liberdade que não me era permitida na época, e eu não teria aceitado nem se a tivessem me oferecido. Mas, para os propósitos desta carta, vou dispensar a etiqueta e me referir a ela como sempre *pensei* nela.

Bem. Eu sabia desde o início que o casamento era infeliz. Raramente via um olhar afetuoso trocado pelo casal, ou ouvia uma palavra de afeto ser murmurada. Eram duas pessoas morando na mesma casa, mas seus caminhos dificilmente se encontravam.

De manhã, eu servia o desjejum costumeiro ao sr. Wahdati, um pedaço de *naan* tostado, meia xícara de nozes, chá-verde com um borrifo de cardamomo, sem açúcar, e um ovo quente — ele gostava que a gema escorresse assim que furasse o ovo, e meus fracassos iniciais para chegar a essa consistência específica se mostraram uma fonte considerável de ansiedade para mim. Enquanto eu acompanhava o sr. Wahdati em seu passeio matinal, Nila continuava dormindo, em geral até meio-dia ou mais tarde ainda. Quando ela se levantava, eu já estava pronto para servir o almoço do sr. Wahdati.

Toda manhã, enquanto cuidava das minhas tarefas, eu ansiava pelo momento em que Nila abriria a porta de tela que separava a sala de visitas da varanda. Fazia jogos mentais, adivinhando sua aparência naquele dia específico. Estaria com o cabelo alto, eu conjeturava, preso numa trança na nuca, ou solto, caindo pelos ombros? Será que estaria de óculos escuros? Teria optado por sandálias? Teria escolhido a bata de seda azul com o cinto, ou a magenta com botões grandes e redondos?

Quando ela finalmente chegava, eu me ocupava no quintal, fazendo de conta que o capô do carro precisava ser polido, ou encontrava uma touceira de rosas amarelas para regar, mas o tempo todo eu a observava. Via o momento em que ela levantava os óculos escuros para esfregar os olhos, ou tirava o elástico que prendia o cabelo e jogava a cabeça para trás, soltando as mechas onduladas; notava quando descansava o queixo nos joelhos, olhando o quintal, dando tragadas lânguidas no cigarro, ou cruzava as pernas e subia e descia um dos pés, um gesto que me sugeria tédio ou inquietação, ou talvez alguma malícia descuidada e mal controlada.

Em algumas ocasiões, o sr. Wahdati estava com ela, mas não com frequência. Ele passava a maior parte dos dias como antes, lendo no estúdio do andar de cima, fazendo seus esboços, sua rotina diária mais ou menos inalterada pelo casamento. Nila escrevia quase todos os dias, na sala de visitas ou na varanda, lápis na mão, folhas de papel caindo do colo, e sempre com os cigarros. À noite, eu servia o jantar, e eles faziam a refeição num silêncio propositional, olhos baixos nas travessas de arroz, a quietude rompida apenas por um sussurrado *obrigado* e o tinir de colheres e garfos na porcelana.

Uma ou duas vezes por semana, eu tinha de sair com Nila, caso ela precisasse comprar um maço de cigarros, um novo jogo de canetas, outro caderno, maquiagem. Se eu chegasse a saber de antemão que iria sair com ela, passava uma escova no cabelo e escovava os dentes. Lavava o rosto, passava um pedaço de limão nos dedos para tirar o cheiro de cebola, espanava o terno e engraxava os sapatos. O terno, verde-oliva, havia sido herdado do sr. Wahdati, e eu torcia para que ele não tivesse contado a Nila — embora desconfiasse que já havia feito isso. Não por maldade, mas porque pessoas na posição do sr. Wahdati não avaliam o quanto coisas pequenas e triviais como essa podem envergonhar um homem como eu. Às vezes, chegava a usar um gorro de pele de carneiro que pertencera ao meu falecido pai. Ficava em frente ao espelho, ajeitando o gorro do meu pai de um jeito ou de outro na cabeça, tão absorvido no ato de me tornar apresentável diante de Nila que, se uma vespa pousasse no meu nariz, ela teria de me picar para se fazer notar.

Quando estávamos na rua, eu procurava os mínimos desvios no nosso destino, se possível, desvios que prolongassem a viagem por um minuto — ou talvez dois, mas não mais, para ela não desconfiar — e assim aumentar meu tempo ao seu lado. Dirigia com as duas mãos agarradas ao volante e os olhos firmes na estrada. Exercia um rígido autocontrole e não olhava pelo espelho retrovisor, a não ser que ela falasse comigo. Eu me contentava com o mero fato de sua presença no banco de trás, respirar seus muitos aromas, sabonetes caros, loção, perfume, goma de mascar, fumaça de cigarro. Isso, na maioria dos dias, era suficiente para dar asas ao meu espírito.

Foi no automóvel que tivemos nossa primeira conversa. Nossa primeira conversa *de verdade*, isto é, descontando miríades de vezes que ela me pedia para buscar isso ou levar aquilo. Eu a estava levando até a farmácia para pegar um remédio, e ela falou: — Nabi, como é a sua aldeia? Como é o nome mesmo?

— Shadbagh, Bibi Sahib.

— Shadbagh, sim. Como é essa aldeia? Conte para mim.
— Não há muito a dizer, Bibi Sahib. É uma aldeia como qualquer outra.
— Mas deve existir alguma coisa diferente.

Mantive a calma aparentemente, mas estava frenético por dentro, desesperado em busca de alguma coisa, alguma especificidade inteligente que pudesse ser de interesse dela, que pudesse entretê-la. Não adiantou. O que poderia dizer um homem como eu, um aldeão, um homenzinho com uma vida pequena, para captar a fantasia de uma mulher como aquela?

— As uvas são excelentes — falei, e assim que disse aquelas palavras eu já queria esbofetear minha cara. *Uvas?*
— É mesmo? — ela comentou sem expressão.
— São muito doces.
— Ah.

Eu estava morrendo por dentro mil vezes. Sentia a umidade se acumulando debaixo dos braços.

— Existe uma uva em especial — continuei, de repente com a boca seca. — Dizem que só dá em Shadbagh. É muito delicada, sabe, muito frágil. Se alguém tentar plantar em qualquer outro lugar, até mesmo na aldeia vizinha, ela definha e morre. Não vai para a frente. Morre de tristeza, diz o povo de Shadbagh, mas claro que não é verdade. É uma questão do solo e da água. Mas é o que eles dizem, Bibi Sahib. Tristeza.

— Isso é muito bonito, Nabi.

Dei uma rápida espiada pelo espelho retrovisor e vi que ela estava olhando pela sua janela, mas também percebi, com grande alívio, que os cantos da boca estavam curvados numa sombra de sorriso. Mais encorajado, ouvi a mim mesmo dizendo: — Posso contar outra história, Bibi Sahib?

— Claro que sim. — O isqueiro clicou, a fumaça do banco de trás flutuou em minha direção.

— Bem, nós temos um mulá em Shadbagh. Claro que todas as aldeias têm um mulá. O nosso se chama mulá Shekib e é cheio de histórias. Não saberia dizer quantas ele conhece. Mas uma coisa que ele sempre nos falou foi o seguinte: se alguém olhar a palma da mão de qualquer muçulmano, não importa o lugar do mundo, vai perceber algo espantoso. Todos têm as mesmas linhas. Significando o quê? Significando que as linhas da mão esquerda de um muçulmano formam o número arábico oitenta e um, e as da mão direita, o número dezoito. Se subtrairmos dezoito de oitenta e um, o que obtemos? Sessenta e três. A idade em que o Profeta morreu, que a paz esteja com ele.

Ouvi um riso abafado no banco traseiro.

Então, um dia um viajante estava passando e foi encontrar, é claro, o mulá Shekib para jantar naquela noite, como de costume. O viajante ouviu essa história, pensou a respeito dela e depois disse: "Mas, mulá Sahib, com todo o respeito, conheci um judeu uma vez, e juro que as palmas das mãos dele tinham as mesmas linhas. Como o senhor pode explicar isso?". E o mulá respondeu: "Porque o judeu era um muçulmano de coração".

A súbita gargalhada de Nila me encantou pelo resto do dia. Era como se — Deus me perdoe por essa blasfêmia — essa gargalhada tivesse chegado a mim vinda do próprio Paraíso, o jardim dos justos, como diz o livro, onde os rios correm na terra e perpétuas são as frutas e a sombra entre elas.

Entenda que não era meramente a beleza, sr. Markos, que me deixava enfeitiçado — ainda que só isso já pudesse ser suficiente. Nunca na vida eu havia conhecido uma mulher como Nila. Tudo o que ela fazia — o jeito de falar, o jeito de andar, de vestir, de sorrir — era novidade para mim. Nila contrariava todas as noções que sempre tive de como uma mulher deve se comportar, uma característica que sabia ser reprovada severamente por pessoas como Zahid — e por Saboor, por qualquer homem da minha aldeia e por todas as mulheres —, mas que para mim só aumentava ainda mais seu enorme fascínio e mistério.

E assim aquele riso continuou soando em meus ouvidos durante as tarefas do dia, e, mais tarde, quando os outros empregados vieram tomar chá, eu sorria e abafava as gargalhadas ao redor com o doce tilintar da risada de Nila, e me orgulhava de saber que minha história inteligente havia proporcionado um pouco de alívio em sua insatisfação com o casamento. Era uma mulher extraordinária, e naquela noite fui me deitar sentindo que talvez eu fosse uma pessoa melhor. Esse era o efeito que ela tinha em mim.

Logo, nós dois estávamos conversando todos os dias, Nila e eu, em geral no final da manhã, quando ela tomava café na varanda. Eu ficava por perto, sob o pretexto de fazer uma coisa ou outra, e continuava por ali, apoiado numa pá, ou servindo uma xícara de chá-verde, conversando com ela. Eu me sentia privilegiado por ela ter me escolhido. Afinal, eu não era o único empregado; já mencionei Zahid, aquele sapo inescrupuloso, e a mulher hazara de queixo grande que vinha duas vezes por semana para lavar roupa. Mas foi a mim que ela procurou. Eu era o único, acredito, incluindo o próprio marido, a quem ela abria sua solidão. Em geral, era ela quem conduzia a conversa, o que era muito bom para mim; eu me sentia feliz só de ser o vaso onde ela despejava suas histórias. Ela me contou, por exemplo, de uma viagem de caça que fizera a Jalalabad com o pai, como fora perseguida por pesadelos durante semanas com o cervo morto de olhos vidrados. Disse que tinha ido com a mãe à França quando era criança, antes da Segunda Guerra Mundial. Para chegar lá, teve de viajar de trem e navio. Descreveu como sentiu o balançar das rodas do trem nas costelas, que se lembrava bem das cortinas presas em ganchos e das cabines separadas, dos apitos e chiados da locomotiva a vapor. Falou sobre as seis semanas que passara na Índia um ano antes, com o pai, quando ficou muito doente.

Eventualmente, quando ela se virava para bater a cinza do cigarro num pires, eu dava uma rápida espiada no esmalte vermelho de suas unhas, no resplendor dourado dos tornozelos depilados, no arco alto do pé e, sempre, nos seios grandes e de formas perfeitas. Havia homens nesta terra, eu me admirava, que tinham tocado naqueles seios e os beijado enquanto faziam amor com ela. O que mais restaria a fazer na vida para alguém que já tivesse feito isso? Para onde poderia ir um homem, depois de ter estado no topo do mundo? Somente com um grande esforço eu conseguia desviar o olhar para um local mais seguro quando ela olhava para mim.

Quando se sentiu mais confortável, ela começou a fazer queixas sobre o sr. Wahdati durante essas conversas matinais. Um dia, disse que o achava reservado, quase sempre arrogante.

— Ele foi muito generoso comigo — falei.

Ela fez um gesto de mão, descartando o comentário. — Por favor, Nabi. Você não precisa fazer isso.

Desviei o olhar educadamente. O que ela dissera não era exatamente uma inverdade. O sr. Wahdati tinha mesmo, por exemplo, o hábito de corrigir minha maneira de falar com um ar de superioridade que poderia ser interpretado, talvez não sem razão, como arrogância. Às vezes, eu entrava na sala, punha uma bandeja de doces na frente dele, renovava o chá, limpava as migalhas da mesa, e ele mal me notava, como se eu fosse uma mosca andando pela tela da porta, reduzindo-me à insignificância sem sequer erguer o olhar. Mas, afinal, isso era apenas uma minúcia, dado que eu conhecia pessoas que moravam no mesmo bairro — pessoas com quem eu havia trabalhado — e que batiam nos empregados com cintos e bastões.

— Ele não sabe o que é diversão ou aventura — ela disse desatenta, mexendo o café. — Suleiman é um velho ranzinza preso no corpo de um homem mais novo.

Estava um pouco assustado com aquela sinceridade casual. — É verdade que o sr. Wahdati se sente bem com a solidão — observei, optando por uma diplomacia cautelosa.

— Talvez ele devesse morar com a mãe. O que você acha, Nabi? Acho que fazem uma boa dupla.

A mãe do sr. Wahdati era uma mulher bem forte e bastante pomposa, que morava em outro bairro da cidade com a obrigatória equipe de empregados e dois cães, que ela adorava. Os cachorros, ela mimava e tratava não como se fossem iguais aos empregados, mas como superiores, aliás com muitos graus de superioridade. Eram pequenos e pelados, criaturas medonhas que se assustavam com qualquer coisa, cheios de ansiedade e propensos a latir alto e num tom rascante. Eu os detestava, pois assim que entravam na casa eles começavam a pular e tentar subir pelas minhas pernas.

Para mim, era *nítido* que, todas as vezes que levava Nila e o sr. Wahdati até a casa da velha, a atmosfera no banco de trás ficava tensa e pesada, e eu sabia pelo franzido magoado do cenho de Nila que eles haviam discutido. Lembro que quando meus pais brigavam eles não paravam até uma nítida vitória ser declarada. Era a maneira de eliminar o mal-estar, chegar a um veredito, não permitir que aquilo vazasse na normalidade do dia seguinte. Não era assim com os Wahdati. As brigas não terminavam, se dissipavam, como uma gota de tinta num copo de água, deixando uma mancha residual que não se desfazia.

Não era necessário nenhum ato de acrobacia intelectual para deduzir que a velha não aprovava a união e que Nila sabia disso.

Enquanto continuávamos essas conversas, Nila e eu, uma pergunta continuava pululando em minha cabeça. Por que ela teria se casado com o sr. Wahdati? Eu não tinha coragem de perguntar. Tal invasão de privacidade não fazia parte da minha natureza. Só podia inferir que algumas pessoas, principalmente as mulheres, optam pelo casamento — mesmo um casamento infeliz como esse — para fugir de uma infelicidade ainda maior.

Um dia, no outono de 1950, Nila me chamou.

— Eu quero que você me leve a Shadbagh — disse. Explicou que queria conhecer minha família, ver o lugar onde eu havia nascido. Disse que eu estava servindo suas refeições e dirigindo com ela em Cabul já havia um ano e quase não sabia nada sobre mim. O pedido me deixou confuso, para dizer o mínimo, pois era incomum alguém na posição dela querer viajar aquela distância para conhecer a família de um empregado. Em igual medida, me senti contente por Nila ter se interessado tanto por mim e também apreensivo, pois já previa meu desconforto e, sim, minha vergonha, quando ela visse a pobreza do lugar onde eu havia nascido.

Partimos numa manhã nublada. Ela usava saltos altos e um vestido cor de pêssego sem mangas, mas não achei que era da minha conta alertá-la sobre isso. No caminho, fez perguntas sobre a aldeia, as pessoas que eu conhecia, minha irmã e Saboor, sobre os filhos.

— Qual é o nome deles?

— Bem — respondi —, tem o Abdullah, com quase nove anos. A mãe dele morreu no ano passado, é enteado da minha irmã Parwana. A irmã dele, Pari, está com quase dois anos. Parwana deu à luz um garoto no último inverno, Omar era seu nome, mas ele morreu com duas semanas de vida.

— O que aconteceu?

— Inverno, Bibi Sahib. Passa por essas aldeias e leva uma ou duas crianças ao acaso por ano. Só se pode esperar que não passe pela nossa casa.

— Meu Deus — murmurou ela.

— Mas a boa notícia — falei — é que minha irmã está grávida outra vez.

Na aldeia, fomos recebidos pelo bando habitual de crianças descalças correndo em direção ao carro, mas, assim que Nila saiu do banco traseiro, elas se aquietaram e se afastaram, talvez com medo de que Nila pudesse ralhar com elas. Porém Nila mostrou muita paciência e delicadeza. Ficou de joelhos e sorriu, falou com cada uma delas, pegou em suas mãos, fez carinho naquelas bochechas encardidas, desmanchou cabelos sujos. Para meu constrangimento, as pessoas estavam se reunindo para olhar para ela. Lá estava Baitullah, um amigo de infância, espiando da beira de um telhado, agachado com os irmãos, como uma fileira de corvos, todos mascando tabaco *naswar*. E lá estava o pai dele, o próprio mulá Shekib, e três homens de barba branca à sombra de uma parede, dedilhando distraidamente as contas de oração, os olhares atemporais fixados com uma expressão de desprazer em Nila e seus braços nus.

Apresentei Nila a Saboor, e fomos até a pequena casa de taipa onde morava com Parwana, seguidos por uma turma de espectadores. Na porta, Nila insistiu em tirar os sapatos, embora Saboor dissesse que não era necessário. Quando entramos na sala, vi Parwana em silêncio sentada num canto, encolhida como uma bola imóvel. Cumprimentou Nila com uma voz que mal passou de um sussurro.

Saboor ergueu as sobrancelhas para Abdullah. — Traga um chá, garoto.

— Oh, não, por favor — replicou Nila, sentando-se no chão ao lado de Parwana. — Não é necessário. — Mas Abdullah já havia desaparecido no outro recinto, que eu sabia servir como cozinha e dormitório dele e de Pari. Uma improvisada chapa de plástico leitosa separava o recinto da sala onde estávamos reunidos. Fiquei brincando com as chaves do carro, lamentando não poder ter avisado minha irmã daquela visita, para dar tempo para fazer uma pequena limpeza. As paredes de barro rachadas estavam pretas de fuligem, o colchão rasgado em que Nila sentou tinha camadas de pó, a única janela do aposento estava suja de moscas.

— Que lindo tapete — disse Nila com a voz animada, passando os dedos no tecido. Era vermelho-claro, estampado com pegadas de elefante. Era o único objeto que Saboor e Parwana tinham que expressava algum valor — e que seria vendido, como aconteceu, naquele mesmo inverno.

— Era do meu pai — observou Saboor.
— É um turcomano?
— Sim.
— Eu adoro o tosquiado que eles usam. O artesanato é incrível.

Saboor concordou com a cabeça. Não olhou para Nila nem uma vez, nem quando falava com ela.

A chapa de plástico balançou quando Abdullah voltou com uma bandeja de xícaras e depositou no chão diante de Nila. Serviu uma xícara para ela e sentou de pernas cruzadas do outro lado. Nila tentou falar com ele, fez algumas perguntas simples, mas Abdullah só assentia e balançava a cabeça, balbuciando respostas de uma ou duas palavras, uma expressão desconfiada. Fiz uma anotação mental para conversar com o garoto, comentar delicadamente sobre seus modos. Faria isso de maneira amigável, pois gostava do menino, que era sério e competente por natureza.

— De quantos meses você está grávida? — Nila perguntou a Parwana.

De cabeça baixa, minha irmã respondeu que o bebê devia nascer no inverno.

— Isso é uma bênção — disse Nila. — Estar esperando um filho. E ter um filho tão educado. — Sorriu para Abdullah, que continuou sem expressão.

Parwana balbuciou alguma coisa que pode ter sido um agradecimento.

— E tem uma garotinha também, se me lembro? — continuou Nila. — Pari?

— Está dormindo — disse Abdullah de modo sucinto.

— Ah. Ouvi dizer que ela é linda.

— Vá buscar sua irmã — disse Saboor.

Abdullah hesitou, olhando do pai para Nila, depois levantou com visível relutância para buscar a irmã.

Se eu tivesse qualquer intenção, mesmo nesse momento tardio, de me desculpar de alguma forma, diria que a relação entre Abdullah e a irmã mais nova era normal. Mas não era. Ninguém a não ser Deus sabe por que aqueles dois haviam escolhido um ao outro. Era um mistério. Nunca vi tamanha afinidade entre dois seres. Abdullah era ao mesmo tempo pai e irmão de Pari. Quando era bebê e ela chorava à noite, era ele quem saía da cama para andar com ela. Era quem trocava os lençóis sujos e a acalmava para voltar a dormir, acomodando-a na cama. Sua paciência com Pari era sem limites. Andava com ela pela aldeia, exibindo-a como se fosse o troféu mais precioso do mundo.

Quando ele trouxe uma Pari ainda grogue para a sala, Nila pediu para segurá-la. Abdullah passou a irmã com um olhar cortante e desconfiado, como se algum alarme instintivo houvesse disparado dentro dele.

— Oh, ela é uma graça! — exclamou Nila, com seus movimentos desajeitados revelando a inexperiência com crianças pequenas. Pari fitou Nila com uma expressão confusa, olhou para Abdullah e começou a chorar. Rapidamente, ele a tirou das mãos de Nila.

— Veja só esses olhos! — disse Nila. — Ah, e essas bochechas! Ela não é linda, Nabi?

— Linda mesmo, Bibi Sahib — concordei.

— E recebeu o nome perfeito. Pari. Ela é mesmo bonita como uma fada.

Abdullah observava Nila, balançando Pari nos braços, a expressão cada vez mais fechada.

No caminho de volta a Cabul, Nila afundou-se no banco traseiro, a cabeça descansando no vidro. Por muito tempo não disse uma palavra. E de repente, começou a chorar.

Estacionei o carro ao lado da estrada.

Nila ficou um longo tempo sem dizer nada. Os ombros estremeciam enquanto ela soluçava com a cabeça entre as mãos. Finalmente, assoou o nariz num lenço. — Obrigada, Nabi — falou.

— Pelo quê, Bibi Sahib?

— Por ter me levado até lá. Foi um privilégio conhecer sua família.

— O privilégio foi todo deles. E meu. Nós nos sentimos honrados.

— Os filhos de sua irmã são lindos. — Tirou os óculos escuros e enxugou os olhos.

Refleti um momento sobre o que fazer, em princípio optando por ficar quieto. Mas ela havia chorado na minha presença, e a intimidade do momento pedia palavras gentis. Em voz baixa, falei: — A senhora também vai ter um filho, Bibi Sahib. *Inshallah* Deus providenciará isso. Espere.

— Não acho que Ele vai fazer isso. Nem Ele pode resolver essa questão.

— Claro que pode, Bibi Sahib. A senhora é muito nova. Se Ele quiser, vai acontecer.

— Você não entende — ela retrucou com ar cansado. Nunca a tinha visto tão exausta, tão esgotada. — Não há o que fazer. Eles tiraram tudo de mim na Índia. Eu estou oca por dentro.

Diante disso, eu não tinha nada a dizer. Tive vontade de sentar no banco traseiro ao lado dela e segurá-la nos braços, acalmá-la com beijos. Antes de perceber o que estava fazendo, estendi o braço para trás e segurei na mão dela. Pensei que fosse me evitar, mas seus dedos apertaram minha mão com gratidão, e nós ficamos ali no carro, sem nos olhar, observando a planície ao redor, amarela e ressecada de horizonte a horizonte, enrugada de valas de irrigação, pontuada por arbustos e pedras e vida se mexendo aqui e ali. Com a mão de Nila na minha, olhei para as colinas e os postes de energia. Avistei um caminhão de carga chacoalhando a distância, seguido por uma nuvem de pó, e eu me sentiria muito feliz em ficar ali até escurecer.

— Vamos para casa — ela disse afinal, largando minha mão. — Vou dormir mais cedo esta noite.

— Sim, Bibi Sahib. — Limpei a garganta, e desci a alavanca do câmbio para a primeira marcha com a mão levemente trêmula.

NILA FOI PARA O QUARTO e não saiu durante dias. Não era a primeira vez. Às vezes, ela puxava uma cadeira até a janela no segundo andar e se plantava lá, fumando, balançando um pé, olhando pela janela com uma expressão vazia. Não falava nada. Não trocava a camisola. Não tomava banho nem escovava os dentes ou o cabelo. Dessa vez, ficou sem comer também, e essa atitude específica provocou uma preocupação incomum no sr. Wahdati.

No quarto dia, alguém bateu no portão da frente. Abri a porta para um homem mais velho, alto, num terno bem passado e sapatos lustrosos. Tinha uma atitude imponente e bastante ameaçadora na maneira de se postar meio encurvado, no jeito como olhou através de mim, no modo como segurava a bengala envernizada com as duas mãos, quase como um cetro. Ainda não tinha dito uma palavra, mas já dava para sentir que era um homem acostumado a ser obedecido.

— Soube que minha filha não está bem — falou.

Então, era o pai dela. Eu nunca o tinha visto. — Sim, Sahib. Receio que seja verdade — respondi.

— Então, saia da frente, jovem. — E passou por mim.

No jardim, mantive-me ocupado rachando um bloco de lenha para a estufa. De onde estava, eu tinha uma visão clara e nítida da janela do quarto de Nila. O pai dela emoldurado pela janela, dobrado pela cintura, debruçado sobre Nila, uma das mãos apertando seu ombro. O rosto dela tinha a expressão de alguém que tivesse sido assustado por um ruído alto e abrupto, como um fogo de artifício ou uma porta batendo com uma súbita rajada de vento.

Naquela noite, ela comeu.

Alguns dias depois, Nila me chamou na casa e disse que ia dar uma festa. Raramente, se é que já tinha acontecido, fazíamos festas na casa quando o sr. Wahdati era solteiro. Quando Nila se mudou para lá, organizava festas duas ou três vezes por mês. No dia anterior à festa, Nila me passou detalhadas instruções sobre quais aperitivos e pratos eu deveria preparar, e fui de carro ao mercado para comprar os itens necessários. O mais importante desses itens era álcool, que eu nunca havia comprado, pois o sr. Wahdati não bebia — embora suas razões não tivessem nada a ver com religião; ele simplesmente não gostava do efeito. Nila, no entanto, conhecia muito bem certos estabelecimentos, "farmácias", como ela as chamava em tom de piada, onde, pelo equivalente ao dobro do meu salário mensal, uma garrafa de "remédio" podia ser adquirida de maneira subversiva. Tive sensações conflitantes ao cumprir essa tarefa específica, fazer o papel de facilitador de pecados; mas, como sempre, agradar Nila superava tudo o mais.

É preciso entender, sr. Markos, que ao fazermos uma festa em Shadbagh, fosse um casamento ou para comemorar uma circuncisão, os eventos ocorriam em duas casas separadas, uma para as mulheres e outra para os homens. Nas festas de Nila, homens e mulheres se misturavam. A maioria das mulheres se vestia como Nila, com roupas que mostravam os braços e boa parte das pernas. Elas fumavam e bebiam, copos de destilados incolores ou cor de cobre cheios até a metade, contavam piadas, riam e tocavam nos braços de homens que sabiam ser casados com alguém na festa. Eu levava bandejas de *bolani* e *lola kabob* de um lado para outro do salão esfumaçado, de uma aglomeração de convidados a outra, enquanto um disco tocava na vitrola. A música não era afegã, era uma coisa que Nila chamava de jazz, um tipo de música que, como aprendi décadas depois, o senhor também aprecia, sr. Markos. Aos meus ouvidos, os tinidos aleatórios do piano e os estranhos gemidos dos metais soavam como uma bagunça desarmoniosa. Mas Nila adorava, e eu a escutava dizendo aos convidados que eles precisavam ouvir esse ou aquele disco. A noite inteira ela ficou com um copo na mão, dedicando-se muito mais a ele do que aos quitutes que eu servia.

O sr. Wahdati fez algum esforço para se envolver com os convidados. Fez de conta que estava participando, mas a maior parte do tempo ficou num canto com uma expressão distante no rosto, balançando um copo de soda, abrindo um sorriso polido, de boca fechada, quando alguém falava com ele. E, como de hábito, pediu licença e se retirou quando os convidados começaram a pedir que Nila recitasse seus poemas.

De longe, aquela era a parte de que eu mais gostava da noite. Quando ela começava, eu sempre encontrava alguma tarefa que me mantivesse por perto. E ficava lá, paralisado no mesmo lugar, toalha na mão, me esforçando para ouvir. Os poemas de Nila eram diferentes de todos os que ouvi na infância. Como o senhor bem sabe, nós, afegãos, adoramos a nossa poesia; mesmo o mais iletrado entre nós sabe recitar versos de Hafiz, Khayan ou Saadi. Lembra-se, sr. Markos, quando me contou, no ano passado, quanto gostava dos afegãos? E eu perguntei por quê, e o senhor riu e falou: *Porque até os seus grafiteiros escrevem poemas de Rumi nas paredes*.

Mas os poemas de Nila contrariavam a tradição. Não seguiam uma métrica preestabelecida ou um padrão rítmico. Nem tratavam de coisas comuns, como árvores, flores da primavera ou rouxinóis. Nila escrevia sobre o amor, e por amor não estou me referindo a lamentos sufis de Rumi ou Hafiz, mas sim ao amor físico. Escrevia sobre amantes trocando murmúrios em travesseiros, tocando uns nos outros. Escrevia sobre o prazer. Eu nunca tinha ouvido tal linguagem falada por uma mulher. Ouvia, ali, a voz enfumaçada de Nila se espalhar pela sala, os olhos fechados e as orelhas vermelhas, e imaginava que ela estava lendo para mim, que éramos os amantes do poema, até alguém quebrar o encanto pedindo um chá ou ovos fritos, quando então Nila chamava meu nome, e eu saía correndo.

Naquela noite, o poema que ela escolheu para ler me pegou de surpresa. Era sobre um homem e a esposa, numa aldeia, chorando pela morte de um bebê que os dois haviam perdido para o frio do inverno. Os convidados pareceram adorar a poesia, a julgar pelos gestos de cabeça e murmúrios de aprovação pela sala, bem como pelo aplauso sincero quando Nila ergueu os olhos da página. Mesmo assim, fiquei surpreso, e um pouco decepcionado, pela infelicidade de minha irmã ter sido usada para entreter os convidados, e não consegui deixar de sentir que uma vaga traição havia sido cometida.

Alguns dias depois da festa, Nila disse que precisava comprar uma bolsa. O sr. Wahdati estava lendo o jornal na mesa onde eu tinha servido um almoço de sopa de lentilhas com *naan*.

— Precisa de alguma coisa, Suleiman? — perguntou Nila.

— Não, *aziz*. Obrigado — respondeu. Era muito raro eu ouvir o sr. Wahdati chamar Nila de *aziz*, que significa querida, meu amor, mas nunca o casal parecia mais distante um do outro do que quando ele dizia isso, e nunca esse termo carinhoso soou mais formal do que nos lábios do sr. Wahdati.

A caminho da loja, Nila disse que queria pegar uma amiga e me deu o endereço da casa. Estacionei na rua e observei enquanto ela andava até uma casa de dois andares com paredes cor-de-rosa brilhantes. No começo, deixei o motor ligado, mas, quando se passaram cinco minutos e Nila não retornou, desliguei o carro. Foi bom ter feito isso, pois só duas horas depois vi sua figura esguia andando pela calçada em direção ao automóvel. Abri a porta de trás e, quando ela entrou, senti nela, debaixo de seu perfume conhecido, uma segunda fragrância, algo como sândalo ou talvez um laivo de gengibre, um aroma que reconheci ter sentido na festa duas noites antes.

— Não encontrei nada que me agradasse — disse Nila do banco traseiro, retocando o batom.

Percebeu meu olhar de perplexidade no espelho retrovisor. Abaixou o batom e olhou para mim por baixo dos cílios. — Você me levou a duas lojas diferentes, mas não consegui achar uma bolsa que me agradasse.

Os olhos dela cruzaram com os meus no espelho e demoraram ali por um instante, esperando, e eu compreendi que havia sido convocado para fazer parte de um segredo particular. Ela estava pondo minha lealdade à prova. Estava me pedindo para fazer uma escolha.

— Acho que a senhora foi a três lojas — falei em voz baixa.

Ela sorriu. — *Parfois je pense que tu es mon seul ami*, Nabi.

Pisquei os olhos.

— Significa: às vezes eu acho que você é o meu único amigo.

Ela abriu um sorriso radiante para mim, mas isso não conseguiu levantar meu ânimo abatido.

Durante o resto do dia, cumpri minhas tarefas na metade do meu ritmo normal e com uma fração do meu entusiasmo costumeiro. Quando os homens vieram para o chá naquela noite, um deles cantou para nós, porém a canção não conseguiu me animar. Eu me sentia como se fosse eu o corneado. E tinha certeza de que o fascínio que ela exercia sobre mim finalmente havia diminuído.

Mas, quando acordei de manhã, estava tudo lá, inundando mais uma vez meu aposento, do chão ao teto, infiltrando-se pelas paredes, saturando o ar que eu respirava como um vapor. Não adiantou nada, sr. Markos.

Não sei explicar como, precisamente, a ideia tomou forma.

Talvez tenha sido numa manhã de vento no outono enquanto eu servia um chá para Nila, quando me debrucei para cortar uma fatia de bolo de *roat* e ouvi no rádio no parapeito da janela um relatório sobre o próximo inverno, de 1952, dizendo que poderia ser ainda mais brutal do que o anterior. Talvez tenha sido antes, no dia em que a levei até a casa de paredes pintadas de cor-de-rosa brilhante, ou quem sabe antes ainda, na ocasião em que segurei a mão dela no carro enquanto chorava.

Independentemente do momento, quando a ideia entrou na minha cabeça, não houve como expurgá-la.

É preciso dizer, sr. Markos, que agi com a consciência absolutamente tranquila, com a convicção de que minha proposta era fruto de boa vontade e de intenções honestas. Uma coisa que, embora dolorosa no curto prazo, levaria um bem maior a todos os envolvidos no longo prazo. Mas tive também motivos egoístas e menos honrosos. O principal entre eles, este: eu iria dar a

Nila algo que nenhum outro homem — nem o marido, nem o proprietário daquela grande casa cor-de-rosa — poderia dar.

Primeiro conversei com Saboor. Em minha defesa, devo dizer que, se achasse que Saboor aceitaria dinheiro de mim, com prazer teria dado a ele, em vez de fazer essa proposta. Sabia que ele precisava de dinheiro, pois havia me falado sobre sua luta para encontrar trabalho. Teria pedido ao sr. Wahdati um adiantamento do meu salário para ajudar Saboor a cuidar da família durante o inverno. Mas Saboor, como muitos dos meus compatriotas, sofria da aflição do orgulho, uma aflição ao mesmo tempo ilegítima e inabalável. Ele jamais aceitaria meu dinheiro. Quando se casou com Parwana, chegou a proibir as pequenas quantias que eu levava a ela. Era um homem, e proveria a própria família. E morreu fazendo exatamente isso, antes dos quarenta anos, desfalecendo de repente enquanto colhia beterrabas em algum lugar perto de Baghlan. Ouvi dizer que morreu com o gancho de colheita ainda nas mãos, que estavam feridas e sangrando.

Eu não tinha filhos, por isso não vou dizer que compreendia as angustiadas deliberações que levaram à decisão de Saboor. Nem participei das discussões entre o casal Wahdati. Quando falei sobre a ideia com Nila, só pedi que, em suas discussões com o sr. Wahdati, ela expusesse a ideia como dela, e não como minha. Sabia que o sr. Wahdati iria resistir. Nunca vislumbrei o menor sinal de instinto paternal nele. De fato, conjecturei que a impossibilidade de Nila ter filhos pudesse ter influenciado sua decisão de se casar com ela. De qualquer forma, mantive-me distante da atmosfera tensa entre os dois. Quando me deitava para dormir à noite, só me lembrava das lágrimas repentinas que escorreram dos olhos de Nila quando falei sobre a ideia, de como segurou minhas mãos e me olhou com gratidão e — tenho certeza — algo bem parecido com amor. Pensei apenas que lhe oferecia um presente que homens de maiores perspectivas não poderiam oferecer. Pensei apenas em quanto havia me dado totalmente a ela, e com tanta felicidade. E pensei, ou tinha esperança, tolamente, é claro, que ela pudesse me ver como mais do que um empregado leal.

Quando o sr. Wahdati acabou cedendo — o que não me surpreendeu, pois Nila era uma mulher com formidável força de vontade —, informei

Saboor e me ofereci para trazer Pari e ele a Cabul. Nunca vou entender realmente por que ele preferiu vir andando com a filha desde Shadbagh. Nem por que permitiu que Abdullah viesse junto. Talvez estivesse se apegando ao curto tempo que ainda tinha com a filha. Talvez quisesse se penitenciar um pouco com as dificuldades da viagem. Ou talvez tenha sido orgulho, e Saboor não concordaria em ser transportado no carro do homem que estava comprando sua filha. Mas, no final, lá estavam eles, os três, cobertos de pó, esperando perto da mesquita como combinado. Enquanto os levava à casa dos Wahdati, fiz o melhor que pude para me mostrar animado, pelo bem das crianças, as crianças que desconheciam seu destino — bem como a terrível cena que logo se descortinaria.

Não faz muito sentido recontar tudo em detalhes, sr. Markos, mas a cena se deu *exatamente* como eu temia. Depois de todos esses anos, ainda sinto o coração apertado quando essa lembrança abre caminho e surge em minha mente. E como poderia ser diferente? Peguei aquelas duas crianças indefesas, entre as quais o amor havia encontrado sua expressão na manifestação mais simples e pura, e separei uma da outra. Nunca vou me esquecer do súbito turbilhão emocional. Pari deitada no meu ombro, em pânico, agitando as pernas, gritando *Abollah, Abollah,* enquanto eu a retirava da sala. Abdullah gritando o nome da irmã, tentando lutar com o pai. Nila de olhos arregalados, cobrindo a boca com as mãos, talvez para silenciar o próprio grito. Isso pesa em mim. Depois de todos esses anos, sr. Markos, ainda pesa em mim.

Pari tinha menos de quatro anos na época, mas, apesar da pouca idade, tinha elementos em sua vida que precisariam ser reformulados. Foi instruída para não me chamar mais de *kaka* Nabi, por exemplo, mas apenas Nabi. E seus erros eram corrigidos com delicadeza, por mim inclusive, muitas e muitas vezes, até ela acreditar que não tínhamos nenhum parentesco um com o outro. Eu me tornei para ela o Nabi cozinheiro e o Nabi motorista. Nila se tornou "mamã", e o sr. Wahdati, "papa". Nila começou a ensinar francês a ela, que era o idioma de sua mãe.

A fria recepção do sr. Wahdati a Pari durou pouco tempo, para minha surpresa, pois as lágrimas de Pari, de tristeza e saudades de casa, o desarmaram. Logo, Pari estava ao seu lado em nossas caminhadas matinais. O sr. Wahdati a punha num carrinho e a empurrava pelo bairro durante os passeios. Ou sentava com ela no colo ao volante do automóvel e sorria pacientemente enquanto ela tocava a buzina. Contratou um carpinteiro para fazer uma cama sobre rodas com três gavetas para Pari, um baú de acerácea para os brinquedos e um armário baixo e pequeno. Toda a mobília do quarto de Pari era pintada de amarelo, pois o sr. Wahdati descobriu que era sua cor favorita. Um dia, eu o encontrei sentado de pernas cruzadas na frente do armário, com Pari ao lado, desenhando, com uma habilidade notável, girafas e macacos de rabo comprido nas portas. Deve revelar muito sobre a natureza reservada do sr. Wahdati, sr. Markos, se eu disser que, em todos os anos em que o tinha visto desenhar, era a primeira vez que realmente via seu trabalho.

Um dos efeitos da chegada de Pari foi que, pela primeira vez, a casa dos Wahdati parecia ser de uma família de verdade. Ligados agora pela afeição à menina, Nila e o marido faziam todas as refeições juntos. Andavam com Pari até um parque próximo e sentiam prazer em ficar um ao lado do outro num banco, observando enquanto ela brincava. Quando eu servia chá aos dois à noite, depois de limpar a mesa, costumava encontrar um ou outro lendo um livro infantil para Pari, ela deitada no colo deles, a cada dia que passava mais distante de sua vida em Shadbagh e das pessoas da aldeia.

Não consegui prever uma das consequências da chegada de Pari: eu passei para um segundo plano. Julgue-me com piedade, sr. Markos, e lembre-se de que eu era jovem, mas admito que tinha esperanças, por mais loucas que pudessem parecer. Afinal, acabei sendo o instrumento para que Nila se tornasse mãe. Tinha descoberto a fonte de sua infelicidade e administrado o antídoto. Será que pensava que agora poderíamos ser amantes? Devo dizer que não era tão tolo assim, sr. Markos, mas não seria inteiramente inverdade. Imagino que a verdade é que estávamos esperando, todos nós, por circunstâncias intransponíveis, que algo extraordinário acontecesse conosco.

O que não previ foi que eu fosse sair de cena. Agora Pari consumia todo o tempo de Nila. Aulas, jogos, sonecas, caminhadas, mais jogos. Nossas conversas diárias ficaram de lado. Se as duas estavam brincando com blocos de armar ou envolvidas num quebra-cabeça, Nila mal notava quando eu trazia o café e ainda estava na sala, esperando em pé. Quando falávamos, ela parecia distraída, sempre ansiosa para interromper a conversa. No carro, sua expressão era distante. Por essa razão, embora me envergonhe, devo admitir que senti uma ponta de ressentimento pela minha sobrinha.

Como parte do acordo com os Wahdati, a família de Pari não podia fazer visitas. Não podiam estabelecer nenhum contato com ela. Um dia, logo depois de Pari ter se mudado para a casa dos Wahdati, fui de carro até Shadbagh. Levei um pequeno presente para Abdullah e o filhinho da minha irmã, Iqbal, que na época começava a andar.

Saboor falou, com firmeza: — Você já deu seus presentes. Agora é hora de ir embora.

Respondi que não entendia a razão daquela recepção fria, de seus modos ásperos comigo.

— Você entende, sim — afirmou. — E não pense que precisa continuar nos visitando.

Ele estava certo, eu entendi. Havia se formado uma atmosfera fria entre nós. Minha visita havia sido desajeitada, tensa, até contenciosa. Agora não parecia mais natural nos reunirmos para tomar chá e conversar sobre o tempo ou a colheita de uvas daquele ano. Estávamos fingindo uma normalidade, tanto Saboor quanto eu, que não mais existia. Fossem quais fossem as razões, eu tinha sido, afinal, o instrumento da ruptura de sua família. Saboor não queria mais me ver, e eu entendi. Deixei de fazer minhas visitas mensais. Nunca mais vi nenhum deles.

Foi num dia do começo da primavera de 1955, sr. Markos, que a vida de todos na casa mudou para sempre. Lembro que estava chovendo. Não aquelas chuvas torrenciais que fazem os sapos coaxarem, mas um chuvisco indeciso que parou e voltou a manhã toda. Lembro porque o jardineiro, Zahid, estava lá, com a atitude preguiçosa de sempre, apoiado num rastelo e dizendo que não podia concluir o trabalho por causa do tempo ruim. Eu estava para me recolher à minha casa, ao menos para me afastar daquela lenga-lenga, quando ouvi Nila gritar meu nome na casa principal.

Corri pelo quintal até a casa. A voz vinha do andar de cima, da direção do banheiro do casal.

Encontrei Nila num canto, de costas para a parede, uma das mãos na boca. — Tem algo errado com ele — falou, sem tirar a mão da boca.

O sr. Wahdati estava na cama, vestindo uma camiseta branca, emitindo sons estranhos e guturais. O rosto estava pálido, o cabelo despenteado. Tentava seguidamente, sem conseguir, fazer alguma coisa com o braço direito, e notei horrorizado que uma linha de saliva escorria pelo canto da boca.

— Nabi! Faça alguma coisa!

Pari, então já com seis anos, havia entrado no quarto e agora estava ao lado da cama do sr. Wahdati, puxando sua camiseta. — Papa? Papa? — O sr. Wahdati olhou para ela, olhos esbugalhados, a boca abrindo e fechando. Pari gritou.

Peguei-a rapidamente e a levei até Nila. Recomendei que levasse a menina para outro quarto, pois não deveria ver o pai naquela condição. Nila piscou, como se emergindo de um transe, e seus olhos saíram de mim em direção a Pari, antes de abraçá-la. Continuou perguntando qual era o problema com o marido. Continuou a dizer que eu precisava fazer alguma coisa.

Chamei Zahid da janela e, ao menos dessa vez, o incompetente se mostrou útil. Ajudou a vestir uma calça de pijama no sr. Wahdati. Nós o levantamos da cama, descemos a escada e o pusemos no banco traseiro do automóvel. Nila sentou ao seu lado. Falei para Zahid voltar para a casa e cuidar de Pari. Ele começou a protestar, e dei um tapa na têmpora dele com a mão aberta, com toda a minha força. Disse que ele era um jumento, que devia fazer o que eu estava mandando.

Com isso, dei marcha à ré e saí correndo.

Foram duas semanas completas até trazermos o sr. Wahdati para casa. Seguiu-se o caos. A família acorreu a casa em hordas. Eu fazia chá e cozinhava quase vinte e quatro horas por dia para servir o tio, aquele primo, uma tia mais velha. O dia todo a campainha da casa tocava, saltos de sapato estalavam no mármore da sala de visitas, e murmúrios ecoavam pelas paredes enquanto as pessoas se despejavam pelos aposentos. A maioria eu jamais havia visto na casa, e tive a impressão de que estavam mais fazendo uma aparição e consolando a matrona e mãe do sr. Wahdati do que visitando o homem recluso e doente com quem tinham somente uma ligação tênue. Ela também veio, é claro, a mãe, sem os cachorros, graças aos deuses. Invadiu a casa com um lenço em cada mão para enxugar os olhos avermelhados e o nariz escorrendo. Plantou-se ao pé da cama em prantos. Estava de preto, o que me chocou, como se o filho já estivesse morto.

E de alguma forma estava mesmo. Ao menos a antiga versão dele. Metade do rosto era agora uma máscara imóvel. As pernas quase não funcionavam. Conseguia mexer o braço esquerdo, mas o direito era só osso e carne flácida. Expressava-se com grunhidos roucos e gemidos que ninguém conseguia decifrar.

O médico disse que o sr. Wahdati sentia as mesmas emoções de antes do derrame, que entendia bem as coisas, mas o que não podia fazer, ao menos por enquanto, era manifestar o que sentia e entendia.

Não era bem verdade. Aliás, depois da primeira semana ou pouco mais, ele deixou seus sentimentos bem claros quanto às visitas, incluindo as da mãe. O sr. Wahdati era, mesmo gravemente enfermo, uma criatura solitária por definição. E não sabia o que fazer com toda aquela piedade, aqueles olhares desolados, todo o desamparo de cabeças abanando diante do triste espetáculo em que ele havia se tornado. Quando os parentes entravam no quarto, ele agitava a mão esquerda funcional com gestos zangados indicando que fossem embora. Quando falavam com ele, virava o rosto para o outro lado. Se alguém sentasse ao seu lado, agarrava um punhado de lençol da cama e grunhia e batia com o punho em si mesmo até que saíssem. Com Pari, a recusa não era menos insistente, embora fosse mais delicada. Ela vinha brincar com suas bonecas ao lado da cama, e ele me olhava de maneira suplicante, os olhos marejados, o queixo tremendo, até que eu a levasse para fora do quarto — nem tentava falar com ela, pois sabia que sua fala a perturbaria.

O encerramento de todas aquelas visitas foi um alívio para Nila. Quando as pessoas invadiam totalmente a casa, Nila se retirava para o quarto de Pari e levava a menina com ela, para grande desgosto da sogra, que certamente — e quem poderia culpá-la? — esperava que Nila ficasse ao lado do filho, ao menos pelas aparências, se não por outra razão. É claro que Nila não se importava em nada com as aparências ou com o que pudessem falar dela. E falavam muito. "Que tipo de esposa é essa?", ouvi a mãe lamentar mais de uma vez. Queixava-

-se a qualquer um que quisesse ouvir que Nila não tinha coração, que tinha um buraco fundo na alma. Onde estava agora, que o querido marido precisava dela? Que espécie de esposa abandonava o marido leal e amoroso?

Parte do que a velha dizia era verdade. Acabei sendo a pessoa mais confiável na cabeceira do sr. Wahdati, e era quem ministrava suas pílulas e cumprimentava quem entrasse no quarto. Era comigo que o médico falava regularmente, portanto era a mim, e não a Nila, que as pessoas perguntavam sobre o estado do sr. Wahdati.

O fato de o sr. Wahdati ter dispensado as visitas aliviou Nila de um desconforto, mas resultou em outro. Ao se entocar no quarto de Pari e fechar a porta, ela se manteve afastada não apenas da sogra antipática, mas também da ruína que o marido havia se tornado. Agora a casa estava vazia, e ela estava diante de deveres conjugais para os quais era absolutamente incapaz.

Nila não conseguia fazer isso.

E não fez.

Não estou dizendo que ela fosse cruel ou insensível. Já vivi muito tempo, sr. Markos, e uma coisa que aprendi é que vale a pena ter certo grau de humildade e caridade quando se julga o funcionamento interno do coração de outra pessoa. O que estou dizendo é que entrei um dia no quarto do sr. Wahdati e encontrei Nila soluçando em cima da barriga dele, uma colher ainda na mão, e purê de lentilha *daal* escorrendo do queixo dele para o guardanapo no pescoço.

— Deixe que eu faço isso, Bibi Sahib — falei delicadamente. Peguei a colher da mão dela, limpei a boca do sr. Wahdati e tentei dar a comida, mas ele soltou um gemido, fechou os olhos e virou o rosto.

Não demorou muito para eu levar duas malas escada abaixo e entregá-las a um taxista, que as acomodou no porta-malas. Ajudei Pari a subir no banco de trás, usando seu casaco amarelo favorito.

— Nabi, você vai levar papa para visitar a gente em Paris, como disse mamã? — perguntou com seu sorriso de dentes separados.

Disse que faria isso sem dúvida, quando o pai se sentisse melhor. Beijei o dorso de suas mãozinhas. — Bibi Pari, desejo sorte e desejo felicidade a você — falei.

Encontrei Nila quando vinha descendo a escada da entrada, de olhos inchados e delineador borrado. Vinha do quarto do sr. Wahdati, depois de ter se despedido.

Perguntei como ele estava.

— Aliviado, acho — respondeu, depois acrescentou: — Mas talvez esse seja o meu desejo. — Fechou o zíper da bolsa e jogou a alça no ombro. — Não diga a ninguém para onde estou indo. Vai ser melhor para todos.

Prometi que não diria a ninguém.

Ela falou que me escreveria logo. Depois me olhou nos olhos por muito tempo, e acredito ter visto lá uma genuína afeição. Tocou meu rosto com a palma da mão.

— Fico feliz de você estar aqui com ele, Nabi.

Em seguida me puxou para mais perto e me abraçou, a face tocando a minha. Meu nariz foi inundado pelo aroma de seus cabelos, de seu perfume.

— É você, Nabi — disse no meu ouvido. — Sempre foi você. Nunca percebeu?

Eu não entendi. E ela se afastou antes que eu pudesse perguntar. Cabeça abaixada, os saltos batendo no asfalto, correu em direção ao táxi. Entrou no banco de trás ao lado de Pari, olhou para mim uma vez e pôs a palma da mão no vidro. A palma da mão de Nila, esbranquiçada na janela, foi a última coisa que vi quando o carro se afastou da entrada.

Fiquei olhando enquanto partia, esperei até o carro virar a esquina para fechar os portões. Então, encostei no portão e chorei como uma criança.

APESAR DO DESEJO DO SR. WAHDATI, alguns visitantes continuaram se insinuando, pelo menos por mais algum tempo. No fim, só a mãe aparecia para vê-lo. Vinha mais ou menos uma vez por semana. Estalava os dedos para mim, e eu puxava uma cadeira para ela, e assim que se estatelava ao lado da cama do filho se lançava num solilóquio de agressões ao caráter da esposa que havia partido. Era uma meretriz. Uma mentirosa. Uma bêbada. Uma covarde que tinha fugido para Deus sabe onde quando o marido mais precisava dela. Isso, o sr. Wahdati aguentava em silêncio, olhando impassível para a janela por cima da mãe. Depois vinha o interminável fluxo de novidades e atualizações, a maior parte tão banal que chegava a ser fisicamente doloroso. Uma prima havia discutido com a irmã porque a irmã teve a coragem de comprar a mesmíssima mesa de centro que ela. Quem furou um pneu voltando de Paghman na última sexta-feira. Quem estava com um novo corte de cabelo. E assim ia. Às vezes, o sr. Wahdati grunhia alguma coisa, e a mãe dele olhava para mim.

— Você. O que ele disse? — Sempre se dirigia a mim dessa maneira, com palavras cortantes e angulosas.

Como eu estava ao lado do sr. Wahdati mais ou menos o dia todo, consegui desvendar aos poucos o enigma de sua fala. Quando ouvia mais de perto, o que para os outros soava como resmungos e grunhidos ininteligíveis, eu reconhecia como um pedido de água, para usar o urinol ou mudar de posição. Eu havia me tornado seu legítimo intérprete.

— Seu filho está dizendo que gostaria de dormir um pouco.

A velha suspirava e dizia que tudo bem, que precisava mesmo ir embora. Debruçava-se para beijar a testa do filho e prometia voltar logo. Depois que a acompanhava até o portão da frente, onde seu chofer a esperava, eu voltava ao quarto do sr. Wahdati, sentava numa banqueta ao lado da cama, e ficávamos num confortável silêncio. Às vezes, os olhos dele encontravam os meus, ele abanava a cabeça e sorria maliciosamente.

Como o trabalho para o qual fui contratado para fazer tornou-se muito limitado — eu saía para fazer compras uma ou duas vezes por semana e precisava cozinhar somente para duas pessoas —, não vi mais sentido em pagar outros empregados por tarefas que eu poderia executar. Expliquei isso ao sr. Wahdati, e ele fez um gesto com a mão. Cheguei mais perto.

— Você vai ficar muito cansado.

— Não, Sahib. Posso fazer isso com prazer.

Ele me perguntou se eu tinha certeza, e respondi que sim.

Os olhos se umedeceram, e ele fechou os dedos levemente no meu pulso. Era o homem mais estoico que eu já havia conhecido, mas desde o derrame as coisas mais triviais o tornavam agitado, ansioso, lacrimejante.

— Nabi, escute aqui.

— Sim, Sahib.

— Pague a você mesmo o salário que quiser.

Falei que não precisávamos falar sobre isso agora.

— Você sabe onde eu guardo o dinheiro?

— Fique descansando, Sahib.

— Não importa o quanto.

Disse então que estava pensando em fazer sopa de *shorwa* para o almoço. — *Shorwa*, o que o senhor acha? Eu também gostaria, pensando bem.

Acabei com as reuniões noturnas com os outros empregados. Não me importava mais o que pensassem de mim; não queria mais que viessem à casa do sr. Wahdati para se divertir à custa dele. Tive o considerável prazer de demitir Zahid. Também dispensei a mulher hazara que vinha lavar roupa. A partir de então, eu lavava as roupas e as pendurava no varal para secar; cuidava das árvores, aparava os arbustos, cortava a grama, plantava novas flores e vegetais. Fazia a manutenção da casa, substituindo canos enferrujados, consertando torneiras pingando, encerando o assoalho, lavando as janelas, tirando a poeira das cortinas, varrendo os tapetes.

Um dia, eu estava no quarto do sr. Wahdati limpando as teias de aranha das sancas enquanto ele dormia. Era verão, e o calor estava seco e feroz. Eu havia puxado todos os lençóis e as cobertas do sr. Wahdati e arregaçado as pernas da calça do pijama. Já tinha aberto as janelas, e o ventilador no teto girava com um rangido, mas não adiantava muito; o calor vinha de todas as direções.

Havia um grande armário no quarto, que eu estava querendo limpar algum dia, e resolvi finalmente fazer isso. Abri as portas de correr e comecei pelos ternos, espanando um de cada vez, embora reconhecesse que todas as probabilidades indicavam que o sr. Wahdati nunca mais usaria um deles. Havia pilhas de livros empoeirados, e também os espanei. Limpei os sapatos com um pano e os alinhei com todo o cuidado. Encontrei uma grande caixa de papelão, quase escondida pela barra de vários casacos longos que a encobriam. A caixa estava cheia de cadernos de esboços do sr. Wahdati, um em cima do outro, uma triste relíquia de sua vida passada.

Tirei o primeiro caderno da caixa e o abri numa página ao acaso. Minhas pernas ficaram bambas. Folheei o caderno inteiro, depois outro, e mais outro. As páginas passaram diante de meus olhos, soprando meu rosto como um pequeno suspiro, todas sobre o mesmo tema, desenhado com carvão. Lá estava eu limpando o para-lama do carro, do ângulo da janela do quarto de cima. Lá estava eu apoiado numa pá na varanda. Eu estava em todas as páginas: amarrando os sapatos, cochilando, cortando lenha, com o bule servindo chá, rezando, regando as plantas. Lá estava eu no carro, estacionado na margem do lago Ghargha, atrás do volante, a janela baixada, meu braço pendurado ao lado da porta, com uma figura apagada desenhada no banco traseiro, pássaros circulando acima.

É você, Nabi.
Sempre foi você.
Nunca percebeu?

Olhei para o sr. Wahdati, que dormia profundamente deitado de lado. Guardei com cuidado os cadernos na caixa de papelão, fechei a tampa e empurrei a caixa de volta para o fundo, atrás dos casacos de inverno. Em seguida saí do quarto, fechando a porta com cuidado para não o acordar. Andei pela penumbra do corredor e desci a escada. Continuei andando. Saí no calor daquele dia de verão, fui até a rua, virei a esquina e continuei andando, sem olhar para trás.

Como eu poderia ficar na casa agora?, ponderei. Não me sentia nem enojado nem lisonjeado com aquela descoberta, sr. Markos, mas eu estava *confuso*. Tentei imaginar como poderia continuar lá, sabendo o que sabia agora. O que eu encontrara na caixa jogava uma mortalha sobre tudo. Não se pode ignorar, deixar de lado uma coisa como essa. Mas como poderia partir, com ele num estado tão dependente? Não poderia, não sem antes encontrar alguém apropriado para assumir minhas funções. Ao menos isso eu devia ao sr. Wahdati, pois ele sempre havia sido bom comigo, enquanto eu tramava pelas suas costas para ganhar os favores da mulher dele.

Fui até a sala de jantar e sentei diante da mesa de vidro com os olhos fechados. Não sei dizer quanto tempo fiquei lá sem me mexer, sr. Markos, só que a certa altura ouvi uma agitação no andar de cima, abri os olhos e vi que a luz havia mudado, e foi então que me levantei e pus uma vasilha de água para ferver e preparar o chá.

Um dia, fui ao quarto dele e disse que tinha uma surpresa. Foi no final dos anos 1950, muito antes de a televisão ter chegado em Cabul. Ele e eu passávamos os dias jogando cartas e, mais recentemente, xadrez, que ele havia me ensinado e para o qual eu demonstrei algum talento. Passávamos também um bom tempo nas aulas de leitura. Ele se revelou um professor paciente. Fechava os olhos quando me ouvia lendo, balançava a cabeça com delicadeza quando eu errava. *Outra vez*, dizia. Àquela altura, sua fala havia melhorado radicalmente. *Leia isso outra vez, Nabi*. Eu era mais ou menos alfabetizado quando fora contratado, em 1947, graças ao mulá Shekib, mas foi com as aulas de Suleiman que minha leitura realmente melhorou, assim como minha escrita, consequentemente. Ele fazia isso para me ajudar, claro, mas havia também um elemento prático naquelas aulas, pois agora eu podia ler em voz alta seus livros favoritos. Ele conseguia ler sozinho, naturalmente, mas só por curtos intervalos, pois se cansava com facilidade.

Se eu estivesse no meio de algum trabalho e não pudesse estar ao seu lado, ele não tinha muito com que se ocupar. Ouvia discos. Em geral, precisava se conformar em olhar pela janela, ver os pássaros empoleirados nas árvores, o céu e as nuvens, ouvir as crianças brincando na rua, os vendedores de frutas puxando seus jumentos e entoando *Cerejas! Cerejas maduras!*.

Quando falei sobre a surpresa, ele me perguntou o que era. Passei o braço pelo pescoço dele e disse que primeiro íamos descer a escada. Naqueles dias, eu não tinha problema para carregar Suleiman, pois ainda era jovem e apto. Levantei-o com facilidade e o levei até a sala de visitas no andar de baixo, onde o depositei delicadamente no sofá.

— Então? — perguntou ele.

Puxei a cadeira de rodas do vestíbulo. Eu já estava falando sobre a cadeira havia mais de um ano, mas ele se recusava obstinadamente. Agora tinha tomado a iniciativa e comprado uma assim mesmo. Ele começou logo a abanar a cabeça.

— É por causa dos vizinhos? — perguntei. — Você se sente constrangido com o que as pessoas vão dizer?

Ele me pediu para levá-lo de volta para cima.

— Bom, eu não dou a mínima para o que os vizinhos pensam ou dizem — falei. — Então, o que vamos fazer hoje é dar uma volta. Está um lindo dia, e nós vamos dar uma volta, eu e você, e está decidido. Porque se não sairmos desta casa eu vou perder a cabeça, e como você vai ficar se eu enlouquecer? E, sinceramente, Suleiman, pare de chorar. Você está parecendo uma velha.

Continuou chorando, mas depois também *rindo*, dizendo não, não, mesmo quando o levantei e o acomodei na cadeira de rodas, coberto com uma manta, e saí empurrando pela porta da frente.

Vale a pena mencionar aqui que eu cheguei a *procurar* um substituto para o meu cargo. Não contei a Suleiman que estava fazendo isso; achei melhor encontrar primeiro a pessoa certa e depois dar a notícia. Vários se candidataram ao trabalho. Eu conversava com eles fora da casa, para não provocar suspeitas em Suleiman. Mas a busca se revelou muito mais problemática do que eu havia imaginado. Alguns candidatos eram claramente farinha do mesmo saco que Zahid, e esses — que eu detectava com facilidade, por ter lidado a vida inteira com essa laia — eu logo dispensava. Outros não tinham as habilidades culinárias necessárias, pois Suleiman era muito exigente para comer, como já mencionei. Ou não sabiam dirigir. Muitos não sabiam ler, o que era uma deficiência grave, agora que eu lia para Suleiman todas as tardes. Alguns, considerei impacientes, outra falha grave para cuidar de Suleiman, que podia ser exasperante e às vezes petulante e infantil. A outros, minha intuição indicou que faltava o temperamento necessário para a árdua tarefa a cumprir.

E assim, três anos depois, eu continuava na casa, ainda dizendo a mim mesmo que pretendia sair tão logo tivesse certeza de que o destino de Suleiman estava nas mãos de alguém em quem pudesse confiar. Três anos depois eu ainda lavava o corpo dele a cada dois dias com um pano úmido, barbeava o rosto, aparava as unhas, cortava o cabelo. Dava comida, ajudava a usar o penico e o limpava como se faz com um bebê, além de lavar as fraldas que tinha de trocar. Naquela época, tínhamos desenvolvido entre nós uma linguagem não falada, nascida da familiaridade e da rotina, e, como era inevitável, um grau de informalidade antes impensável havia se infiltrado em nossa relação.

Quando consegui que concordasse com a cadeira de rodas, nosso antigo ritual dos passeios matinais foi restaurado. Saíamos de casa, e eu empurrava a cadeira pela rua, cumprimentando os vizinhos quando passávamos. Um deles era o sr. Bashiri, um jovem recém-formado pela Universidade de Cabul que trabalhava no Ministério do Exterior. Ele, o irmão e as respectivas esposas haviam se mudado para uma residência grande, de dois andares, três casas abaixo e do outro lado da rua. Às vezes, o encontrávamos esquentando o automóvel de manhã para ir ao trabalho, e sempre parávamos para trocar amenidades. Costumava ir com Suleiman até o parque Shar-e-Nau, onde sentávamos à sombra dos olmos e observávamos o tráfego, os taxistas espalmando as mãos na buzina, o *ringue-ringue* das bicicletas, jumentos zurrando, pedestres suicidas entrando na frente dos ônibus. Acabamos nos tornando uma presença conhecida, Suleiman e eu, nas ruas do bairro, no parque, e costumávamos parar para bate-papos bem-humorados com jornaleiros e açougueiros e algumas conversas educadas com os jovens policiais que orientavam o tráfego. Conversávamos com taxistas encostados nos para-lamas, esperando passageiros.

Às vezes, eu o acomodava no banco traseiro do velho Chevrolet, arrumava a cadeira de rodas no porta-malas e dirigia até Paghman, onde sempre conseguíamos encontrar um belo gramado e um pequeno regato gorgolejante na sombra das árvores. Depois que fazíamos um lanche ele tentava desenhar, mas era uma batalha, pois o derrame havia afetado sua mão direita, a dominante. Mesmo assim, usando a mão esquerda, conseguia retratar árvores, colinas e touceiras de flores silvestres com muito mais arte do que eu conseguiria com minhas faculdades intatas. No fim, Suleiman acabava se cansando e cochilava, deixando o lápis escorregar da mão. Eu cobria as pernas dele com uma manta e deitava na grama ao lado da cadeira. Ouvia a brisa roçando nas árvores, olhava para o céu, as tiras de nuvens flutuando lá em cima.

Cedo ou tarde, meus pensamentos vagavam até Nila, que agora estava a um continente de distância de mim. Visualizava o brilho suave de seu cabelo, o modo como balançava o pé, as sandálias batendo nos calcanhares e o estalido do cigarro queimando. Pensava na curva de suas costas, no volume dos seios. Ansiava por estar perto dela outra vez, ser envolvido pelo seu cheiro, sentir o velho e conhecido tremor no coração quando ela tocava na minha mão. Ela havia prometido me escrever, e, embora os anos tivessem passado e com toda probabilidade ela já tivesse me esquecido, não posso agora mentir e dizer que não sentia uma golfada de ansiedade cada vez que recebíamos correspondência na casa.

Um dia, em Paghman, eu estava sentado na grama, estudando o tabuleiro de xadrez. Isso foi em 1968, um ano depois da morte da mãe de Suleiman, e também o ano em que o sr. Bashiri e o irmão se tornaram pais, garotos que eles chamaram, respectivamente, de Idris e Timur. Era comum ver os dois primos bebês nos berços quando as mães os levavam em passeios pela vizinhança. Naquele dia, Suleiman e eu tínhamos começado uma partida de xadrez antes de ele cochilar, e eu estava tentando encontrar uma forma de melhorar minha posição depois de um agressivo gambito de abertura, quando ele disse: — Diga uma coisa, Nabi, quantos anos você tem?

— Bem, eu já passei dos quarenta — respondi. — É só o que sei.

— Andei pensando que você devia se casar — falou. — Antes de perder sua boa aparência. Você já está ficando grisalho.

Sorrimos um para o outro. Falei que minha irmã Masooma costumava me dizer a mesma coisa.

Ele me perguntou se eu me lembrava do dia em que tinha me contratado, em 1947, vinte e um anos atrás.

Claro que me lembrava. Eu estava trabalhando, e nada contente, como assistente de cozinheiro numa casa a alguns quarteirões da residência dos Wahdati. Quando ouvi falar que ele precisava de um cozinheiro — o cozinheiro dele havia se casado e mudado —, fui direto até a casa durante uma tarde e toquei a campainha do portão.

— Você cozinhava espetacularmente mal — disse Suleiman. — Agora você faz maravilhas, Nabi, mas o seu primeiro prato? Meu Deus. E na primeira vez que dirigiu meu carro, achei que ia ter um derrame. — Aí fizemos uma pausa, depois demos risada, surpresos com sua piada não intencional.

Aquilo me pegou completamente de surpresa, sr. Markos, foi até mesmo um choque, pois Suleiman nunca havia feito, em todos esses anos, uma única reclamação sobre meu jeito de cozinhar ou dirigir. — Então, por que o senhor me contratou? — perguntei.

Virou-se para olhar para mim. — Porque, assim que você entrou, eu disse a mim mesmo que nunca tinha visto alguém tão bonito.

Baixei os olhos para o tabuleiro.

— Eu sabia, quando conheci você, que não éramos iguais, você e eu, que era uma coisa impossível o que eu queria. Mesmo assim, fazíamos nossas caminhadas matinais, nossos passeios de carro, e não vou dizer que isso me bastava, mas era melhor do que não estar com você. Aprendi a me contentar com sua proximidade. — Fez uma pausa, depois continuou: — E acho que você entende alguma coisa do que estou dizendo, Nabi. Eu sei que você entende.

Eu não conseguia olhar nos olhos dele.

— Eu preciso dizer, mesmo que seja só esta vez, que amo você há muito, muito tempo, Nabi. Por favor, não fique zangado.

Fiz que não com a cabeça. Por alguns minutos, nenhum de nós falou uma palavra. O que ele dissera transpirava entre nós, a dor de uma vida suprimida, de uma felicidade que nunca chegou.

— E estou dizendo isso agora — continuou — para você entender por que quero que vá embora. Vá embora e arranje uma esposa. Comece uma família, Nabi, como todo mundo. Ainda há tempo para você.

— Bem — eu disse afinal, tentando acalmar a tensão com um pouco de irreverência —, um dia desses eu posso mesmo fazer isso. E você vai se arrepender. Você e o bastardo infeliz que tiver de lavar suas fraldas.

— Sempre fazendo piadas.

Vi um besouro subindo lépido por uma folha verde-acinzentada.

— Não fique só por minha causa. É isso que estou dizendo, Nabi. Não fique só por minha causa.

— Não seja tão convencido.

— Sempre fazendo piadas — repetiu com ar cansado.

Não falei mais nada, nem mesmo disse que ele estava enganado. Dessa vez, eu não estava brincando. Minha permanência não era mais por causa dele. Havia sido, no início. No começo, continuei lá porque Suleiman precisava de mim, por ser totalmente dependente de mim. Eu já tinha fugido de alguém que precisava de mim, e o remorso que ainda sinto seguirá comigo até o túmulo. Não podia fazer isso outra vez. Mas, lentamente, de maneira imperceptível, minhas razões foram mudando. Não posso dizer quando ou como a mudança ocorreu, sr. Markos, mas agora eu estava ficando por mim. Suleiman disse que eu deveria me casar. Porém, quando pensava em minha vida, percebia que já tinha o que as pessoas procuram num casamento. Tinha conforto, companhia, um lar onde sempre era bem recebido, amado e necessário. As necessidades físicas que sentia como homem — e eu ainda sentia, é claro, mesmo que com menos frequência e menos pressão por estar mais velho — ainda podiam ser administradas como expliquei antes. Quanto a filhos, embora sempre tenha gostado de crianças, nunca senti o impulso paterno em mim.

— Se você quer mesmo ser uma mula e não se casar — disse Suleiman —, então tenho um pedido a fazer. Mas com a condição de você aceitar antes de eu pedir.

Falei que ele não podia exigir isso de mim.

— Mesmo assim, estou exigindo.

Olhei para ele.

— Você pode dizer não — concluiu.

Ele me conhecia bem. Sorriu com malícia. Fiz minha promessa, e ele fez o pedido.

O QUE POSSO LHE DIZER, sr. Markos, dos anos que se seguiram? O senhor conhece bem a história recente deste país sitiado. Não preciso relembrar aqueles dias sombrios. Só a perspectiva de escrever sobre isso já me deixa cansado, e além do mais o sofrimento deste país já foi suficientemente narrado, e por penas bem mais cultas e eloquentes que a minha.

Posso resumir numa palavra: guerra. Ou melhor, guerras. Não uma, nem duas, mas muitas guerras, tanto grandes como pequenas, justas e injustas, guerras entre diversas castas de supostos heróis e vilões, e cada herói nos fazendo sentir mais saudade do antigo vilão. Os nomes mudaram, assim como os rostos, e cuspo igualmente em todos pelas rixas mesquinhas, pelos franco-atiradores, pelas minas terrestres, por tantos bombardeios, pelos foguetes, pelos roubos, estupros e assassinatos. Ah, chega! A tarefa é ao mesmo tempo enorme e desagradável demais. Já vivi aqueles dias e só pretendo revivê-los nestas páginas com a maior brevidade possível. A única coisa boa que tirei daquele tempo foi certa compensação pela pequena Pari — que agora deve ser uma jovem adulta. Acalma minha consciência que ela esteja a salvo, longe de toda essa matança.

A década de 1980, como o senhor sabe, sr. Markos, não foi tão terrível em Cabul, pois a maioria dos conflitos teve lugar no campo. Mesmo assim, foi uma época de êxodo, e muitas famílias da nossa vizinhança empacotaram suas coisas e saíram do país rumo ao Paquistão ou ao Irã, na esperança de se restabelecer em algum lugar no Ocidente. Lembro nitidamente o dia em que o sr. Bashiri veio se despedir. Apertei a mão dele e desejei tudo de bom. Despedi-me de seu filho Idris, que já tinha se tornado um magricela alto de catorze anos, com o cabelo comprido e um pequeno buço acima dos lábios. Disse a Idris que iria sentir muito a falta dele e do primo Timur empinando pipas e jogando futebol na rua. O senhor deve lembrar que encontramos os primos muitos anos depois, quando já eram adultos, numa festa que o senhor deu em casa na primavera de 2003.

Foi nos anos 1990 que a luta irrompeu dentro dos limites da cidade, quando Cabul foi tomada por homens que pareciam ter sido paridos com um Kalashnikov na mão, vândalos todos eles, ladrões armados com grandiosos títulos autoconferidos. Quando os mísseis começaram a cruzar o céu, Suleiman continuou na casa e se recusou a ir embora. Teimosamente, não aceitava informações sobre o que estava acontecendo além das paredes. Tirou a televisão da tomada. Jogou o rádio fora. Não queria saber de jornais. Pediu que eu não trouxesse para casa nenhuma notícia da luta. Mal sabia quem estava lutando contra quem, quem estava vencendo, quem estava perdendo, como se imaginasse que, ignorando a guerra, esta lhe retribuiria o favor.

Claro que não foi assim. A rua onde morávamos, antes tão quieta, limpa e tranquila, virou um campo de batalha. Balas atingiam todas as casas. Foguetes zumbiam sobre os telhados. Ogivas explodiam na rua e abriam crateras no asfalto. À noite, balas traçantes avermelhadas e brancas voavam dos dois lados até o amanhecer. Alguns dias havia uma pequena trégua, umas poucas horas de silêncio, mas depois recomeçavam as intermitentes rajadas de tiros, balas por todos os lados, pessoas gritando nas ruas.

Foi durante aqueles anos, sr. Markos, que a casa sofreu a maioria dos danos que o senhor viu quando a conheceu em 2002. É certo que parte se devia à passagem do tempo e à negligência — eu já era um velho então, e não tinha mais os meios para cuidar da casa como antes. As árvores já estavam mortas, não davam frutas havia anos, o gramado tinha amarelado, e as flores haviam morrido. Mas a guerra foi cruel com o que era uma linda casa. Janelas estilhaçadas por causa de explosões de mísseis próximas. Um foguete pulverizou o muro da face leste do jardim, assim como metade da varanda onde Nila e eu tivemos tantas conversas. Uma granada danificou o telhado. Balas marcaram as paredes.

E depois, os saques, sr. Markos. Milicianos entravam à vontade e saíam com o que despertasse suas fantasias. Levaram a maior parte dos móveis, as estátuas, os candelabros de prata, os vasos de cristal. Roubaram as lajotas de lazurita soltas das bancadas do banheiro. Em uma manhã, acordei com o som de homens no vestíbulo. Encontrei um bando de milicianos uzbeques arrancando a tapeçaria da parede da escada com facas recurvadas. Fiquei parado, olhando. O que eu podia fazer? O que era para eles mais um velho com uma bala na cabeça?

Assim como a casa, Suleiman e eu também estávamos desgastados. Minha visão piorou, e meus joelhos doíam quase todos os dias. Perdoe-me a vulgaridade, sr. Markos, mas o mero ato de urinar se transformou num teste de resistência. Como era de prever, a idade atingiu Suleiman com mais força que a mim. Ele emagreceu, tornou-se assustadoramente frágil. Por duas vezes quase morreu, uma durante os piores dias da luta entre os grupos de Ahmad Shah Massoud e Gulbuddin Hekmatyar, quando cadáveres ficavam espalhados pelas ruas durante dias. Dessa vez, ele teve uma pneumonia, que os médicos disseram ter contraído ao aspirar a própria saliva. Embora tanto médicos como os medicamentos que receitaram fossem escassos, consegui salvar Suleiman da beira da morte.

Talvez por causa do confinamento diário e da proximidade, discutíamos muito naqueles dias, Suleiman e eu. Brigávamos como brigam os casais, acaloradamente, por coisas triviais.

Você já tinha feito feijão esta semana.

Não, não fiz.

Fez, sim. Na segunda-feira!

Discussões sobre quantas partidas de xadrez havíamos jogado no dia anterior. Por que eu sempre punha a água no beiral da janela, sabendo que o sol ia esquentar?

Por que você não pediu o penico, Suleiman?

Eu pedi, pedi centenas de vezes!

Do que está me chamando, de surdo ou de preguiçoso?

Não precisa escolher, estou chamando das duas coisas!

Você tem coragem de me chamar de preguiçoso, alguém que fica na cama o dia inteiro?

E assim ia.

Virava a cabeça de um lado para o outro quando eu tentava dar comida. Eu me retirava, batendo a porta com força ao sair. Às vezes, admito, eu o deixava preocupado de propósito. Saía de casa. Ele gritava *aonde você vai?*, mas eu não respondia. Fingia estar indo embora para sempre. É claro que ia só até a rua, fumar um cigarro em algum lugar, um novo hábito, fumar, que adquiri tarde na vida, mesmo que fizesse isso somente quando estava zangado. Às vezes, ficava fora durante horas, e, se ele demonstrasse muita irritação, só voltava depois de escurecer. Mas sempre voltei. Entrava no quarto sem dizer uma palavra, virava-o de lado e afofava o travesseiro, os dois evitavam se olhar, os dois de lábios fechados, um esperando uma proposta de paz do outro.

Afinal, a luta acabou com a chegada do Talibã, aqueles jovens de rosto fino, de barba escura, olhos pintados de *kohl* e usando chicotes. A crueldade e os excessos desses homens também foram bem documentados, e mais uma vez não vejo razão para discorrer sobre eles, sr. Markos. Mas devo dizer que os anos em que estiveram em Cabul foram, ironicamente, uma época de alívio para mim. Eles reservavam a maior parte de seu desprezo e fanatismo para os jovens, principalmente para as pobres mulheres. Eu era um velho. Minha principal concessão ao regime fora deixar crescer uma barba, o que, francamente, me poupou da meticulosa tarefa de me barbear todos os dias.

— Agora é oficial, Nabi — suspirou Suleiman na cama. — Você perdeu sua boa aparência. Parece um profeta.

Na rua, os talibãs passavam por mim como se eu fosse uma vaca pastando. Eu os ajudava nesse sentido, mantendo de propósito uma expressão muda, bovina, para evitar qualquer atenção indevida. Tremia de pensar no que eles poderiam fazer — e teriam feito — com Nila. Às vezes, quando me lembrava dela, rindo numa festa com uma taça de champanhe na mão, os braços despidos, as pernas longas e esguias, era como se eu a estivesse inventando. Como se ela nunca tivesse existido de verdade. Como se nada daquilo tivesse sido real — não só ela, mas eu também, e Pari, e um jovem e saudável Suleiman, e até o tempo e a casa que todos havíamos partilhado.

Então, numa manhã, no verão de 2000, entrei no quarto de Suleiman levando chá e pão recém-assado numa bandeja. Soube imediatamente que algo havia acontecido. Sua respiração estava ofegante. O rosto estava ainda mais abatido, e, quando ele tentava falar, emitia grasnidos que mal passavam de débeis sussurros. Deixei a bandeja e corri para o seu lado.

— Vou chamar um médico, Suleiman — falei. — Espere um pouco. Você vai melhorar, como sempre.

Dei meia-volta para sair, mas ele começou a abanar violentamente a cabeça. Fez um movimento com os dedos da mão esquerda.

Inclinei-me, o ouvido perto de sua boca.

Fez uma série de tentativas para dizer alguma coisa, mas eu não conseguia entender nada.

— Sinto muito, Suleiman — respondi. — Você precisa me deixar sair para chamar o médico. Não vou demorar.

Balançou a cabeça outra vez, agora devagar, e lágrimas rolaram de seus olhos recobertos de catarata. A boca se abriu e fechou. Apontou em direção à mesa de cabeceira com a cabeça. Perguntei se havia algo ali de que ele precisasse. Ele fechou os olhos e assentiu.

Abri a gaveta de cima. Não vi nada, a não ser comprimidos, os óculos de leitura, um velho vidro de colônia, um bloco de anotações, o lápis-carvão que já não usava havia anos. Estava para perguntar o que eu devia procurar quando encontrei, enfiado debaixo do bloco, um envelope com meu nome escrito nas costas, na desajeitada caligrafia de Suleiman. Dentro havia uma folha de papel na qual havia escrito um único parágrafo. Eu li.

Olhei para ele, para suas têmporas afundadas, o rosto encovado, os olhos fundos.

Fez mais um gesto e me abaixei. Senti sua respiração fria, áspera e irregular no meu rosto. Ouvi o som da língua lutando na boca seca enquanto ele reunia forças. De alguma forma, talvez por pura força de vontade, sua última força, ele conseguiu sussurrar no meu ouvido.

Minha respiração parou. Forcei as palavras ao redor do nó que tinha se alojado na minha garganta.

— Não. Por favor, Suleiman.

Você prometeu.

— Ainda não. Eu vou tirar você dessa. Você vai ver. Nós vamos sair dessa, como sempre fizemos.

Você prometeu.

Quanto tempo fiquei ali ao lado dele? Por quanto tempo tentei negociar? Não consigo dizer, sr. Markos. Lembro que afinal levantei, contornei a cama e me deitei ao seu lado. Virei-o de lado para ficar de frente para mim. Parecia leve como um sonho. Dei um beijo em seus lábios secos e rachados. Pus um travesseiro entre o rosto dele e meu peito e segurei a cabeça pela nuca. Puxei-o contra mim num longo abraço apertado.

Tudo de que me lembro, depois, foi como suas pupilas se dilataram.

Andei até a janela e fiquei ali, a xícara de Suleiman ainda na bandeja aos meus pés. Era uma manhã de sol, eu me lembro. Logo as lojas iriam abrir, se já não estivessem abertas. Garotinhos iam para a escola. A poeira já começava a subir. Um cão trotou preguiçosamente na rua, acompanhado por uma nuvem escura de mosquitos enxameando ao redor da cabeça. Vi dois jovens passar numa motocicleta. Montado na garupa, o carona levava um monitor de computador num ombro e uma melancia no outro.

Descansei a cabeça no vidro morno.

O BILHETE NA GAVETA DE Suleiman era um testamento, no qual ele me deixava tudo. A casa, o dinheiro, os bens pessoais, até o carro, já há muito abandonado. A carcaça ainda estava no quintal, sobre pneus furados, um pedaço de metal enferrujado e inerte.

Por um tempo, fiquei literalmente perdido quanto ao que fazer de mim mesmo. Durante mais de meio século eu tinha cuidado de Suleiman. Minha existência cotidiana fora moldada pelas necessidades dele, pela sua companhia. Agora eu estava livre para fazer o que quisesse, mas considerava aquela liberdade ilusória, pois o que eu mais queria havia sido tirado de mim. Dizem que a gente deve encontrar um propósito na vida e viver esse propósito. Mas, às vezes, só depois de termos vivido reconhecemos que a vida teve um propósito, e talvez um que nunca se teve em mente. E agora que havia realizado o meu propósito, eu me sentia sem rumo e sem objetivo.

Percebi que não poderia mais dormir na casa. Mal conseguia ficar lá dentro. Com a ausência de Suleiman, tudo parecia grande demais. E cada canto, cada recesso ou fissura evocavam lembranças vivas. Por isso, voltei ao meu antigo aposento no fundo do quintal. Contratei alguns operários para instalar eletricidade na casa, para poder ler à noite e ter um ventilador para me manter arejado no verão. Quanto ao espaço, eu não precisava de muito. Minhas posses se resumiam a pouco mais de uma cama, algumas roupas e a caixa com os desenhos de Suleiman. Sei que isso pode parecer estranho, sr. Markos. Sim, legalmente, a casa e tudo nela me pertenciam agora, mas eu não me sentia dono de nada daquilo, e sabia que jamais me sentiria.

Eu lia bastante, livros que peguei no velho estúdio de Suleiman. Devolvia um por um depois de terminados. Plantei alguns tomates, uns pés de hortelã. Saía para andar pelo bairro, mas meus joelhos começavam a doer depois de dois quarteirões, me obrigando a voltar. Às vezes, levava uma cadeira para o jardim e ficava à toa. Eu não era como Suleiman. Não me dava bem com a solidão.

Então, em um dia de 2002, o senhor tocou a campainha do portão da frente.

Àquela altura, o Talibã havia sido expulso pela Aliança do Norte, e os americanos estavam no Afeganistão. Milhares de organizações humanitárias acorriam a Cabul de todas as partes do mundo para construir clínicas e escolas, consertar estradas e canais de irrigação, para providenciar alimento, abrigo e empregos.

O tradutor que o acompanhava era um jovem afegão que usava um paletó lilás brilhante e óculos escuros. Perguntou sobre o dono da casa. Houve uma rápida troca de olhares entre vocês dois quando eu disse ao tradutor que ele estava falando com o dono. Ele abriu um sorrisinho e falou: — Não, *kaka*, o dono. — Convidei os dois para tomar chá.

A conversa que se seguiu, na parte que ainda sobrevivia da varanda e entre canecas de chá-verde, foi em persa — como o senhor sabe, aprendi inglês nos sete anos subsequentes, graças, principalmente, à sua orientação e generosidade. Por meio do tradutor, o senhor falou que era de Tinos, uma ilha na Grécia. Era cirurgião, parte de uma equipe de médicos que viera a Cabul para tratar de crianças com ferimentos no rosto. Disse que o senhor e seus colegas precisavam de uma casa, uma casa de hóspedes, como era chamada naqueles dias.

O senhor perguntou quanto eu cobraria de aluguel.

Eu respondi: — Nada.

Ainda me lembro de como piscou os olhos, quando o jovem de paletó lilás fez a tradução. O senhor repetiu a pergunta, talvez pensando que eu tivesse entendido mal.

O tradutor sentou na ponta da cadeira e se inclinou em minha direção. Falou num tom confidencial. Perguntou se eu estava de miolo mole, se tinha noção de quanto a sua organização estava querendo pagar, se eu não sabia o preço dos aluguéis em Cabul. Explicou que eu estava sentado numa mina de ouro.

Respondi que ele devia tirar os óculos escuros quando falasse com pessoas mais velhas. Depois sugeri que fizesse seu trabalho, que era o de traduzir, não dar conselhos, e me virei para o senhor e expliquei, entre todas as minhas muitas razões, a única que não era particular: — O senhor saiu do seu país — falei —, deixou seus amigos, sua família, para vir a esta cidade esquecida por Deus para ajudar minha terra e meus compatriotas. Como eu poderia lucrar com o senhor?

O jovem tradutor, que nunca mais vi com o senhor, agitou as mãos e riu espantado. Este país mudou. Nem sempre foi desse jeito, sr. Markos.

Às vezes, à noite, fico deitado no escuro, na privacidade dos meus aposentos, e vejo luzes acesas na casa principal. Vejo o senhor e seus amigos — em especial a corajosa srta. Amra Ademovic, cujo grande coração admiro infinitamente — na varanda ou no quintal, com pratos de comida, fumando, tomando seu vinho. Ouço música também, às vezes jazz, que me remete a Nila.

Ela já morreu, disso eu sei. Soube pela srta. Amra. Falei sobre os Wahdati, contei que Nila era poeta. Ela encontrou uma publicação francesa no computador. Era uma publicação on-line de uma antologia dos melhores poetas da França nos últimos quarenta anos. Lá estava um de Nila. O artigo dizia que ela havia morrido em 1974. Pensei na futilidade de todos aqueles anos, esperando uma carta de uma mulher que havia muito já estava morta. Não fiquei muito surpreso ao saber que ela tirara a própria vida. Agora sei que algumas pessoas lidam com a infelicidade da mesma maneira como outras lidam com o amor: de um jeito particular, intenso e sem apelação.

Estou terminando esta carta, sr. Markos.

Minha hora está chegando. Fico mais fraco a cada dia. Não vai demorar muito. E dou graças a Deus por isso. Obrigado, também, sr. Markos, não apenas por sua amizade, suas visitas diárias para tomar chá e partilhar comigo notícias de sua mãe em Tinos e de Thalia, sua amiga de infância, mas também por sua compaixão por meu povo e pelo inestimável serviço que está prestando às crianças daqui.

Agradeço também pelos consertos que estão fazendo na casa. Passei a maior parte da vida nela, para mim é o meu lar, e tenho certeza de que logo terei meu último alento sob este teto. Fui testemunha de sua decadência, com desânimo e o coração partido. Mas me trouxe grande alegria vê-la sendo pintada de novo, ver o muro do jardim consertado, as janelas substituídas e a restauração da varanda, onde passei incontáveis horas felizes, as flores brotando mais uma vez no jardim. Se de algum modo ajudei nos serviços que o senhor tem prestado ao povo desta cidade, então o que o senhor fez graciosamente por esta casa é um pagamento mais que suficiente para mim.

Porém, correndo o risco de parecer ambicioso, vou tomar a liberdade de pedir duas coisas, uma para mim, uma para outra pessoa. A primeira é ser enterrado no cemitério de Ashuqan-Arefan, aqui em Cabul. Tenho certeza de que o senhor o conhece. Se andar em direção à extremidade norte a partir da entrada principal e observar por um tempo, vai encontrar ali o túmulo de

Suleiman Wahdati. Encontre um lote próximo e me enterre lá. Isso é tudo o que peço para mim.

    O segundo pedido é que tente encontrar minha sobrinha Pari depois que eu me for. Se ainda estiver viva, pode não ser tão difícil — essa internet é uma ferramenta maravilhosa. Como pode ver, dentro do envelope, junto com esta carta, está meu testamento, no qual deixo a casa, o dinheiro e todos os meus pertences a ela. Peço que entregue a Pari tanto esta carta como o testamento. E, por favor, diga a ela que não posso ter noção da miríade de consequências que pus em movimento. Diga que a esperança é meu único consolo. Esperança de que talvez, seja onde for que estiver agora, tenha encontrado toda a paz, a graça, o amor e a felicidade que este mundo permitir.

    Muito obrigado, sr. Markos. Que Deus o proteja.

    Sempre seu amigo,

    Nabi.

Cinco

Primavera de 2003

A enfermeira, chamada Amra Ademovic, já havia prevenido Idris e Timur. Puxou os dois de lado e falou: — Se vocês mostrarem alguma reação, por menor que seja, ela vai ficar triste, e eu chuto vocês daqui.

Eles estão no fim de um longo corredor mal iluminado na ala masculina do hospital Wazir Akbar Khan. Amra disse que o único parente que restou — ao menos o único que a visitava — era um tio e, que se fosse alojada na ala das mulheres, ele não poderia visitá-la. Por isso, o hospital a internara na ala masculina, com homens que não tinham parentes — mas aqui, no final do corredor, era uma terra de ninguém, tanto para homens como para mulheres.

— E eu pensando que o Talibã havia saído da cidade — observa Timur.

— É louco, não? — diz Amra, dando uma risada perplexa. Na semana em que voltou a Cabul, Idris percebeu que esse tom levemente exasperado era comum entre os estrangeiros que trabalhavam em organizações assistenciais, que precisavam lidar com as inconveniências e idiossincrasias da cultura afegã. Sentia-se vagamente ofendido por essas brincadeiras, essa licença para ser condescendente, embora os locais pareçam não perceber, ou percebem e não se sentem insultados, e por isso ele resolveu fazer o mesmo.

— Mas eles deixaram *você* ficar aqui. Você pode entrar e sair — observa Timur.

Amra arqueia uma sobrancelha. — Para mim não vale. Eu não sou afegã. Então, não sou mulher de verdade. Você não sabe disso?

Sem se sentir agredido, Timur sorri. — Amra. É um nome polonês?

— Bósnio. Isso é um hospital, não um zoológico. Você jura?

Timur concorda. — Eu juro.

Idris olha para a enfermeira, preocupado que ela possa ter se ofendido com aquele arremedo, um pouco inconveniente e desnecessário, mas parece que Timur conseguiu se sair bem. Idris ao mesmo tempo discorda e inveja a habilidade do primo. Sempre considerou Timur um grosso, sem sutileza ou imaginação. Sabe que Timur trapaceia tanto na vida como nos impostos a pagar. Nos Estados Unidos, Timur é dono de uma empresa de hipotecas imobiliárias, e Idris tem quase certeza de que está atolado até a cintura em algum tipo de fraude hipotecária. Mas Timur é extremamente sociável, e seus defeitos sempre são compensados por seu bom humor, sua indiscutível simpatia e um inocente ar enganador que agrada as pessoas que conhece. A boa aparência também não prejudica, o corpo musculoso, os olhos verdes, as covinhas no sorriso. Idris vê Timur como um adulto gozando dos privilégios de uma criança.

— Tudo bem — diz Amra. Puxa o lençol pregado no teto que funciona como cortina e deixa os dois entrarem.

A garota — Roshi, como Amra a chamava, abreviatura de Roshana — parece ter nove anos, talvez dez. Está sentada numa cama de metal, de costas para a parede, joelhos encolhidos no peito. Idris imediatamente baixa os olhos. Engole uma expressão de espanto antes que escape. Como era previsível, Timur não consegue se conter. Estala a língua e diz oh, oh, oh, várias vezes, num murmúrio audível e comovido. Idris olha para Timur e não se surpreende ao ver lágrimas densas tremeluzindo em seus olhos, de forma teatral.

A garota estremece e emite um grunhido.

— Tudo bem, acabou, vamos embora — diz Amra abruptamente.

Do lado de fora, nos degraus caindo aos pedaços, a enfermeira tira um maço de Marlboro vermelho do bolso do jaleco azul-claro. Timur, cujas lágrimas desapareceram tão rapidamente quanto se materializaram, pega um cigarro e acende os dois, o dele e o dela. Idris se sente zonzo, a cabeça oca. A boca ficou seca. Tem medo de vomitar e se desgraçar, confirmar a opinião que Amra tem dele, deles dois, dos ricos exilados de olhos esbugalhados que voltam para casa para ver a carnificina depois que o bicho-papão foi embora.

Idris esperava que Amra os repreendesse, ao menos Timur, mas sua atitude é mais de flerte que de censura. Esse é o efeito que Timur tem sobre as mulheres.

— Bem — ela diz, de forma coquete. — O que você diz a seu favor, Timur?

Nos Estados Unidos, Timur é chamado de Tim. Mudou o nome depois do Onze de Setembro e garante que desde então quase duplicou seus rendimentos. Livrar-se daquelas duas letras, disse a Idris, já havia feito mais pela carreira dele que um diploma universitário — isso se tivesse ido à faculdade, o que ele não fez; Idris é o acadêmico da família Bashiri. Mas, desde a chegada a Cabul, Idris só viu o primo se apresentar como Timur. É uma duplicidade inofensiva, até necessária. Mas irrita.

— Desculpe pelo que aconteceu ali dentro — diz Timur.

— Talvez eu castigue você.

— Calma, gatinha.

Amra muda o olhar para Idris. — Então. Ele é o caubói arrojado, e você, você é sensível e calado. Você é, como se diz? Introvertido?

— Ele é médico — diz Timur.

— Ah? Deve ser um choque para você, então. Este hospital?

— O que aconteceu com ela? — pergunta Idris. — Com Roshi. Quem fez isso?

Amra fecha a cara. Quando fala, é em tom determinado e maternal. — Eu luto por ela. Luto contra o governo, a burocracia do hospital, os neurocirurgiões canalhas. Luto por ela passo a passo. E não paro. Ela não tem ninguém.

Idris diz: — Eu achei que havia um tio.

— Ele também é canalha. — Bate a cinza do cigarro. — Então. Por que vieram aqui, meninos?

Timur começa a explicar. No geral, o que ele diz é mais ou menos verdade. Que eles são primos, que as famílias fugiram depois da invasão soviética, que passaram um ano no Paquistão antes de se estabelecer na Califórnia no início dos anos 1980. Que é a primeira vez que voltam em vinte anos. Mas acrescenta que voltaram para se "reconectar", para se "educar", para "testemunhar" o rescaldo de todos esses anos de guerra e destruição. Os dois querem voltar aos Estados Unidos, continua, para se conscientizar, angariar fundos, para "retribuir".

— Nós queremos retribuir — afirma, repetindo aquela afirmação batida com tanta seriedade que deixa Idris envergonhado.

Claro que Timur não revela que eles vieram para reivindicar o imóvel em Shar-e-Nau, que pertencia aos pais deles, a casa onde ele e Idris viveram os primeiros catorze anos da vida. O valor do imóvel agora é astronômico, por conta dos milhares de funcionários de agências assistenciais estrangeiras que chegaram a Cabul precisando de um lugar para ficar. Estiveram lá naquela manhã, na casa, que atualmente serve como moradia para um desordenado grupo de soldados da Aliança Norte de aparência cansada. Quando estavam indo embora, encontraram um homem de meia-idade, que morava três casas abaixo, do outro lado da rua, um cirurgião-plástico grego chamado Markos Varvaris. Convidou os dois para almoçar e se ofereceu para levá-los a uma turnê pelo hospital Wazir Akbar Khan, onde a ONG em que trabalhava mantinha um escritório. Também os convidou para uma festa naquela noite. Eles só souberam da garota quando chegaram ao hospital — entreouvindo dois ajudantes conversando sobre ela nos degraus da entrada —, depois que Timur cutucou Idris com o cotovelo e falou: *Nós devíamos ver isso, irmão.*

Amra parece entediada com a história de Timur. Joga o cigarro fora e ajeita o elástico que prende o cabelo ondulado num coque. — Então. Vejo vocês na festa hoje à noite?

FOI O PAI DE TIMUR, tio de Idris, quem mandou os dois para Cabul. A residência da família Bashiri havia mudado de mãos inúmeras vezes nas últimas duas décadas da guerra. A revalidação da propriedade levaria tempo e custaria dinheiro. Milhares de casos de disputas imobiliárias já entupiam os tribunais do país. O pai de Timur havia falado que eles precisariam "manobrar" a burocracia infame, indolente e poderosa do Afeganistão — um eufemismo para "encontrar as mãos certas para molhar".

— Esse seria o meu departamento — reagiu Timur, como se precisasse dizer aquilo.

O pai de Idris havia morrido nove anos antes, depois de uma longa batalha contra o câncer. Morreu em casa, com a mulher, duas filhas e Idris na cabeceira da cama. No dia em que faleceu, uma turba invadiu a casa: tios, tias, primos, amigos e conhecidos sentados nos sofás, nas cadeiras da sala de jantar e, quando acabaram os assentos, no chão, nas escadas. As mulheres se reuniam na sala de jantar e na cozinha. Preparavam garrafas e mais garrafas térmicas de chá. Idris, o único filho homem, teve de assinar todos os papéis, os documentos do médico-legista que veio pronunciar a morte do pai, papéis para o educado jovem da agência funerária que chegou com a maca para levar o corpo do pai.

Timur não saiu do seu lado. Ajudou Idris a atender às ligações telefônicas. Recebia as ondas de pessoas que vinham prestar condolências. Pediu arroz com carneiro da Abe's Kabob House — um restaurante afegão dirigido por um amigo de Timur, Abdullah, que Timur provocava chamando de tio Abe. Estacionava os automóveis dos convidados mais velhos quando começava a chover. Entrou em contato com um amigo de uma TV afegã. Diferentemente de Idris, Timur era bem relacionado com a comunidade afegã; uma vez disse a Idris que tinha mais de trezentos nomes de contatos e números no telefone celular. Conseguiu um anúncio que iria ao ar na TV afegã naquela noite.

Mais cedo na mesma tarde, Timur levara Idris até o local do enterro, em Hayward. Chovia torrencialmente, e o tráfego era lento nas vias de acesso norte da 680.

— Seu pai tinha muita classe, irmão. Era da velha guarda — falou Timur em voz baixa, quando tomaram a saída para a Missão. Não parava de enxugar lágrimas com a palma da mão livre.

Idris concordou com sobriedade. Em toda a sua vida, nunca fora capaz de chorar na presença de outras pessoas nos eventos em que era requisitado, como funerais. Via aquilo como uma deficiência menor, como o daltonismo.

Mesmo assim, sentia-se vagamente — e irracionalmente, sabia — ressentido por Timur ter roubado o espetáculo no quintal da casa, com toda aquela correria e choradeira dramática. Como se o pai *dele* tivesse morrido.

Eles foram conduzidos a uma sala silenciosa e pouco iluminada, com móveis escuros e pesados. Um homem de paletó preto e cabelo repartido ao meio os recebeu. Cheirava a café de boa qualidade. Num tom profissional, deu os pêsames a Idris e pediu que assinasse o pedido pela internet e o formulário de autorização. Perguntou quantas cópias do atestado de óbito a família desejava. Quando todos os formulários foram assinados, com muito tato colocou diante de Idris um panfleto intitulado "Lista geral de preços".

O diretor da agência funerária limpou a garganta. — Claro que esses preços não se aplicam se o seu pai era membro da mesquita afegã na Missão. Nós temos uma parceria. Eles pagam pelo lote, pelos serviços. Você está coberto.

— Não faço ideia se ele era ou não membro — respondeu Idris, olhando o panfleto. O pai era um homem religioso, ele sabia, mas na privacidade do lar. Raramente comparecia às orações das sextas-feiras.

— Devo aguardar um minuto? Você pode ligar para a mesquita.

— Não, cara. Não precisa — interveio Timur. — Ele não era membro.

— Tem certeza?

— Tenho. Eu me lembro de uma conversa.

— Entendi — disse o agente funerário.

Do lado de fora, os dois dividiam um cigarro ao lado do carro. A chuva havia parado.

— Isso foi um assalto. — comentou Idris.

Timur cuspiu numa poça d'água de chuva escurecida. — Mas é um ótimo negócio, a morte. É preciso admitir. Há sempre alguém precisando. Puxa, é melhor que vender automóveis.

Na época, Timur era sócio de uma loja de carros usados. A empresa estava quase fechando, indo muito mal, até Timur entrar no negócio com um amigo. Em menos de dois anos, havia tornado a empresa lucrativa. Um homem que se fez sozinho, costumava dizer o pai de Idris sobre o sobrinho.

Nesse ínterim, Idris ganhava um salário de escravo enquanto terminava o segundo ano de residência na uc Davis. Sua esposa, Nahil — o casamento só tinha um ano —, trabalhava trinta horas por semana como secretária numa empresa de advocacia enquanto estudava para o exame da Ordem.

— Isso é um empréstimo — disse Idris. — Você pode entender isso, Timur? Eu vou pagar.

— Não se preocupe, irmão. Como você quiser.

Não era a primeira nem a última vez que Timur ajudava Idris. Quando Idris se casou, Timur deu um Ford Explorer de presente de casamento. Timur foi o avalista quando Idris e Nahil compraram um pequeno apartamento em Davis. Na família, era de longe o tio favorito dos garotos. Se Idris tivesse direito a *uma só ligação telefônica* para pedir ajuda, quase com certeza seria para Timur.

Ainda assim.

Idris descobriu, por exemplo, que todo mundo na família sabia sobre o aval do empréstimo. Timur havia contado a todos. No casamento, Timur obrigou o cantor a parar a música e fez um pronunciamento na entrega da chave do Explorer a Idris e Nahil, com a maior cerimônia, numa bandeja, diante da plateia atenta. Câmeras espocaram flashes. Era disso que Idris desconfiava, da fanfarra, da ostentação, do espetáculo descarado, da bravata. Não gostava de pensar isso do primo, mas via Timur como um homem que escrevia os próprios comunicados à imprensa, e sua generosidade, Idris suspeitava, era uma jogada calculada de um personagem muito bem elaborado.

Idris e Nahil tiveram uma pequena rusga por causa dele uma noite, enquanto trocavam as roupas de cama.

Todo mundo quer ser amado, ela disse. *Você, não?*

Tudo bem, mas eu não vou pagar por esse privilégio.

Nahil disse que ele estava sendo injusto, e ingrato também, depois de tudo o que Timur havia feito por eles.

Você não está entendendo, Nahil. Só estou dizendo que é grosseiro publicar as boas ações num quadro de aviso. Há coisas que é melhor fazer em silêncio, com dignidade. Ser generoso é mais do que assinar cheques em público.

Bem, disse Nahil, esticando o lençol, *é assim que as coisas funcionam, querido.*

— Cara, eu me lembro deste lugar — diz Timur, examinando a casa. — Como era mesmo o nome do morador?
— Wahdati alguma coisa, acho — responde Idris. — Esqueci o primeiro nome. — E pensa nas incontáveis vezes em que os dois haviam brincado nessa rua quando garotos, em frente aos portões da entrada, e só agora, décadas depois, os atravessam pela primeira vez.
— O Senhor e Seus caminhos — murmurou Timur.
É uma casa normal, de dois andares, que no bairro de Idris em San Jose atrairia a ira do pessoal da associação dos condôminos. Mas para os padrões de Cabul é uma bela casa, com muros altos, portões de metal e uma entrada ampla. Enquanto ele e Timur entram acompanhados por um guarda armado, Idris percebe que, assim como muitas coisas que viu em Cabul, a casa ainda tem a atmosfera do esplendor do passado subjacente à ruína em que se transformou — da qual havia grandes evidências: buracos de balas e rachaduras em zigue-zague nas paredes cobertas de fuligem, tijolos expostos em lacunas abertas no reboco, arbustos mortos na entrada, árvores desfolhadas no jardim, grama amarelada. Mais da metade da varanda que dá para os fundos está faltando. Mas, assim como em muitas outras coisas em Cabul, há sinais de um lento e hesitante renascimento. Alguém começou a repintar a casa, plantou roseiras no jardim, reconstruiu um pedaço do muro da face leste do jardim, ainda que de modo um tanto desastrado. Uma escada apoiada na lateral da casa perto da rua leva Idris a pensar que também estão consertando o telhado. Parece que a reforma na parte que falta da varanda teve início.
Encontram Markos no vestíbulo. Está usando trajes afegãos e um elegante *keffiyeh* preto e branco, xadrez, no pescoço. Leva os dois até uma sala barulhenta e densa de fumaça.
— Tem chá, vinho e cerveja. Ou talvez vocês prefiram algo mais forte?
— Você mostra, e eu bebo — respondeu Timur.
— Ah, já gostei de você. Ali, perto do estéreo. O gelo é seguro, a propósito. Feito com água mineral.

— Graças a Deus.

Timur está em seu elemento em reuniões desse tipo, Idris não pode deixar de admirar o desembaraço de seus modos, as piadas espontâneas, o charme bem conduzido. Segue Timur até o bar, onde ele prepara drinques que saem de uma garrafa rubi.

Vinte e poucos convidados acomodam-se em almofadas pela sala. O assoalho é forrado com um tapete afegão cor de vinho. A decoração é discreta, de bom gosto, no estilo que Idris veio a definir como "expatriado chique". Um CD de Nina Simone toca baixinho. Todos estão bebendo, quase todo mundo fumando, conversando sobre a nova guerra no Iraque e o que isso vai significar para o Afeganistão. A televisão está num canto, sintonizada na CNN Internacional, o volume com a tecla mudo acionada. A noite em Bagdá, nas garras do Choque e Pavor, continua conflagrada em lampejos esverdeados.

Com copos de vodca e gelo na mão, eles são abordados por Markos e dois jovens alemães de aparência séria que trabalham para o Programa Mundial de Alimentação. Como muitos voluntários que conheceu em Cabul, Idris os considera um pouco intimidadores, com muita experiência de vida, impossíveis de impressionar.

Ele diz a Markos: — É uma boa casa.

— Então, diga isso ao dono. — Markos atravessa a sala e volta com um homem idoso, magro. O velho tem uma muralha espessa de cabelo grisalho penteado para trás a partir da testa. Usa uma barba aparada rente e tem o rosto fundo dos quase desdentados. Está com um terno verde-oliva surrado, grande demais, que talvez estivesse na moda nos anos 1940. Markos sorri para o velho com uma afeição sincera.

— Nabi *jan*? — exclama Timur, e de repente Idris também se lembra.

O velho retribui o sorriso com timidez. — Desculpe, mas já nos conhecemos?

— Eu sou Timur Bashiri — diz Timur, em persa. — Minha família morava nesta mesma rua!

— Oh, meu Deus — arqueja o velho. — Timur *jan*? E você deve ser Idris *jan*?

Idris aquiesce, também sorrindo.

Nabi abraça os dois. Beija-lhes as bochechas, ainda sorrindo, observando-os com descrença. Idris lembra-se de Nabi empurrando seu empregador, o sr. Wahdati, numa cadeira de rodas, subindo e descendo a rua. Às vezes, estacionava a cadeira de rodas na calçada, e os dois ficavam assistindo a ele e Timur jogar futebol com os meninos do bairro.

— Nabi *jan* mora nesta casa desde 1947 — diz Markos, o braço ao redor dos ombros de Nabi.

— Então agora você é *dono* desta casa? — pergunta Timur.

Nabi sorri da expressão de surpresa no rosto de Timur. — Trabalhei aqui para o sr. Wahdati de 1947 a 2000, quando ele morreu. Foi muita generosidade ter deixado a casa para mim, sim.

— Ele *deu* a casa para você? — insiste Timur, incrédulo.

Nabi aquiesce. — Sim.

— Você deve ter sido um tremendo cozinheiro!

— E você, se me permite, era um tanto arruaceiro.

Timur tagarela: — Nunca fui muito certinho mesmo, Nabi *jan*. Deixo isso para o meu primo aqui.

Markos, mexendo o vinho no copo, diz a Idris: — Nila Wahdati, esposa do ex-proprietário, era poeta. Um pouco conhecida, aliás. Já ouviu falar dela?

Idris balança a cabeça. — Só sei que quando nasci ela já havia saído do país.

— Ela morava em Paris com a filha — diz um dos alemães. — Morreu em 1974. Suicídio, acho. Tinha problemas com a bebida, pelo menos foi o que eu li. Alguém me deu uma tradução de alguns dos primeiros poemas dela para o alemão, um ou dois anos atrás, e achei muito bom. Surpreendentemente sensual, se me recordo.

Idris aquiesce, novamente sentindo-se um pouco inadequado, dessa vez por tomar uma aula sobre uma artista afegã de um estrangeiro. A poucos centímetros, pode ouvir Timur envolvido numa animada discussão com Nabi sobre os preços dos aluguéis. Em persa, é claro.

— Você tem ideia de quanto poderia cobrar por um lugar como este, Nabi *jan*? — pergunta ao velho.

— Sim — responde Nabi, rindo e balançando a cabeça. — Estou a par dos preços de aluguel na cidade.

— Você poderia esfolar esses caras!

— Bem...

— E está deixando que fiquem de graça.

— Eles vieram ajudar o nosso país, Timur *jan*. Saíram de casa para vir aqui. Não me parece direito, como você diz, esfolar ninguém.

Timur solta um resmungo, toma o resto do drinque. — Bom, meu velho amigo, ou você odeia dinheiro ou é um homem muito melhor do que eu.

Amra entra na sala, usando uma túnica afegã safira em cima de jeans desbotado. — Nabi *jan*! — exclama. Ele se mostra um pouco intimidado quando ela dá um beijo em seu rosto e o abraça. — Eu amo esse homem — diz para o grupo. — E adoro deixá-lo constrangido. — Depois fala a mesma coisa em persa, para Nabi, que joga a cabeça para trás e dá risada, corando um pouco.

— E que tal me deixar constrangido também? — sugere Timur.

Amra dá um tapinha no peito dele. — Este aqui é um grande problema. — Ela e Markos se beijam no estilo afegão, três vezes na bochecha, o mesmo com os alemães.

Markos passa um braço pela cintura dela. — Amra Ademovic. A mulher mais guerreira de Cabul. Não queiram ver essa moça zangada. Além disso, ela bebe melhor do que qualquer um.

— Vamos fazer um teste — propõe Timur, pegando o copo no balcão.

O velho Nabi pede licença e se retira.

Pela hora seguinte ou pouco mais, Idris se entrosa, ou tenta. Na medida em que desce o nível das garrafas, a conversa sobe de tom. Idris ouve alemão, francês, o que deve ser grego. Toma outra vodca, seguida de uma cerveja morna. Num dos grupos, reúne coragem para inserir uma piada do mulá Omar que aprendeu em persa na Califórnia. Mas a piada não se traduz muito bem para o inglês, e a narrativa acaba sendo atropelada. Torna-se sem sentido. Continua andando e para numa conversa sobre um pub irlandês que vai abrir em Cabul. Há um acordo geral de que não vai durar muito.

Anda pela sala, a lata de cerveja morna na mão. Nunca se sentiu muito à vontade em reuniões como essa. Tenta se distrair examinando a decoração. Há pôsteres dos Budas Bamiyan, de uma partida de *buzkashi*, de um porto numa ilha grega chamada Tinos. Ele nunca ouviu falar em Tinos. Avista uma fotografia emoldurada no vestíbulo, em preto e branco, um pouco embaçada, como se tirada por uma câmera caseira. É de uma garota de cabelos longos e pretos, de costas para as lentes. Está numa praia, sentada num rochedo, olhando o mar. O canto esquerdo da foto parece que foi queimado.

O jantar é perna de carneiro com alecrim e molho de cravo e alho. Salada de queijo de cabra e macarrão com molho pesto. Idris se serve de um pouco de salada e acaba indo com o prato para um canto da sala. Vê Timur sentado com duas holandesas jovens e bonitas. Fazendo charme, pensa Idris. Surgem risadas, e uma das mulheres toca o joelho de Timur.

Idris leva seu vinho para fora, para a varanda, e senta num banco de madeira. Já está escuro, a varanda é iluminada apenas por duas lâmpadas penduradas no teto. Dali, ele consegue enxergar a forma geral de uma espécie de aposento no fundo do jardim e, mais à direita, a silhueta de um automóvel, comprido, grande, velho, provavelmente americano, pelas curvas. Modelo dos anos 1940, talvez começo dos 1950; Idris não consegue ver bem, além de nunca ter se ligado em carros. Tem certeza de que Timur saberia. Matraquearia o modelo, ano, tamanho do motor, todas as opções. Parece que o carro está com os quatro pneus furados. Um cachorro da vizinhança começa a latir em staccato. Dentro, alguém põe um CD de Leonard Cohen.

— Sensível e silencioso.

Amra senta ao seu lado, gelo tilintando no copo. Os pés descalços.

— Seu primo caubói, ele é a alegria da festa.

— Não me surpreende.

— Ele é muito bonito. Casado?

— Com três filhos.

— Que pena. Eu me comporto, então.

— Tenho certeza de que ele vai se desapontar ao ouvir isso.

— Tenho regras — diz ela. — Você não gosta muito dele.

Idris responde, com toda a sinceridade, que Timur é a coisa mais próxima que ele tem de um irmão.

— Mas ele faz você sentir vergonha.

É verdade. Timur faz *mesmo* com que ele se sinta envergonhado. Tem se comportado como o típico afegão-americano feio, reflete Idris.

Irrompendo por uma cidade dilacerada pela guerra como se pertencesse ao lugar, batendo nas costas dos habitantes com grande bonomia e chamando-os de irmão, irmã, tio, dando espetáculo de distribuição de dinheiro a mendigos de um fundo que ele chama de reserva *Bakshseesh*, brincando com senhoras que chama de mãe, convencendo-as a contar histórias para sua câmera enquanto faz uma expressão acabrunhada, fingindo que é um deles, como se estivesse aqui o tempo todo, como se não estivesse numa academia em San Jose modelando os peitorais e o abdômen enquanto aquela gente era bombardeada, assassinada, estuprada. É de uma hipocrisia repugnante. E Idris se mostra surpreso de ninguém perceber o que há por trás dessa atitude.

— Não é verdade o que ele contou a você — diz Idris. — Nós viemos aqui para recuperar a casa que pertencia aos nossos pais. Só isso. Nada mais.

Amra rosna uma risada. — Eu sei, é claro. Você pensa que fui enganada? Já fiz negócios com senhores da guerra e talibãs neste país. Já vi de tudo. Nada pode me chocar. Nada, ninguém consegue me enganar.

— Imagino que seja verdade.

— Você é honesto — diz. — Pelo menos você é honesto.

— Por tudo o que passaram, acho somente que devíamos respeitar essas pessoas. Quando digo "nós", estou falando de pessoas como Timur e eu. Os que tiveram sorte, que não estavam aqui quando o lugar era um inferno e estava sendo bombardeado. Nós não somos como essa gente. Não deveríamos fingir que somos. As histórias que essas pessoas têm para contar, nós não temos *direito* a elas. Mas eu estou divagando.

— Divagando?

— Não estou fazendo sentido.

— Não, eu entendi — diz ela. — Você quer dizer que as histórias deles são um presente que dão a você.

— Um presente. Sim.

Tomam um pouco de vinho. Conversam por algum tempo; para Idris é o primeiro diálogo que entabula desde que chegou a Cabul, sem zombarias sutis, sem a vaga reprovação que sentiu nos habitantes, em funcionários do governo, nas agências humanitárias. Pergunta sobre o que ela faz, e Amra responde que já trabalhou em Kosovo com a ONU, em Ruanda depois do genocídio, na Colômbia e também no Burundi. Trabalhou com prostitutas infantis no Camboja. Está em Cabul há um ano, pela terceira vez, agora com uma pequena ONG, prestando serviços no hospital Wazir Akbar Khan e dirigindo uma clínica móvel aos domingos. Casada duas vezes, divorciada duas vezes, sem filhos. Idris acha difícil adivinhar a idade de Amra, mas deve ser mais nova do que parece. Existe um brilho de beleza fugidia, uma forte sensualidade, atrás dos dentes amarelados, das bolsas de fadiga abaixo dos olhos. Em quatro anos, talvez cinco, pondera Idris, aquilo também terá desaparecido.

Então ela sugere: — Você quer saber o que aconteceu com Roshi?

— Você não precisa me contar — responde Idris.

— Você acha que estou bêbada?

— Está?

— Um pouquinho — admite. — Mas você é um sujeito honesto. — Dá um tapinha delicado no ombro dele, algo brincalhão. — Você tem bons motivos para querer saber. Para outros afegãos como você, afegãos vindos do Ocidente, é como... como se diz?... olhar o que não pode.

— Dar uma espiada.

— Isso.

— Como pornografia?

— Mas talvez você seja um bom sujeito.

— Se você me contar — diz ele —, vou aceitar como um presente.

E Amra conta a história.

Roshi morava com os pais, duas irmãs e o irmão mais novo numa aldeia entre Cabul e Bagram. Em uma sexta-feira do mês passado, o tio, irmão mais velho do pai, veio fazer uma visita. Durante quase um ano, o pai de Roshi e o tio disputaram o terreno onde Roshi vivia com a família, um terreno que o tio achava que lhe pertencia de direito, por ser o irmão mais velho, mas que o pai havia passado para o irmão mais novo e mais favorecido. No dia em que ele fez a visita, estava tudo bem.

— Ele diz que quer terminar a briga.

Para a ocasião, a mãe de Roshi matou duas galinhas, fez uma grande panela de arroz com passas, comprou romãs frescas no mercado. Quando o tio chegou, ele e o pai de Roshi se beijaram e se abraçaram. O pai de Roshi abraçou o irmão com tanta força que ergueu os pés dele do tapete. A mãe de Roshi chorou de alegria. A família sentou-se para comer. Todos repetiram mais de uma vez. Depois comeram as romãs. Em seguida, foram servidos chá-verde e balas. O tio pediu licença para usar o banheiro.

Quando voltou, estava com um machado na mão.

— Do tipo de cortar árvore — explica Amra.

O primeiro a partir foi o pai de Roshi. — Roshi contou que o pai nem soube o que aconteceu. Não viu nada.

Um só golpe no pescoço, por trás. Quase foi decapitado. A mãe de Roshi foi a seguinte. Roshi viu a mãe tentar lutar, mas depois de várias machadadas no rosto e no pescoço ela foi silenciada. A essa altura, as crianças estavam gritando e fugindo. O tio foi atrás delas. Roshi viu uma das irmãs tentar chegar ao corredor, mas o tio a agarrou pelos cabelos e a jogou no chão. A outra irmã chegou ao corredor. O tio foi atrás, e Roshi o ouviu chutando a porta do banheiro, os gritos, depois o silêncio.

— Então Roshi resolveu fugir com o irmão mais novo. Saíram correndo, correram em direção à porta da frente, mas ela estava trancada. O tio trancou, é claro.

Conseguiram chegar ao quintal, em pânico e desespero, talvez esquecendo que não havia portão no quintal, nenhuma saída, os muros muito altos para escalar. Quando o tio saiu da casa e se aproximou, Roshi viu o irmão, que tinha cinco anos, se jogar no *tandoor*, onde uma hora antes a mãe havia assado pão. Roshi o ouviu gritando nas chamas enquanto tropeçava e caía. Virou-se para olhar, a tempo de ver o céu azul e o machado descendo. E depois, nada.

Amra para de falar. Dentro, Leonard Cohen interpreta uma versão ao vivo de "Who by fire".

Mesmo se pudesse falar, o que não consegue no momento, Idris não saberia a coisa certa a dizer. Poderia ter dito algo, dado algum sinal de indignação impotente se tivesse sido coisa do Talibã, da Al-Qaeda ou de algum comandante mujahidin megalomaníaco. Mas não é algo que possa ser atribuído a Hekmatyar, ao mulá Omar, a Bin Laden ou a Bush e sua Guerra ao

Terror. A razão banal e absolutamente corriqueira por trás do massacre torna aquilo mais terrível e muito mais deprimente. A expressão "sem sentido" salta à mente, e Idris a reprime. É o que as pessoas sempre dizem. *Um ato de violência sem sentido. Um assassinato sem sentido.* Como se fosse possível cometer um homicídio com sentido.

Ele pensa na garota, Roshi, no hospital, encolhida na parede, os dedos dos pés enlaçados, o olhar infantil de seu rosto. A rachadura no alto da cabeça raspada, a massa do tamanho de um punho de tecido cerebral lustroso vazando, recobrindo a cabeça como o nó de um turbante *sikh*.

— Ela mesma contou a você essa história? — pergunta afinal.

Amra aquiesce com convicção. — Ela se lembra de tudo. Cada detalhe. Consegue contar todos os detalhes. Gostaria que esquecesse, por causa dos pesadelos.

— O irmão, o que aconteceu com ele?

— Queimaduras demais.

— E o tio?

Amra dá de ombros.

— Eles dizem para tomar cuidado — observa. — No meu trabalho, eles dizem para tomar cuidado, ser profissional. Não é boa ideia se apegar. Mas Roshi e eu...

De repente, a música para. Mais um corte de energia. Por alguns momentos tudo fica escuro, a não ser pela luz do luar. Idris ouve pessoas resmungando dentro da casa. Tochas de halogênio se acendem.

— Eu luto por ela — diz Amra, sem erguer o olhar. — Eu não paro.

No dia seguinte, Timur vai com os alemães até a cidade de Istalif, conhecida por seu artesanato em cerâmica. — Você devia vir junto.

— Vou ler um pouco — explica Idris.

— Você pode ler em San Jose, irmão.

— Preciso descansar. Acho que bebi demais ontem à noite.

Quando os alemães passam para pegar Timur, Idris fica na cama por um tempo, examinando um esmaecido cartaz de propaganda dos anos 1960 pregado na parede, quatro turistas loiros e sorridentes caminhando pelo lago

Band-e-Amir, antes dos acontecimentos. No início da tarde, sai para uma caminhada. Num pequeno restaurante, come *kabob* no almoço. É difícil comer com prazer, com aquelas crianças de rosto encardido espiando pelo vidro, olhando enquanto ele come. É insuportável. Idris admite para si mesmo que Timur é melhor nisso que ele. Timur faz de tudo aquilo um jogo. Como um sargentão, ele toca o apito e faz os mendigos formar uma fila, distribui algumas notas da reserva *Baksheesh*. Enquanto distribui as cédulas, uma por uma, bate os saltos dos sapatos e faz uma continência. As crianças adoram. Também batem continência. Elas o chamam de *kaka*. Às vezes, sobem pelas pernas dele.

Depois do almoço, Idris pega um táxi e pede para ir ao hospital.

— Mas antes faça uma parada no bazar — diz.

IDRIS ANDA PELO CORREDOR LEVANDO a caixa, passando por paredes decoradas com grafites, quartos com cortinas de plástico servindo de portas, um velho descalço arrastando os pés com um tapa-olho, pacientes acomodados em quartos quentes e abafados onde faltam lâmpadas. Um cheiro de corpos e suor por toda parte. No fim do corredor, para em frente à cortina antes de abrir. Sente uma pontada no coração quando vê a garota sentada na beira da cama. Amra está ajoelhada na frente, escovando os dentes dela.

Há um homem no outro lado do quarto, magro, queimado de sol, com uma barba desgrenhada e cabelos pretos eriçados. Quando Idris entra, o homem logo se levanta, põe a mão no peito e faz uma vênia. Idris é surpreendido mais uma vez pela facilidade com que os locais percebem que ele é um afegão ocidentalizado, pelo modo como o cheiro de dinheiro e poder garante privilégios nessa cidade. O homem diz a Idris que é tio de Roshi pelo lado materno.

— Você voltou — diz Amra, mergulhando a escova numa tigela de água.

— Espero que não haja problema.

— Por que haveria? — pergunta ela.

Idris limpa a garganta. — Salaam Roshi.

A garota olha para Amra pedindo permissão. A voz dela é um murmúrio agudo e hesitante. — Salaam.

— Trouxe um presente para você. — Idris põe a caixa no chão e a abre. Os olhos de Roshi ganham vida quando vê Idris tirar a pequena TV e o videocassete. Ele mostra os quatro filmes que comprou. A maior parte dos vídeos da loja era de filmes indianos ou de ação, filmes de arte marciais com Jet Li, Jean-Claude Van Damme, todos os de Steven Seagal. Mas Idris conseguiu encontrar *E.T. — O extraterrestre*, *Babe, o porquinho atrapalhado*, *Toy Story* e *O gigante de ferro*. Já havia assistido a todos com os filhos em casa.

Em persa, Amra pergunta a Roshi qual ela deseja ver primeiro. Roshi escolhe *O gigante de ferro*.

— Você vai adorar esse filme — diz Idris. Sente dificuldade em olhar para ela. Os olhos insistem em subir para o emaranhado da cabeça, o reluzente calombo de tecido cerebral, a confusão de veias e capilares.

Não há uma tomada no final desse corredor, e Amra leva algum tempo para encontrar uma extensão, mas quando Idris liga o fio e surgem as primeiras imagens, os lábios de Roshi se abrem num sorriso. Naquele sorriso, Idris percebe como conheceu pouco do mundo, apesar dos trinta e cinco anos de idade, de sua selvageria, da crueldade, da brutalidade sem limites.

Quando Amra pede licença e sai para ver outros pacientes, Idris senta ao lado de Roshi e assiste ao filme com ela. O tio é uma presença silenciosa e inescrutável no quarto. Na metade do filme, acaba a energia. Roshi começa a chorar, e o tio se inclina da cadeira e aperta a mão dela sem muita delicadeza. Sussurra algumas palavras rápidas e concisas em pashtun, que Idris não entende. Roshi faz uma careta e tenta se afastar. Idris olha as mãozinhas dela, perdidas no aperto forte das juntas esbranquiçadas do tio.

Idris veste o casaco. — Eu volto amanhã, Roshi, e podemos assistir a outro filme se você quiser. Você quer?

Roshi se encolhe numa bola embaixo das cobertas. Idris olha para o tio, imagina o que Timur faria com esse homem; Timur, que, diferentemente dele, não consegue resistir às emoções fáceis. *Me dê dez minutos sozinho com esse homem*, ele diria.

O tio acompanha-o até a porta. Nos degraus da entrada, surpreende Idris ao dizer: — Eu sou a verdadeira vítima aqui, Sahib. — Deve ter notado a expressão do rosto de Idris, porque se corrige: — Claro que ela é a vítima. Mas quero dizer que também sou vítima. Você entende isso, pois é afegão. Mas esses estrangeiros não entendem.

— Eu preciso ir — diz Idris.

— Eu sou um *mazdoor*, um simples trabalhador. Ganho um dólar, talvez dois, por um dia de trabalho, Sahib. E tenho cinco filhos. Um deles, cego. Agora isso. — Suspira. — Às vezes, penso comigo mesmo, Deus me perdoe, mas digo a mim mesmo que talvez fosse melhor que Alá tivesse deixado Roshi... bem, você entende. Talvez fosse melhor. Porque eu pergunto, Sahib, que rapaz vai se casar com ela agora? Ela nunca vai encontrar um marido. E quem vai cuidar dela? Eu vou ter de cuidar. Precisarei fazer isso para sempre.

Idris já sabe que está encurralado. Pega a carteira do bolso.

— O que puder contribuir, Sahib. Não para mim, é claro. Para Roshi.

Idris entrega duas notas. O tio pisca, tira os olhos do dinheiro. Começa a dizer: — Duzen... — mas fecha a boca, como que preocupado em alertar Idris sobre um engano.

— Compre um bom par de sapatos para ela — diz Idris, descendo a escada.

— Alá o abençoe, Sahib — exclama o tio às suas costas. — Você é um homem bom. Você é um homem bom e generoso.

IDRIS FAZ UMA NOVA VISITA no dia seguinte e no dia posterior. Logo se torna uma rotina; ele está ao lado de Roshi todos os dias. Já conhece os ajudantes pelo nome, os enfermeiros que trabalham no andar térreo, o zelador, os guardas mal alimentados e de ar cansado nos portões do hospital. Mantém as visitas o mais sigilosas possível. Em seus telefonemas interurbanos, não falou com Nahil sobre Roshi. Também não diz a Timur aonde está indo, a razão de não ir com ele na viagem a Paghman nem à reunião com funcionários do Ministério do Interior. Mas Timur descobre assim mesmo.

— Que bom para você — diz. — É uma coisa muito bacana o que está fazendo. — Faz uma pausa, antes de acrescentar: — Mas vá com calma.

— Você quer dizer parar com as visitas?

— Nós vamos embora em uma semana, irmão. Você não vai querer que ela se apegue muito a você.

Idris aquiesce. Fica se perguntando se Timur não tem um pouco de ciúme da relação com Roshi, se não se ressente que ele, Idris, tenha roubado uma oportunidade espetacular de dar uma de herói. Timur emerge em câmera lenta de um edifício em chamas e segura uma criança. A multidão irrompe em ovação. Idris está determinado a não deixar Timur exibir Roshi numa parada desse tipo.

Mesmo assim, Timur está certo. Eles vão embora em uma semana, e Roshi já começou a chamá-lo de *kaka* Idris. Quando ele chega um pouco mais tarde, encontra a menina agitada. Ela o abraça pela cintura, uma onda de alívio desanuvia seu rosto. As visitas dele são do que ela mais gosta, diz. Às vezes, segura a mão de Idris com as duas mãos enquanto assistem a um vídeo. Quando não está ao seu lado, Idris costuma pensar na penugem amarelada dos braços dela, nos olhos estreitos e cor de avelã, nos pés bonitos, nas bochechas redondas, na forma como apoia o queixo nas mãos enquanto lê um dos livros infantis que ele comprou numa livraria perto do Liceu Francês. Já se deixou imaginar como seria levar Roshi para os Estados Unidos, como ela se relacionaria em casa com seus filhos, Zabi e Lemar. No ano que passou, ele e Nahil haviam conversado sobre a possibilidade de um terceiro filho.

— E agora? — pergunta Amra um dia antes da data da viagem.

Na manhã daquele dia, Roshi dera um desenho a Idris, feito a lápis numa folha de consulta do hospital, de duas figuras toscas assistindo à televisão. Ele apontou uma delas, de cabelo comprido. *Essa é você?*

E esse é você, kaka *Idris.*

Então você tinha cabelo comprido? Antes?

Minha irmã o escovava todas as noites. Ela sabia fazer isso sem machucar.

Ela deve ter sido uma boa irmã.

Quando o cabelo crescer de novo, você pode escovar.

Acho que vou gostar disso.

Não vá embora, kaka. *Não vá embora.*

— Ela é uma garota muito meiga — diz ele a Amra. É mesmo. Bem-educada, e humilde também. Com um pouco de culpa, pensa em Zabi e Lemar em San Jose, que há muito já anunciaram seu desagrado por seus nomes afegãos, que estão se transformando rapidamente em pequenos tiranos, nas imperiosas crianças americanas que ele e Nahil haviam jurado que jamais criariam.

— Ela é uma sobrevivente — diz Amra.

— Sim.

Amra encosta na parede. Dois ajudantes passam correndo, empurrando uma padiola. Nela, um garoto com bandagens empapadas de sangue na cabeça e um ferimento aberto na coxa.

— Outros afegãos da América ou da Europa — começa a dizer Amra — vêm e tiram fotos dela. Fazem vídeos. Fazem promessas. Depois vão para casa e mostram aos familiares. Como se fosse um animal do zoológico. Eu deixo, porque acho que talvez possam ajudar. Mas eles esquecem. Nunca mais ouço falar deles. Então pergunto outra vez: e agora?

— A operação que ela precisa? — diz Idris. — Faço questão de que ela opere.

Amra olha para ele, hesitante.

— Nós temos um neurocirurgião clínico em meu grupo. Vou falar com meu chefe. Vamos fazer os preparativos para ela ir à Califórnia e fazer a cirurgia.

— Sim, mas e o dinheiro?

— Podemos arranjar o financiamento. Na pior das hipóteses, eu pago a operação.

— Da própria carteira?

Idris dá risada. — A expressão é "do próprio bolso", mas sim.

— Nós precisamos ter permissão do tio.

— Se ele voltar a aparecer. — O tio nunca mais foi visto nem mandou notícia desde o dia em que Idris deu os duzentos dólares.

Amra sorri para ele. Idris nunca fez nada parecido com isso. Existe um entusiasmo tóxico e eufórico em mergulhar de cabeça naquele compromisso. Ele se sente energizado. Quase perde o fôlego. Para sua surpresa, lágrimas fazem seus olhos arderem.

— *Hvala* — diz Amra. — Obrigada. — Fica na ponta dos pés e beija o rosto dele.

— Eu transei com uma das holandesas — diz Timur. — Aquelas da festa, sabe?

Idris tira os olhos da janela. Estava admirando os suaves e amontoados picos marrons da Hindu Kush lá embaixo. Vira-se para Timur no assento do corredor.

— A morena. Engoli meio Viagra e transei direto até a hora das orações da manhã.

— Meu Deus. Você nunca vai crescer? — pergunta Idris, irritado por Timur ter confiado a ele, mais uma vez, o conhecimento de sua má conduta, de sua infidelidade, daquela atitude grotesca, daquela cafajestice antiquada.

Timur dá uma risadinha. — Não se esqueça, primo, do que acontece em Cabul...

— Por favor, nem termine essa frase.

Timur dá risada.

Em algum lugar na parte de trás do avião acontece uma festinha. Alguém está cantando em pashtun, com alguma outra pessoa batucando um prato de isopor como se fosse uma *tambura*.

— Não consigo acreditar que encontramos o velho Nabi — murmura Timur. — Puxa vida.

Idris pesca a pílula para dormir guardada no bolso e a engole a seco.

— Então, vou voltar no mês que vem — diz Timur, cruzando os braços e fechando os olhos. — É provável que ainda faça mais umas duas viagens depois, mas acho que vai dar certo.

— Você confia nesse tal de Farooq?

— Claro que não, porra. É por isso que vou voltar.

Farooq é o advogado contratado por Timur. Sua especialidade é ajudar afegãos que moram no exílio a recuperar imóveis perdidos em Cabul. Timur discorre sobre a papelada que Farooq vai preencher, o juiz que deve presidir os procedimentos, um primo em segundo grau da mulher de Farooq. Idris volta a descansar a testa na janela, esperando o efeito da pílula.

— Idris — diz Timur em voz baixa.

— Sim.

— Quanta tristeza nós vimos lá, não?

Você é de uma perspicácia incrível, irmão. — É — resmunga Idris.

Logo, a cabeça de Idris começa a zunir e a visão embaça. Ao deslizar para o sono, pensa na despedida de Roshi, segurando os dedos dela, dizendo que voltariam a se ver, ela soluçando em voz baixa, quase em silêncio, abraçada na cintura dele.

No TRAJETO entre o aeroporto internacional de San Francisco e sua casa, Idris recorda com saudade o caos maníaco do tráfego de Cabul. É estranho voltar a dirigir o Lexus pelas vias ordeiras e sem solavancos da 101 em direção ao sul, as placas da estrada sempre presentes, todo mundo tão educado, sinalizando, abrindo passagem. Sorri com a lembrança dos ousados taxistas adolescentes de Cabul aos quais ele e Timur confiaram suas vidas.

No banco do passageiro, Nahil é só perguntas. Cabul era um lugar seguro? Como era a comida? Ele ficou doente? Tirou fotos e fez vídeos de tudo? Idris faz o melhor que pode. Descreve as escolas bombardeadas, os moradores de rua vivendo em casas sem teto, os mendigos, a lama, a eletricidade instável, mas tudo isso é como descrever uma música. Não se consegue dar vida. Os detalhes vívidos e cativantes de Cabul — a academia de halterofilismo no meio dos escombros, por exemplo, com a imagem de Schwarzenegger na janela —, esses detalhes são esquecidos, e a descrição soa insípida, genérica, como um informativo normal da Associated Press.

No banco de trás, os garotos fazem ironias e ouvem por algum tempo, ou ao menos fingem ouvir. Idris consegue sentir o tédio deles. Pouco depois, Zabi, que tem oito anos, pede a Nahil para começar o filme. Lemar, dois anos mais velho, tenta ouvir um pouco mais, mas logo Idris começa a ouvir o zumbido de um carro de corrida no Nintendo DS.

— Qual é o problema com vocês, garotos? — bronqueia Nahil. — Seu pai está voltando de Cabul. Vocês não têm curiosidade? Não têm nenhuma pergunta a fazer?

— Tudo bem — interrompe Idris. — Deixe pra lá. — Mas ele fica triste com a falta de interesse dos filhos, a feliz ignorância da arbitrária loteria genética que lhes concedera aquela vida privilegiada. De repente, sente um fosso entre si mesmo e a família, inclusive em relação a Nahil, cujas perguntas são basicamente sobre restaurantes e a falta de água encanada nas casas. Olha para eles com ar de censura, da mesma forma que os afegãos devem ter olhado para ele logo que chegou a Cabul.

— Estou com fome — diz.

— O que está com vontade de comer? — pergunta Nahil. — Sushi, italiano? Tem um restaurante novo perto de Oakridge.

— Vamos comer comida afegã — decide.

Eles vão à Abe's Kabob House, na zona leste de San Jose, perto do velho mercado de pulgas de Berryessa. O dono, Abdullah, é um homem de cabelos cinzentos de pouco mais de sessenta anos, com um bigode em forma de guidão e mãos que parecem fortes. É um dos pacientes de Idris, assim como sua mulher. Abdullah faz um aceno atrás da caixa registradora quando Idris e a família entram no restaurante. O Abe's Kabob é um pequeno negócio familiar. São apenas oito mesas — cobertas por toalhas de vinil geralmente engorduradas —, menus laminados, pôsteres do Afeganistão nas paredes, uma antiga máquina de refrigerante no canto. Abdullah cumprimenta os clientes, opera a registradora, faz a limpeza. A esposa, Sultana, está no fundo; é ela a responsável pela magia. Idris pode vê-la na cozinha, debruçada sobre alguma coisa, olhos franzidos por causa do vapor, o cabelo enfiado embaixo de uma touca de filó. Ela e Abdullah se casaram no Paquistão, no final dos anos 1970, como contaram a Idris, depois da invasão comunista do Afeganistão. Conseguiram asilo nos Estados Unidos em 1982, ano em que nasceu Pari, a filha deles.

É ela quem anota os pedidos. Pari é gentil e amistosa, tem a pele clara da mãe e o mesmo brilho de solidez emocional nos olhos. Tem também o corpo estranhamente desproporcional, magra e delicada em cima, mas pesada abaixo da cintura, com quadris largos, coxas e tornozelos grossos. No momento, está usando uma de suas habituais saias largas.

Idris e Nahil pedem carneiro com arroz integral e *bolant*. Os meninos ficam no Kabob *Chapli*, a coisa mais próxima de hambúrguer que conseguem encontrar no cardápio. Enquanto esperam a comida, Zabi conta a Idris que seu time de futebol chegou às finais. Ele joga na ponta-direita. O jogo é no domingo. Lemar diz que tem uma apresentação de guitarra no sábado.

— O que você vai tocar? — pergunta Idris, a voz morosa, começando a sentir o efeito da longa viagem.

— "Paint it black".

— Muito legal.

— Não sei se você ensaiou o suficiente — diz Nahil, numa repreensão cautelosa.

Lemar larga o guardanapo de papel que esteve enrolando. — Mãe! É mesmo? Você não vê o que eu passo todos os dias? Com tantas coisas a fazer!

No meio da refeição, Abdullah vem até a mesa dizer um alô, limpando as mãos no avental amarrado na cintura. Pergunta se estão gostando da comida, se desejam mais alguma coisa.

Idris conta que ele e Timur acabaram de voltar de Cabul.

— No que Timur está metido agora? — pergunta Abdullah.

— Em nada de bom, como sempre.

Abdullah abre um sorriso. Idris sabe o quanto ele gosta de Timur.

— E como vão os negócios?

Abdullah solta um suspiro. — Dr. Bashiri, se um dia eu quiser amaldiçoar alguém, vou querer que Deus lhe dê um restaurante.

Eles riem junto com Abdullah.

Mais tarde, quando estão saindo do restaurante e subindo no utilitário, Lemar diz: — Pai, ele dá comida de graça para todo mundo?

— É claro que não — responde Idris.

— Então por que ele não aceita o nosso dinheiro?

— Porque nós somos afegãos, e porque eu sou o médico dele — explica Idris, o que é apenas parcialmente verdade. A maior razão, ele desconfia, é que Abdullah é primo de Timur, e foi Timur quem emprestou o dinheiro anos atrás para abrir o restaurante.

Já em casa, Idris de cara se surpreende ao ver os tapetes arrancados do quarto da família e do vestíbulo, pregos e pranchas de madeira expostos na escada. Depois se lembra de que estão fazendo uma nova decoração, substituindo carpetes por madeira, tábuas largas de cerejeira com uma cor de assoalho que o vendedor chamou de "tacho de cobre". As portas do armário da cozinha foram lixadas, e há um buraco no lugar onde ficava o velho micro-ondas. Nahil diz que vai trabalhar só meio período na segunda-feira para se encontrar de manhã com o pessoal do assoalho e com Jason.

— Jason? — Depois se lembra, Jason Speer, o cara do *home theater*.

— Ele vem tirar as medidas. Já conseguiu o *subwoofer* e o projetor com desconto. Vai mandar três sujeitos para começar o trabalho na quarta.

Idris aquiesce. O *home theater* foi ideia dele, uma coisa que sempre desejou. Mas agora isso o deixava envergonhado. Sente-se desligado de tudo isso, de Jason Speer, dos novos armários e do assoalho "tacho de cobre", dos tênis turbinados de cento e sessenta dólares dos filhos e das colchas de chenile do quarto, da energia que ele e Nahil investiram nessas coisas. Os frutos de suas ambições parecem frívolos agora, só o fazem lembrar a brutal disparidade entre sua vida e o que viu em Cabul.

— Qual é o problema, querido?

— Cansaço da viagem — responde. — Preciso tirar uma soneca.

No sábado, assiste ao recital de guitarra inteiro, e no domingo assiste à partida de futebol de Zabi quase até o fim. No segundo tempo, precisa dar uma saída até o estacionamento e dormir por meia hora. Para seu alívio, Zabi não percebe. No domingo à noite, alguns vizinhos vêm para jantar. Passam de mão em mão as fotos da viagem de Idris e assistem educadamente à gravação de uma hora de vídeo de Cabul, que, contra a vontade de Idris, Nahil insiste em mostrar a todos. Depois do jantar, eles perguntam a Idris sobre a viagem, sua opinião sobre a situação no Afeganistão. Ele dá respostas rápidas enquanto beberica um mojito.

— Não consigo imaginar como deve ser lá — comenta Cynthia, professora de pilates na academia em que Nahil faz ginástica.

— Cabul é... — Idris busca as palavras certas. — ... mil tragédias por quilômetro quadrado.

— Ter ido lá deve ter sido um grande choque cultural.

— Sim, foi mesmo. — Idris não diz que o verdadeiro choque cultural foi voltar.

No final, a conversa muda para a recente onda de roubos de correspondência na vizinhança.

Deitado na cama naquela noite, Idris fala: — Você acha que precisamos de tudo isso?

— Tudo isso? — repetiu Nahil. Ele a vê pelo espelho, escovando os dentes na pia.

— Tudo isso. Todas essas coisas.

— Não, não *precisamos*, se é o que está dizendo — responde. Cospe na pia, faz um gargarejo.

— Não acha que é demais, tudo isso?

— Nós trabalhamos duro, Idris. Lembra-se do vestibular, da faculdade de medicina, da escola de direito, dos anos de residência? Ninguém *deu* nada para nós. Não temos por que pedir desculpas.

— Pelo preço desse *home theater*, seria possível construir uma escola no Afeganistão.

Nahil volta ao quarto e senta na cama para tirar as lentes de contato. Seu perfil é lindo. Idris adora a testa, que praticamente não recua onde o nariz começa, os malares fortes, o pescoço fino.

— Então, faça as duas coisas — diz ela, virando-se para ele, piscando com o colírio. — Não vejo razão para não fazer.

Alguns anos atrás, Idris descobriu que Nahil havia apadrinhado um menino da Colômbia, chamado Miguel. Não contou nada para ele, e, como era a encarregada da correspondência e das finanças, Idris ficou sem saber sobre isso durante anos, até encontrá-la um dia lendo uma carta de Miguel. A carta havia sido traduzida do espanhol por uma freira. Havia uma foto também, de um garoto alto, musculoso, na porta de um casebre de sapé, que segurava uma bola de futebol, com nada mais que vacas magras e colinas verdes ao fundo. Nahil havia começado o patrocínio de Miguel quando ainda estudava direito. Havia onze anos os cheques de Nahil se cruzavam em silêncio com as fotos de Miguel e as cartas de agradecimento traduzidas pela freira.

Ela retira os anéis. — Então, o que está acontecendo? Você contraiu uma síndrome de culpa de sobrevivente por lá?

— Só estou vendo as coisas de maneira diferente agora.

— Ótimo. Então ponha isso em funcionamento. Mas deixe de olhar para o próprio umbigo.

A diferença de fuso horário tirou o sono dele naquela noite. Idris lê um pouco, desce e assiste parte de uma reprise de um episódio de *West Wing* e termina no computador do quarto de hóspedes, transformado em escritório. Encontra um e-mail de Amra. Ela espera que seu retorno para casa tenha sido em segurança e que sua família esteja bem. Tem chovido "ferozmente" em Cabul, ela escreve, e as ruas estão com lama até o tornozelo. A chuva provocou uma enchente, e umas duzentas famílias tiveram de ser evacuadas de helicóptero de Shomali, no norte de Cabul. A segurança foi reforçada por causa do apoio de Cabul à guerra de Bush no Iraque, e eram esperadas represálias da Al-Qaeda. A última linha dizia: *"Você já falou com seu chefe?".*

Abaixo do e-mail, Amra colou um pequeno parágrafo de Roshi, traduzido por ela. Diz:

Salaam kaka *Idris,*
Inshallah você tenha chegado bem na América. Tenho certeza de que sua família está muito feliz em revê-lo. Todos os dias eu penso em você. Todos os dias assisto aos filmes que você comprou para mim. Gosto de todos. Só fico triste de você não estar aqui para assistir comigo. Estou me sentindo bem, e Amra jan está cuidando bem de mim. Por favor, diga Salaam à sua família por mim. Inshallah nos vejamos em breve na Califórnia.
Meus respeitos,
Roshana.

Idris responde o e-mail, agradecendo, dizendo que sente muito ao saber da enchente. Espera que as chuvas diminuam. Diz que vai discutir o caso de Roshi com o chefe esta semana. Abaixo, escreve:

Salaam Roshi jan,
Obrigado pela delicada mensagem. Fiquei muito feliz em ouvir notícias suas. Também penso muito em você. Contei tudo sobre você para a minha família, e estão todos ansiosos por conhecê-la, principalmente meus filhos, Zabi jan e Lemar jan, que perguntam muito sobre você. Todos estão ansiosos por sua chegada. Tudo de bom.
Kaka Idris.

Ele desliga o computador e vai se deitar.

Na segunda-feira, uma pilha de mensagens telefônicas o saúda quando ele entra no escritório. Pedidos de renovação de receitas transbordam da bandeja, esperam por sua aprovação. Existem mais de cento e sessenta e-mails para abrir, e o correio de voz está lotado. Examina a agenda e se vê desanimado com os compromissos sobrepostos — encaixes, como chamam os médicos — inseridos na programação da semana inteira. Pior, tem uma consulta com a temível sra. Rasmussen nesta tarde, uma mulher voluntariosa e especialmente desagradável, com anos de sintomas vagos que não respondem a nenhum tratamento. A perspectiva de enfrentar a carência e a hostilidade daquela mulher provoca suores nele. E, para concluir, uma porta-voz da chefe, Joan Schaeffer, explica que a pneumonia que diagnosticou em um paciente pouco antes de viajar acabou se revelando uma insuficiência cardíaca congestiva. O caso vai ser usado na semana que vem na Peer Review, uma videoconferência mensal assistida por todas as unidades em que erros de médicos, que permanecem anônimos, são usados para ilustrar pontos de aprendizado. O anonimato não vai muito longe, Idris sabe. Pelo menos metade das pessoas naquela sala vai conhecer o culpado.

Idris se sente à beira de uma dor de cabeça.

Fica aflito com os atrasos no cronograma daquela manhã. Um paciente com asma chega sem hora marcada e precisa de tratamento respiratório e monitoramento constante de seus fluxos de pico e saturação de oxigênio. Um executivo de meia-idade que Idris examinou três anos antes entra com um infarto do miocárdio anterior progressivo. Idris só consegue parar para o almoço ao meio-dia e meia. Na sala de conferência onde os médicos almoçam, mastiga apressadamente um sanduíche de peru seco enquanto tenta atualizar as anotações. Responde às mesmas perguntas dos colegas. Cabul era segura, o que os afegãos acham da presença americana? Dá respostas cortadas, econômicas, a cabeça na sra. Rasmussen, nas mensagens de voz que precisa responder, receitas para aprovar, os três encaixes na agenda desta tarde, a próxima Peer Review, os operários serrando e brocando e martelando pregos em casa. Falar sobre o Afeganistão — e é chocante como isso aconteceu de maneira tão rápida e imperceptível — ficou parecido com falar sobre um filme recém-assistido, emocionalmente exaustivo, e cujos efeitos já começam a desvanecer.

A semana se mostra uma das piores de sua carreira profissional. Mesmo querendo, não consegue encontrar tempo para comentar com Joan Schaeffer sobre Roshi. O mau humor predomina a semana toda. Fala pouco com os meninos em casa, perturba-se com aqueles trabalhadores entrando e saindo da casa e todo o barulho. O ritmo do sono ainda não voltou ao normal. Recebe mais dois e-mails de Amra, notícias atualizadas sobre a situação em Cabul. Rabia Balkin, o hospital para mulheres, foi reaberto. O gabinete de Karzai vai permitir que redes de televisão a cabo transmitam sua programação, desafiando os islâmicos linha-dura que se opunham. Num adendo no final do segundo e-mail, ela diz que desde que ele foi embora Roshi anda retraída, e que perguntou de novo se ele conversou com o chefe. Idris se afasta do teclado. Volta mais tarde, envergonhado com quanto a mensagem de Amra o irritou, quanto se sentiu tentado, só por um momento, a responder, em letras maiúsculas: *Vou falar. No devido tempo.*

— Espero que não se sinta mal por causa disso.

Joan Schaeffer está atrás de sua mesa, mãos cruzadas no colo. É uma mulher de animada energia, com o rosto cheio e cabelos brancos e grossos. Olha para ele por cima dos estreitos óculos de leitura empoleirados na ponte do nariz. — Você entende que o principal era evitar uma impugnação.

— Sim, é claro — diz Idris. — Eu entendo.

— E não se sinta mal por causa disso. Poderia acontecer a qualquer um de nós. Insuficiência cardíaca congestiva e pneumonia, no raio X, às vezes é difícil distinguir.

— Obrigado, Joan. — Ele se levanta para sair, mas para na porta. — Ah, tem uma coisa que estou querendo falar com você.

— Claro. Claro. Sente-se.

Idris volta à cadeira. Comenta sobre Roshi, descreve o ferimento, a falta de recursos do hospital Wazir Akbar Khan. Revela o compromisso que assumiu com Amra e Roshi. Ao dizer aquilo em voz alta, ele sente o peso de sua promessa de um modo que não sentia em Cabul, em pé no corredor com Amra, quando ela o beijou no rosto. Fica preocupado ao perceber a semelhança com o remorso depois de uma compra.

— Meu Deus, Idris! — diz Joan, balançando a cabeça. — Eu vou recomendar. Mas que terrível. Coitada da menina. Nem consigo imaginar.

— Eu sei — ele concorda. E pergunta se o grupo gostaria de cobrir o procedimento. — Ou procedimentos. Minha impressão é de que ela vai precisar de mais de um.

Joan dá um suspiro. — Gostaria muito. Mas, francamente, duvido que a diretoria aprove, Idris. Duvido muito. Você sabe que nós estamos no vermelho há cinco anos. E haveria questões legais também, bastante complicadas.

Ela espera que ele fale, talvez preparada para uma réplica, porém ele não contesta.

— Eu entendo — diz.

— Pode ser que você consiga encontrar um grupo humanitário que faça esse tipo de coisa, não? Vai dar algum trabalho, mas...

— Eu vou pesquisar. Obrigado, Joan. — Levanta-se novamente, surpreso por estar se sentindo mais leve, quase aliviado com aquela resposta.

A MONTAGEM DO *HOME THEATER* leva mais um mês, mas é uma maravilha. A imagem, lançada por um projetor instalado no teto, é nítida, e os movimentos na tela de 102 polegadas têm uma fluidez impressionante. O sistema de som *surround* 7.1, os equalizadores gráficos e as caixas para os sons graves distribuídas nos quatro cantos fizeram maravilhas pela acústica. Eles assistem a *Piratas do Caribe*, os meninos deliciados com a tecnologia, um de cada lado, comendo pipoca de um balde comunitário no colo. Os dois adormecem antes da arrastada cena da batalha final. — Eu ponho os dois na cama — diz Idris a Nahil.

Levanta um filho e depois o outro. Os garotos estão crescendo, o corpo esguio alargando-se num ritmo alarmante. Enquanto arruma os dois na cama, toma consciência de uma coisa, da dor que o futuro reserva para ele e os meninos. Em poucos anos, ele será substituído. Os garotos vão se envolver com outras coisas, outras pessoas, vão sentir vergonha dele e de Nahil. Idris pensa com saudade do tempo em que os dois eram menores e indefesos, totalmente dependentes deles. Lembra-se de como Zabi se assustava com bueiros quando era pequeno, andando em torno deles em círculos grandes e desajeitados. Uma vez, assistindo a um filme antigo, Lemar perguntou se

Idris já havia nascido quando o mundo era em preto e branco. A lembrança traz um sorriso. Ele beija a bochecha dos filhos.

Fica recostado, no escuro, observando Lemar dormir. Agora percebe que foi duro no julgamento dos filhos e injusto. E foi duro no julgamento de si mesmo também. Ele não é um criminoso. Tudo o que tem foi merecido. Nos anos 1990, enquanto metade dos meninos que conhecia frequentava clubes e paquerava as meninas, ele estava enterrado nos estudos, se arrastando por corredores de hospitais às duas da manhã, adiando sono, lazer, conforto. Sacrificou sua década dos vinte anos à medicina. Pagou as dívidas. Por que deveria se sentir mal? Essa é a sua família. É a sua vida.

No mês que passou, Roshi se tornou algo meio abstrato para ele, como o personagem de uma peça teatral. A conexão esfiapou. A inesperada intimidade com que trombou naquele hospital, tão urgente e aguda, tornou-se opaca. A experiência perdeu sua força. Idris reconhece que a determinação feroz que o envolveu era uma ilusão, uma miragem. A influência de uma espécie de droga. A distância entre ele e a garota parece enorme agora. Parece infinita, insuperável, e a promessa que fez desponta como um equívoco, um erro temerário, uma terrível má interpretação da dimensão da própria força de vontade e caráter. Uma coisa que é melhor esquecer. Ele não tem capacidade para isso. Simples assim. Nas últimas duas semanas, recebeu mais três e-mails de Amra. Leu o primeiro e não respondeu. Apagou os dois seguintes sem ler.

A FILA NA LIVRARIA TEM mais ou menos treze pessoas. Estende-se entre o palco improvisado e a banca de revistas. Uma mulher alta e de rosto redondo entrega pequenos *post-its* amarelos aos que estão na fila para escrever os nomes e as mensagens pessoais que desejam inscritas no livro. Uma vendedora no início da fila ajuda as pessoas com os papeizinhos.

Idris está quase no começo da fila, com um exemplar na mão. A mulher à sua frente, uma cinquentona de cabelos loiros e curtos, vira-se para ele e pergunta: — Você leu?

— Não — responde ele.

— Vai ser a leitura do nosso clube do livro no mês que vem. É a minha vez de comprar.

— Ah.

A mulher franze o cenho e leva a mão espalmada ao peito. — Espero que as pessoas leiam. É uma história muito comovente. Muito inspiradora. Aposto que vai virar filme.

É verdade o que disse à mulher. Ele não leu o livro, e duvida que chegue a ler. Acha que não tem estômago para se revisitar naquelas páginas. Mas outros vão ler. E, quando lerem, ele vai ficar exposto. As pessoas vão saber. Nahil, os filhos, os colegas. O pensamento o faz se sentir enjoado.

Abre o livro de novo, passa pelos agradecimentos, pela biografia do coautor, que foi quem escreveu, na verdade. Examina mais uma vez a foto na orelha do livro. Nenhum sinal do ferimento. Se ela ainda tiver uma cicatriz, que deve existir, o cabelo comprido e ondulado a esconde. Roshi está usando uma blusa com pequenas miçangas douradas, um colar de Alá, brincos de lazurita. Está encostada numa árvore, olhando diretamente para a câmera, sorrindo. Idris pensa nas figuras toscas que ela desenhou para ele. *Não vá embora*, kaka. *Não vá embora*. Não consegue detectar naquela jovem o menor sinal da trêmula criaturazinha que encontrou seis anos antes atrás de uma cortina.

Idris passa os olhos pela página de dedicatória.

Aos dois anjos da minha vida: minha mãe Amra e meu kaka *Timur. Vocês são os meus salvadores. Devo tudo a vocês.*

A fila avança. A mulher de cabelo loiro curto consegue seu autógrafo. Ela se afasta, e Idris, coração batendo forte, dá um passo à frente. Roshi ergue os olhos. Está usando um xale afegão sobre uma blusa de manga comprida cor de abóbora e pequenos brincos de prata ovais. Os olhos são mais escuros do que ele recorda, e o corpo está sendo preenchido por curvas femininas. Olha para ele sem piscar, e, apesar de não demonstrar abertamente que o reconheceu, e embora o sorriso seja educado, existe algo de divertido e distante em sua expressão galhofeira, maliciosa, atrevida. Idris se sente esmagado, de repente todas as palavras que havia composto — até anotado, ensaiado na cabeça a caminho dali — definham. Não consegue se obrigar a dizer nada. Só consegue ficar ali em pé, parecendo ligeiramente tolo.

A vendedora limpa a garganta. — Senhor, se me der o livro, posso abrir na página do título para Roshi autografar.

O livro. Idris baixa os olhos, vê o livro agarrado firmemente nas mãos. Não veio ali para obter um autógrafo, é claro. Seria vergonhoso, vergonhoso e grotesco, depois de tudo. Ainda assim, ele se vê entregando o livro, a vendedora abre na página certa com perícia, a mão de Roshi rabisca algumas palavras abaixo do título. Agora ele tem segundos para dizer alguma coisa; não que isso possa mitigar o indefensável, mas por achar que deve isso a ela. Mas quando a vendedora devolve o livro ele não consegue juntar as palavras. Gostaria de ter agora pelo menos uma fração da coragem de Timur. Olha mais uma vez para Roshi. Porém ela já está olhando para o próximo da fila.

— Eu sou... — começa.

— Precisamos manter a fila andando, senhor — diz a vendedora.

Idris abaixa a cabeça e sai da fila.

O carro foi estacionado no terreno atrás da livraria. A caminhada até lá parece a mais longa de sua vida. Abre a porta do automóvel, dá uma parada antes de entrar. Com as mãos que não pararam de tremer, abre o livro outra vez. O rabisco não é uma assinatura. Em inglês, ela escreveu duas frases para ele.

Fecha o livro, e os olhos também. Considera que poderia estar aliviado. Mas parte dele deseja algo mais. Talvez se ela tivesse feito uma careta, dito alguma coisa infantil, cheia de raiva e desprezo. Uma erupção de rancor. Talvez tivesse sido melhor. Em vez disso, uma dispensa, limpa e diplomática. E esta mensagem: *Não se preocupe. Você não está no livro.* Uma atitude generosa. Talvez, com mais exatidão, um ato de caridade. Deveria se sentir aliviado. Mas dói. Idris sente o golpe como uma machadada na cabeça.

Há um banco ali perto, embaixo de um olmo. Anda até lá e deixa o livro ali mesmo. Volta ao carro e senta ao volante, mas se passa um bom tempo até conseguir virar a chave e sair dirigindo.

Seis

Fevereiro de 1974

Nota do editor, *Parallaxe* nº 84, pág. 5, inverno de 1974.

Caros leitores:

Cinco anos atrás, quando começamos nossas edições trimestrais de entrevistas com poetas pouco conhecidos, não pudemos prever o quanto se tornariam populares. Muitos de vocês pediram mais, e realmente suas entusiasmadas cartas abriram caminho para que essas edições se transformassem numa tradição anual da *Parallaxe*. Essas entrevistas se tornaram também as favoritas dos redatores da revista. Esses perfis levaram à descoberta, ou à redescoberta, de alguns poetas de valor e a uma necessária apreciação de seus trabalhos.

Infelizmente, uma sombra paira sobre a edição atual. A artista apresentada neste número é Nila Wahdati, uma poeta afegã entrevistada por Étienne Boustouler no inverno passado, na cidade de Courbevoie, perto de Paris. Como sabemos que todos vão concordar, Wahdati deu a Boustouler uma das entrevistas mais reveladoras, despojadas e francas que já publicamos. Com grande tristeza fomos informados de sua morte, pouco depois da realização da entrevista. Será uma grande ausência na comunidade dos poetas. Nila Wahdati deixa uma filha.

É IMPRESSIONANTE a sincronia. A porta do elevador se abre com um tinido no momento exato, precisamente quando o telefone começa a tocar. Pari consegue ouvir o toque porque está vindo do apartamento de Julien, que é bem em frente, no corredor mal iluminado e estreito, e por isso o mais próximo do elevador. Intuitivamente, ela sabe quem está ligando. Pela expressão de Julien, ele também.

Julien, que já entrou no elevador, diz: — Deixe tocar.

Ao seu lado encontra-se a mulher reservada e ruborizada do andar de cima. Observa Pari com impaciência. Julien a chama de *La chèvre*, por causa dos pelos no queixo parecidos com barba de bode.

— Vamos, Pari — diz. — Já estamos atrasados.

Julien fez reserva para as sete horas, em um novo restaurante no 16ème *arrondissement* que vem fazendo certo alarde com seu *poulet braise*, seu *sole cardinale* e fígado de vitela com vinagre de cereja. Vão se encontrar com Christian e Aurelie, velhos colegas de faculdade de Julien — dos tempos de estudantes, não de professor. Ficaram de se encontrar para os aperitivos às seis e meia, e já são seis e quinze. Ainda precisam andar até a estação, pegar o metrô até Muette, depois andar os seis quarteirões até o restaurante.

O telefone continua tocando.

A mulher-cabra tosse.

Julien diz, agora com mais firmeza: — Pari?

— Provavelmente é mamã — diz Pari.

— Sim. Estou sabendo.

De modo irracional, Pari imagina que mamã — com seu interminável talento para o drama — escolheu esse momento específico para ligar, como para obrigá-la a ter de fazer exatamente essa escolha. Entrar no elevador com Julien ou atender o telefone.

— Pode ser importante — diz ela.

Julien dá um suspiro.

Quando a porta do elevador se fecha, Julien se encosta na parede do corredor. Enfia as mãos nos bolsos do sobretudo, por um momento parecendo um personagem de um *policier* de Melville.

— É só um minuto — diz Pari.

Julien faz uma expressão cética.

O apartamento de Julien é pequeno. Com seis passos rápidos ela atravessa o vestíbulo, passa pela cozinha e senta na beira da cama do cubículo que usam como quarto. A vista, no entanto, é espetacular. Agora está chovendo, mas nos dias claros ela consegue ver quase até os 19ème e 20ème *arrondissements* pela janela da face leste.

— *Oui, allo?* — fala ao receptor.

Uma voz de homem responde: — *Bonsoir*. Mademoiselle Pari Wahdati?

— Quem está falando?

— É a filha da madame Nila Wahdati?

— Sim.

— Eu sou o dr. Delaunay. Estou ligando a respeito de sua mãe.

Pari fecha os olhos. Há um breve lampejo de culpa que logo é superado por um temor habitual. Já recebeu ligações desse tipo outras vezes, tantas que nem consegue mais contar, na época em que era adolescente e até antes — uma vez, na quinta série, estava no meio de um exame de geografia e o professor teve de fazer uma interrupção, andar com ela até o corredor e explicar num tom de voz cochichado o que havia acontecido. Eram ligações familiares a Pari, mas a repetição não eliminava sua preocupação a respeito delas. E em cada uma ela pensa que *é desta vez, esta é a vez*, e em todas as vezes sai correndo para ver mamã. Em suas preleções sobre economia, Julien dissera a Pari que, se ela cortasse o suprimento de atenção, talvez as exigências também cessassem.

— Sua mãe sofreu um acidente — diz o dr. Delaunay.

Pari está perto da janela ouvindo a explicação. Enrola e desenrola o fio do telefone nos dedos, enquanto o médico explica que a mãe está no hospital, a laceração na testa, as suturas, a injeção preventiva contra tétano, o tratamento com peróxido, antibióticos de uso tópico, os curativos. A memória de Pari a transporta para quando tinha dez anos, um dia em que voltou para casa da escola e encontrou vinte e cinco francos e um bilhete escrito à mão na mesa da cozinha. *Fui para a Alsácia com Marc. Você se lembra dele. Volto em dois dias. Seja uma boa garota. (Não fique acordada até tarde!) Je t'aime. Mamã.* Pari teve uma tremedeira na cozinha, olhos marejados, dizendo a si mesma que dois dias não seriam um grande problema, não era tanto tempo.

O médico está fazendo uma pergunta.

— Desculpe?

— Estou perguntando se *mademoiselle* virá para levar sua mãe para casa. O ferimento não é grave, entenda, mas é melhor ela não voltar para casa sozinha. Ou eu posso chamar um táxi.

— Não. Não precisa. Eu chego aí em meia hora.

Senta na cama. Julien vai ficar chateado e provavelmente constrangido também em relação a Christian e Aurelie, cujas opiniões parecem muito importantes para ele. Pari não quer sair no corredor e encarar Julien. Tampouco quer ir a Courbevoie e encarar a mãe. O que preferia fazer mesmo era deitar, ouvir o vento arremessando chuva no vidro até adormecer.

Acende um cigarro e não responde quando Julien entra no quarto atrás dela e pergunta: — Você não vem, não é?

TRECHO DE "PÁSSARO DO Afeganistão", uma entrevista com Nila Wahdati feita por Étienne Boustouler, *Parallaxe* nº 84, pág. 33, inverno de 1974.

EB: Então, pelo que entendo, você é meio afegã, meio francesa?
NW: Minha mãe era francesa. Sim. Era parisiense.
EB: Mas ela conheceu seu pai em Cabul. Você nasceu lá.
NW: Sim. Eles se conheceram em 1927. Durante um jantar formal no Palácio Real. Minha mãe estava acompanhando o pai dela, meu avô, que foi mandado a Cabul para assessorar o rei Amanullah em suas reformas. Já ouviu falar dele, do rei Amanullah?

Estamos na sala de estar do pequeno apartamento de Nila Wahdati, no trigésimo andar de um edifício residencial na cidade de Courbevoie, a noroeste de Paris. A sala é pequena, não muito iluminada e esparsamente decorada: um sofá estofado cor de açafrão, uma mesa de centro, duas estantes altas. Ela está de costas para a janela, que abriu para arejar a fumaça dos cigarros que acende continuamente.

Nila Wahdati declara ter quarenta e quatro anos. É uma mulher bastante atraente, talvez já distante do auge de sua beleza, mas não tanto. Maçãs do rosto altas e aristocráticas, pele bonita, cintura fina. Dona de olhos sagazes e sedutores e de um olhar penetrante sob o qual nos sentimos ao mesmo tempo avaliados, testados, encantados e manipulados. Continuam sendo, desconfio, uma formidável ferramenta de sedução. Não usa maquiagem, a não ser batom, com uma mancha que se desvia um pouco da linha dos lábios. Usa uma bandana na testa, blusa desbotada em cima de jeans, sem meias, sem sapatos. Embora sejam apenas onze da manhã, está se servindo de uma garrafa de Chardonnay em temperatura ambiente. Ela me ofereceu uma taça, mas eu declinei.

NW: Foi o melhor rei que eles já tiveram.
Considero a observação interessante pelo uso do pronome.
EB: Eles? Você não se considera afegã?
NW: Vamos dizer que me divorciei do meu lado mais problemático.
EB: Estou curioso quanto às suas razões para isso.
NW: Se ele tivesse sido bem-sucedido, quer dizer, o rei Amanullah, eu poderia ter uma resposta diferente para a sua pergunta.

Peço que ela explique.

NW: Entenda, ele acordou numa manhã, o rei, e proferiu seu plano de transformar o país, chutando e gritando se necessário, em uma nação nova e mais esclarecida. Por Deus! Chega de usar véus, declarou, por exemplo. Imagine, *monsieur* Boustouler, uma mulher sendo presa no Afeganistão por usar burca! E quando a esposa dele, a rainha Soraya, apareceu em público de rosto descoberto? *Oh lá lá.* Os engasgos encheram os pulmões dos mulás com uma quantidade de ar capaz de impulsionar milhares de dirigíveis Hindenburg. E acabou a poligamia, ele disse! Isso, entenda, num país onde os reis tinham legiões de concubinas e nem viam a maioria dos filhos que geravam de maneira tão frívola. De agora em diante, proclamou, nenhum homem pode obrigar uma mulher a se casar com ele. E chega de comprar noivas, bravas mulheres do Afeganistão, e chega de casamentos infantis, e tem mais: vocês todas vão para a escola.

EB: Então, ele era um visionário.

NW: Ou um louco. Sempre achei essa linha perigosamente tênue.

EB: O que aconteceu com ele?

NW: A resposta é tão vexaminosa quanto previsível, *monsieur* Boustouler. Jihad, é claro. Eles declararam uma Jihad contra ele, os mulás, os chefes tribais. Imagine mil punhos erguidos para o céu! O rei havia feito a terra se mover, mas estava cercado por um oceano de fanáticos, e você sabe muito bem o que acontece quando o leito do oceano estremece, *monsieur* Boustouler. Um tsunami de rebelião desabou sobre o pobre rei e o arrastou indefeso, se debatendo, até cuspi-lo nas praias da Índia, depois na Itália, e finalmente na Suíça, onde saiu da lama e morreu velho e desiludido no exílio.

EB: E o país que emergiu? Deduzo que não combinava muito com você.

NW: O contrário é igualmente verdade.

EB: Foi a razão de ter se mudado para a França em 1955.

NW: Eu me mudei para a França porque queria salvar minha filha de certo tipo de vida.

EB: Que tipo de vida seria esse?

NW: Não queria que se transformasse, contra sua vontade e natureza, numa daquelas tristes e diligentes mulheres fadadas a uma vida de servidão silenciosa, sempre com medo de fazer, dizer ou mostrar a coisa errada. Mulheres que são admiradas por alguns do Ocidente, aqui na França, por exemplo, transformadas em heroínas por causa da vida difícil, admiradas a distância por pessoas que não conseguiriam estar na pele delas nem por um dia. Mulheres que veem seus desejos suprimidos e seus sonhos desfeitos, e ainda assim — e isso é o pior de tudo, *monsieur* Boustouler — nós as vemos sorrindo e fingindo não estarem absolutamente frustradas. Como se tivessem vidas invejáveis. Mas quem olhar mais de perto vai ver o olhar indefeso, o desespero, e como isso desmente a aparência de bom humor. É bastante patético, *monsieur* Boustouler. Eu não queria isso para minha filha.

EB: Imagino que ela entenda isso?

Ela acende outro cigarro.

NW: Bem, os filhos nunca são o que se esperava deles, *monsieur* Boustouler.

NO PRONTO-SOCORRO, PARI é instruída por uma enfermeira mal-humorada a esperar no balcão de atendimento, perto de uma maca sobre rodas cheia de mapas e pranchetas. Pari se surpreende que existam pessoas que passam voluntariamente a juventude estudando para ter uma profissão que as traz a um lugar como esse. Não consegue entender. Ela odeia hospitais. Odeia ver pessoas em suas piores condições, aquele cheiro enjoativo, as padiolas rangendo, os corredores pintados de cores pardas, os incessantes chamados pelos alto-falantes.

O dr. Delaunay acaba se revelando o jovem que Pari imaginava. O nariz fino, a boca estreita e cabelos loiros cacheados. Leva Pari pelo pronto-socorro, passa por portas duplas de vaivém e chega à sala de atendimento.

— Quando sua mãe chegou, estava bastante embriagada — fala num tom confidencial. — Você não parece surpresa.

— Não estou.

— Você e várias enfermeiras da equipe. Disseram que ela é uma espécie de frequentadora daqui. Eu sou novo neste hospital e, claro, nunca tive o prazer de vê-la.

— Como ela está?

— Ela é bastante irascível — responde —, e diria também que muito teatral.

Os dois trocam um breve sorriso.

— Ela vai ficar bem?

— No curto prazo, sim — responde o dr. Delaunay. — Mas devo recomendar, e com bastante ênfase, que ela diminua a bebida. Ela teve sorte dessa vez, mas não se sabe o que pode acontecer numa próxima...

Pari concorda com a cabeça. — Onde ela está?

O médico volta com ela ao pronto-socorro e entra num corredor. — Leito 3. Já vou voltar com os papéis da alta.

Pari agradece e anda até o leito da mãe.

— *Salut*, mamã.

Mamã abre um sorriso cansado. O cabelo está desgrenhado, e as meias não combinam. A cabeça está envolta em gaze, e um fluido descolorido pinga numa cânula intravenosa espetada no braço esquerdo. Ela está usando o avental do hospital ao contrário, que não foi amarrado corretamente. O avental está um pouco aberto na frente, e Pari pode ver a linha vertical grossa e escura da velha cicatriz de cesariana da mãe. Já havia perguntado à mãe, alguns anos antes, por que a marca não era na horizontal, como costuma ser, e ela explicou que os médicos haviam dado alguma razão técnica na época de que não se lembrava mais. *A coisa importante*, falou, *é que eles trouxeram você para fora.*

— Eu arruinei a sua noite — murmura mamã.

— Acidentes acontecem. Eu vim levar você para casa.

— Eu poderia dormir por uma semana.

Os olhos se fecham sozinhos, mas ela continua falando de maneira indolente e arrastada: — Eu estava assistindo à TV. Senti fome. Fui até a cozinha pegar um pão com geleia. Escorreguei. Não sei bem como, nem por quê, mas caí e bati a cabeça na alça da porta do forno. Acho que devo ter desmaiado por um ou dois minutos. Sente-se, Pari. Você está muito alta aí em cima.

Pari se senta. — O médico disse que você estava bebendo.

Mamã abre meio olho. O número de suas consultas com médicos só era menor do que sua antipatia por eles. — Aquele garoto? Ele disse isso? *Le petit salaud*. O que ele sabe das coisas? O hálito dele ainda cheira às tetas da mãe.

— Você sempre faz piadas. Todas as vezes que eu falo desse assunto.

— Estou cansada, Pari. Você pode me dar bronca em outra hora. O poste de açoite não vai fugir.

Ela adormece. Roncando, pouco elegante, como só costuma fazer depois de uma bebedeira.

Pari senta num banquinho ao lado da cama, esperando o dr. Delaunay, imaginando Julien numa mesa mal iluminada, menu na mão, explicando a crise a Christian e Aurelie entre grandes goles de Bordeaux. Ele se ofereceu para vir junto ao hospital, mas de modo perfunctório. Era uma mera formalidade. De qualquer maneira, teria sido má ideia. Se o dr. Delaunay achou que já tinha visto encenações teatrais... Mesmo assim, mesmo que não viesse com ela, Pari preferia que Julien não tivesse ido ao jantar sem ela. Ainda está um pouco surpresa com a atitude dele. Poderia ter explicado a história a Christian e Aurelie. Poderia ter marcado para outra noite, mudado as reservas. Mas Julien tinha ido. Não foi simplesmente um descaso. Não. Houve má intenção nesse gesto, deliberada, cortante. Pari já sabe há algum tempo que ele é capaz dessas coisas. Ultimamente, tem se perguntado se ele não gosta disso.

Foi em um pronto-socorro não diferente desse que mamã conheceu Julien. Isso aconteceu dez anos atrás, em 1963, quando Pari tinha catorze anos. Ele estava acompanhando um colega com uma crise de enxaqueca. Mamã havia trazido Pari, a paciente daquela vez, que havia torcido gravemente o tornozelo durante a educação física na escola. Pari estava numa padiola quando Julien levou a cadeira para dentro do quarto e puxou conversa com mamã. Pari não consegue lembrar mais o que os dois conversaram. Lembra-se somente de Julien dizendo: — Paris, como a cidade? — E a conhecida resposta de mamã. — Não, sem o "s". Significa fada, em persa.

Os três se encontraram para jantar numa noite chuvosa uma semana depois, num pequeno bistrô perto do bulevar Saint-Germain. Ainda no apartamento, mamã deu um prolongado espetáculo de indecisão quanto ao que vestir, e afinal se decidiu por luvas de punho alto e sapatos *stiletto* de bico fino. E, mesmo depois de tudo isso, no elevador, ainda perguntou a Pari: — Não está muito Jackie, está? O que você acha?

Antes do jantar, eles fumaram, os três, e mamã e Julien tomaram cerveja em canecas grandes e geladas. Terminaram a primeira rodada, e Julien pediu uma segunda, e houve também uma terceira. Julien, de camisa branca, gravata e blazer xadrez, exibia modos corteses e controlados de um homem bem-educado. Sorria com facilidade e ria sem se esforçar. Tinha apenas umas mechas grisalhas nas têmporas, que Pari não havia notado na luz difusa do pronto-socorro, e ela estimou que a idade dele beirava a mesma que a de mamã. Ele estava bem informado sobre os eventos atuais, passou parte do tempo falando sobre o veto de De Gaulle à entrada da Inglaterra no Mercado Comum Europeu e, para surpresa de Pari, quase conseguiu tornar o assunto interessante. Só contou que havia começado a dar aulas de economia na Sorbonne quando mamã perguntou.

— Professor? Muito charmoso.

— Nada disso — respondeu. — Você devia assistir a uma aula qualquer dia. Vai curar logo essa sua ideia.

— Talvez eu faça isso.

Pari percebeu que mamã já estava um pouco bêbada.

— Talvez eu apareça qualquer dia. Para ver você em ação.

— Em ação? Nila, você *tem* de lembrar que eu ensino economia. Se vier, vai ver que meus alunos pensam que sou um panaca.

— Duvido.

Pari também duvidava. Imaginava que várias alunas de Julien queriam dormir com ele. Durante todo o jantar, tomou o cuidado de não ser surpreendida olhando para ele. Julien tinha o rosto saído de um antigo filme *noir*, um rosto para ser filmado em preto e branco, com sombras paralelas se cruzando, uma nuvem de fumaça de cigarro espiralando ao lado. Uma mecha de cabelos em forma de parêntese caía na testa, muito graciosa, talvez graciosa demais. Caso estivesse, de fato, pendurada ali casualmente, Pari notou que ele não se dera ao trabalho de arrumá-la.

Perguntou a mamã sobre a pequena livraria de que era dona e diretora. Era do outro lado do Sena, passando pela pont d'Arcole.

— Você tem livros sobre jazz?

— *Bah oui* — respondeu mamã.

A chuva lá fora chegou ao auge, e o bistrô estava mais animado. Quando o garçom serviu pãezinhos de queijo e espetinhos de presunto, seguiu-se uma longa discussão entre mamã e Julien sobre Bud Powell, Sonny Stitt, Dizzy Gillespie e, o favorito de Julien, Charlie Parker. Mamã disse a Julien que gostava mais do estilo da Costa Oeste, de Chet Baker e Miles Davis; ele já tinha ouvido "Kind of blue"? Pari ficou surpresa ao saber que mamã gostava *tanto* de jazz, que sabia falar sobre tantos músicos diferentes. Espantou-se, não pela primeira vez, com a desconcertante admiração infantil que sentia por ela, e pela perturbadora sensação de que realmente não conhecia bem a própria mãe. O que não a surpreendeu foi a sedução total que mamã exerceu sobre Julien sem se esforçar. Mamã estava em seu elemento. Nunca teve problema para comandar a atenção dos homens. Sabia como envolver os homens.

Pari observava mamã emitindo murmúrios divertidos, rindo das piadas de Julien, inclinando a cabeça enquanto enrolava distraidamente uma mecha de cabelo. Admirou-se mais uma vez com o quanto mamã era jovem e bonita, mamã que era somente vinte anos mais velha que ela. Os cabelos longos e escuros, os seios volumosos, os olhos intimidadores, e um semblante que cintilava com impressionantes traços clássicos, puros e aristocráticos. Pari se sentia ainda mais impressionada por não se parecer com mamã, com seus solenes olhos pálidos, o nariz comprido, o sorriso de dentes separados e os seios pequenos. Se tivesse alguma beleza, era de um tipo mais modesto e terreno. Estar ao lado da mãe sempre lembrava Pari que sua aparência era tramada com um tecido mais comum. Às vezes, era a própria mamã que a fazia lembrar esse detalhe, ainda que sempre disfarçado de um cavalo de Troia de elogios.

Dizia: *Você tem sorte, Pari. Não vai precisar se esforçar muito para ser levada a sério pelos homens. Eles vão prestar atenção em você. Beleza demais corrompe as coisas.* Ela ria. *Ah, veja bem. Não estou dizendo isso por experiência própria. Claro que não. É apenas uma observação.*

Está dizendo que não sou bonita.

Estou dizendo para você não querer ser bonita. Além do mais, você é graciosa, e isso é o bastante, je t'assure, ma chérie. *É até melhor.*

Pari também não se achava parecida com o pai. Era um homem alto, com a expressão séria, os lábios finos, o queixo pontudo e a testa alta. Pari tinha algumas fotos dele no quarto, tiradas na casa, em Cabul, em que passou a infância. O pai ficou doente em 1955 — quando mamã e ela se mudaram para Paris — e morreu pouco depois. Às vezes, Pari olhava uma de suas antigas fotos, em especial uma em preto e branco dos dois, ela e o pai, ao lado de um velho automóvel americano. Ele estava encostado no para-lama, com ela nos braços, os dois sorrindo. Lembrava-se de estar junto quando ele pintou girafas e macacos de rabo comprido na lateral de um armário. Deixou que ela colorisse um dos macacos, segurando sua mão, guiando suas pinceladas com a maior paciência.

Ver o rosto do pai naquelas fotos despertava uma antiga sensação em Pari, um sentimento que a acompanhava até onde sua memória alcançava. A sensação de que faltava alguma coisa em sua vida, ou alguém, fundamental para sua existência. Às vezes, era um sentimento vago, como uma mensagem de longa distância enviada por caminhos secundários, um sinal fraco no dial de um rádio, remoto, ruidoso. Outras vezes parecia mais clara, essa ausência, tão próxima e íntima que fazia seu coração disparar. Como daquela vez em Provence, dois anos antes, quando Pari viu um grande carvalho ao lado de uma casa de fazenda. Outra vez, no Jardim das Tulherias, ao ver uma jovem mãe puxando o filho num carrinho Red Flyer vermelho. Pari não compreendia. Certa vez, leu uma história sobre um turco de meia-idade que, de repente, mergulhou em profunda depressão quando o irmão gêmeo, que nunca soube que existia, sofreu um ataque cardíaco fatal durante uma excursão de canoa na floresta amazônica. Era o mais próximo que alguém havia chegado de ilustrar o que ela sentia.

Uma vez tinha conversado com mamã sobre isso.

Bem, não é exatamente um mistério, mon amour, explicou mamã. *Você sente falta de seu pai. Ele saiu de sua vida. É natural que se sinta dessa forma. Claro que é isso. Venha cá. Dê um beijo na mamã.*

A resposta da mãe era perfeitamente razoável, mas também insatisfatória. Pari acreditava que realmente se sentiria mais inteira se o pai ainda estivesse vivo, se estivesse ali com ela. Mas também se lembrava de se sentir assim ainda criança, morando com os pais no casarão de Cabul.

Pouco depois de terminado o jantar, mamã pediu licença para ir ao toalete, e Pari ficou alguns minutos sozinha com Julien. Conversaram sobre um filme que Pari havia assistido na semana anterior, em que Jeanne Moureau interpretava uma jogadora, falaram sobre a escola e sobre música também. Enquanto ela falava, Julien apoiava os cotovelos na mesa e se inclinava um pouco em sua direção, ouvindo com grande interesse, sorrindo ou franzindo o cenho, nunca afastando o olhar dela. É um show, Pari disse a si mesma, ele está fingindo. Uma atitude educada, algo que reserva para as mulheres, que optou por fazer no calor do momento, brincar com ela e se divertir à sua custa. Mesmo assim, sob aquele olhar insistente, não pôde deixar de sentir a pulsação mais rápida e um frio na barriga. De repente, estava falando num tom ridículo, falsamente requintado, que não tinha nada a ver com seu jeito normal de ser. Sabia o que estava fazendo, porém não conseguia parar.

Julien contou que já havia sido casado, mas por pouco tempo.

— É mesmo?

— Alguns anos atrás. Quando tinha trinta anos. Eu morava em Lyon na época.

O casamento foi com uma mulher mais velha. Não deu certo porque ela era muito possessiva. Julien não tinha revelado isso antes, quando mamã ainda estava à mesa. — Na verdade, era uma relação física — explicou. "*C'était complètement sexuelle*. E ela queria ser minha dona." Olhou para ela quando disse isso, com um pequeno sorriso subversivo, cautelosamente aferindo a reação provocada. Pari acendeu um cigarro e posou de experiente, como Bardot, como se aquilo fosse o tipo de coisa que os homens lhe dissessem o tempo todo. Mas tremia por dentro. Sabia que um pequeno ato de traição havia sido cometido à mesa. Algo um pouco ilícito, não totalmente inofensivo, mas inegavelmente excitante. Quando mamã retornou, com o cabelo recém-arrumado e uma nova camada de batom, rompeu-se o momento fugidio, e por um instante Pari lamentou a intromissão. E, por isso, foi imediatamente tomada pelo remorso.

Voltou a encontrar Julien mais ou menos uma semana depois. Era de manhã, e ela foi ao quarto de mamã com uma caneca de café. Encontrou-o sentado ao lado da cama de mamã, afivelando o relógio de pulso. Não sabia que ele havia passado a noite ali. Viu-o do corredor, por uma fresta na porta. Ficou enraizada naquele lugar, caneca na mão, sentindo a boca como se tivesse chupado uma pelota de lama seca, observando a pele imaculada das costas dele, a barriga levemente protuberante, a escuridão entre as pernas parcialmente encoberta pelo amontoado de lençóis amarrotados. Julien havia acabado de colocar o relógio e, então, pegou um cigarro na mesa de cabeceira, acendeu-o e casualmente virou o olhar para ela, como se soubesse o tempo todo que estava lá. Abriu um sorriso de boca fechada. Logo depois, mamã falou alguma coisa no chuveiro, e Pari deu meia-volta. Foi surpreendente que não tivesse se escaldado com o café.

Mamã e Julien namoraram mais ou menos seis meses. Iam muito ao cinema, a museus, a pequenas galerias de arte apresentando trabalhos de pintores iniciantes e ainda obscuros com nomes estrangeiros. Num fim de semana foram de carro à praia em Arcachon, perto de Bordeaux, e voltaram de rosto corado e com uma caixa de vinho tinto. Julien a levava a eventos acadêmicos na universidade, e mamã o convidava para palestras de escritores na livraria. Pari acompanhou os dois por um tempo — Julien a convidava, o que parecia agradar mamã —, mas logo começou a arranjar desculpas para ficar em casa. Não queria ir, não conseguia. Era insuportável. Dizia que estava muito cansada ou que não se sentia bem. Ia estudar na casa da amiga Collette, dizia. Amiga desde a segunda série, Collette era uma garota magra e irritadiça, com cabelos lisos e compridos e um nariz que parecia o bico de um corvo. Gostava de chocar as pessoas dizendo coisas escandalosas e ultrajantes.

— Aposto que ele está decepcionado — disse Collette. — Por você não sair com eles.

— Bem, se está, não demonstra.

— Ele não ia dar na vista, não é? O que sua mãe iria pensar?

— Sobre o quê? — perguntou Pari, apesar de já saber, é claro. Sabia, e o que desejava era ouvir alguém dizer.

— Sobre o quê? — O tom de Collette era malicioso, excitado. — Que ele está com ela para chegar a você. É isso que ele quer.

— Isso é nojento — disse Pari com um estremecimento.

— Ou talvez ele queira as duas. Talvez goste de uma multidão na cama. Nesse caso, eu pediria que você me recomendasse.

— Você é repugnante, Collette.

Às vezes, quando mamã e Julien saíam, Pari se despia e se olhava no grande espelho do corredor. Procurava defeitos no próprio corpo. Era muito desajeitado, pensava, alto demais, sem forma, muito... utilitária. Não havia herdado nada das encantadoras curvas da mãe. Às vezes, andava desse jeito, nua, até o quarto da mãe e deitava na cama onde sabia que mamã e Julien haviam feito amor. Pari ficava deitada, nua em pelo, os olhos fechados, coração batendo forte no peito, um *frisson* percorrendo a barriga e um pouco mais embaixo.

Acabou, é claro. Os dois terminaram, mamã e Julien. Pari sentiu-se aliviada, mas não ficou surpresa. Os homens sempre acabavam desapontando mamã. Sempre se mostravam desastrosamente abaixo dos ideais que ela usava como critério, fossem quais fossem. O que começava com exuberância e paixão acabava sempre com acusações fortes e palavras de ódio, com acessos de raiva, lágrimas e arremesso de utensílios de cozinha e colapso. Altos dramas. Mamã era incapaz de começar ou terminar um relacionamento sem excessos.

Depois vinha o previsível período em que mamã encontrava um gosto súbito pela solidão. Deitava-se na cama com um velho casaco de inverno em cima do pijama, uma figura cansada, doída, triste. Pari sabia que era melhor deixá-la sozinha. Suas tentativas de consolo e companheirismo não eram bem recebidas. Durava semanas, esse espírito emburrado. Com Julien, durou consideravelmente mais.

Ah, merde! — diz mamã no leito.

Ela está sentada na cama, ainda com a roupa do hospital. O dr. Delaunay já entregou os papéis de alta a Pari, e a enfermeira está retirando a cânula do braço de mamã.

— O que foi?

— Acabo de lembrar. Tenho uma entrevista daqui a dois dias.

— Uma entrevista?

— Um artigo para uma revista de poesia.

— Que maravilha, mamã.

— O artigo vai sair com uma foto. — Aponta as suturas na testa.

— Você vai arranjar um jeito elegante de esconder isso — diz Pari.

Mamã suspira, olha para o outro lado. Quando a enfermeira puxa a agulha, mamã faz uma careta e diz alguma coisa indelicada e despropositada.

De "Pássaro do Afeganistão", uma entrevista com Nila Wahdati, por Étienne Boustouler, *Parallaxe* nº 84, pág. 36, inverno de 1974.

Olho ao redor do apartamento mais uma vez, e me chama a atenção uma fotografia emoldurada numa prateleira da estante. É de uma garotinha agachada num campo de arbustos silvestres, totalmente absorvida no ato de pegar alguma coisa, talvez alguma frutinha. Está usando um casaco amarelo brilhante, abotoado até o pescoço, contrastando com o céu encoberto acima. No fundo, há uma casa de fazenda de pedra com cortinas fechadas e telhas desgastadas. Pergunto sobre a foto.

NW: É Pari, minha filha. Como a cidade, mas sem "s". Quer dizer fada. Essa foto é de uma viagem que fizemos à Noruega, nós duas. Em 1957, acho. Ela devia ter oito anos.
EB: Ela mora em Paris?
NW: Estuda matemática na Sorbonne.
EB: Você deve se sentir orgulhosa.

Ela sorri e dá de ombros.

EB: Uma surpreendente escolha de carreira, já que você se dedica às artes.
NW: Não sei onde ela arranjou essa vocação. Todas aquelas fórmulas e teorias incompreensíveis. Imagino que não sejam incompreensíveis para ela. Eu mesma mal sei multiplicar.
EB: Talvez seja o jeito de ela se rebelar. Você deve entender um pouco de rebeldia, imagino.
NW: Sim, mas eu me rebelei da maneira certa. Bebendo, fumando e arranjando amantes. Quem se rebela com matemática?

Ela ri.

NW: Além do mais, ela seria a típica rebelde sem causa. Sempre dei a ela toda a liberdade possível. Não tem mais o que desejar, a minha filha. Não falta nada. Está morando com alguém. Bem mais velho. Absolutamente encantador, culto, engraçado. Um tremendo narcisista, é claro. Um ego do tamanho da Polônia.

EB: Você não aprova.

NW: O fato de eu aprovar ou não é irrelevante. Estamos na França, *monsieur* Boustouler, não no Afeganistão. Os jovens não vivem nem morrem pelo carimbo da aprovação paterna.

EB: Então sua filha não tem ligações com o Afeganistão?

NW: Quando saímos de lá ela estava com seis anos. Tem uma lembrança limitada do que viveu no país.

EB: Mas não é o seu caso, é claro.

Peço para ela me falar sobre sua vida pregressa.

Ela pede licença e sai da sala por um momento. Quando volta, me entrega uma velha fotografia amarrotada, em preto e branco. Um homem pesado e de expressão severa, de óculos, cabelo brilhante e penteado com um repartido impecável. Sentado atrás de uma escrivaninha, lendo um livro. Usando um terno de lapelas pontudas, estilo jaquetão, camisa branca de colarinho alto e gravata-borboleta.

NW: Meu pai. 1929. O ano em que eu nasci.

EB: Parece bem distinto.

NW: Fazia parte da aristocracia pashtun em Cabul. Muito culto, modos irretocáveis, adequados para a vida em sociedade. Um grande contador de histórias também. Pelo menos em público.

EB: E em particular?

NW: Não quer tentar adivinhar, *monsieur* Boustouler?

Pego a foto e olho de novo.

EB: Distante, eu diria. Severo. Inescrutável. Intransigente.
NW: Realmente, devo insistir para que me acompanhe numa taça de vinho. Eu detesto, não, eu odeio beber sozinha.

Serve uma taça de Chardonnay. Eu tomo um gole, por delicadeza.

NW: Ele tinha mãos frias, meu pai. Não importava o clima. As mãos estavam sempre frias. E ele sempre usava terno, não importava o clima. Corte impecável, vincos perfeitos. E chapéu também. E polainas, é claro, de duas cores. Era bonito, acho, ainda que de modo solene. E — como só vim a entender muito mais tarde — artificial, ligeiramente ridículo, fingindo ser europeu, que se realizava com jogos semanais de boliche e polo na grama e tinha uma cobiçada esposa francesa, tudo para ganhar a aprovação do jovem rei progressista.

Observa as unhas e não diz nada por algum tempo. Eu tiro a fita do meu gravador.

NW: Meu pai dormia num quarto, minha mãe e eu em outro. A maior parte dos dias ele saía para almoçar com ministros e assessores do rei. Ou então estava cavalgando, jogando polo ou caçando. Ele adorava caçar.
EB: Quer dizer que você não o via muito. Era uma figura ausente.
NW: Não totalmente. Ele estabeleceu que, a cada dois dias, passaria alguns minutos comigo. Entrava no quarto e sentava na cama, e era um sinal para eu subir no colo dele. Ficava me balançando nos joelhos por algum tempo, nenhum dos dois falava muita coisa, até ele finalmente dizer: bem, agora já chega, Nila. Às vezes, me deixava tirar o lenço do bolso dele e dobrar. Claro que eu só fazia uma bola e enfiava de novo no bolso, e ele fingia uma expressão divertida e surpresa, que eu achava muito engraçada. E continuávamos fazendo aquilo até ele cansar, o que acontecia logo. E

então ele acariciava meu cabelo com as mãos frias e dizia: "Agora papa precisa ir embora, minha gazelinha. Vamos saindo".

Ela leva a fotografia de volta para o outro cômodo e retorna, pega um novo maço de cigarros na gaveta e acende um.

NW: Foi o apelido que ele me deu. Eu adorava. Costumava sair galopando pelo jardim, nós tínhamos um jardim muito grande, cantando "Eu sou a gazelinha do papai! Eu sou a gazelinha do papai!". Só mais tarde entendi o quanto aquele apelido era sinistro.
EB: Como assim?

Ela sorri.

NW: Meu pai caçava veados, *monsieur* Boustouler.

ELAS PODERIAM TER ANDADO os poucos quarteirões até o apartamento de mamã, mas a chuva havia aumentado bastante. No táxi, mamã estava encolhida no banco traseiro, enrolada na capa de chuva de Pari, olhando pela janela sem dizer nada. Nesse instante Pari acha que a mãe está velha, bem mais do que seus quarenta e quatro anos. Velha, frágil e magra.

Já há algum tempo Pari não vai ao apartamento de mamã. Quando abre a porta e as duas entram, Pari encontra a bancada da cozinha abarrotada de taças de vinho usadas, sacos de batatas fritas abertos e macarrão cru, bandejas com pedaços de comida irreconhecível e fossilizada. Vê um saco de papel cheio de garrafas de vinho vazias em cima da mesa numa posição precária, quase tombando. Pari nota jornais no chão, algumas folhas empapadas de sangue do ferimento, e uma única meia de lã cor-de-rosa. Pari se assusta ao constatar que mamã está morando num local nesse estado. E se sente culpada também. O que, conhecendo mamã, deve ter sido o efeito pretendido. Depois odeia ter tido esse último pensamento. É o tipo de coisa que Julien pensaria. *Ela quer que você se sinta mal.* Ele disse isso a ela diversas vezes no último ano. *Ela quer que você se sinta mal.* Quando ele disse isso pela primeira vez, Pari se sentiu aliviada, compreendida. E estava agradecida por Julien articular o que ela não conseguia, ou não queria. Achou que havia encontrado um aliado. Mas depois pensou melhor a respeito. E agora percebe naquelas palavras um vislumbre de maldade. Uma inquietante falta de bondade.

O chão do quarto está forrado de peças de roupas, discos, livros, mais jornais. No peitoril da janela há meio copo cheio de água amarelada, com pontas de cigarro flutuando. Afasta livros e revistas velhas da cama e ajuda mamã a se enfiar embaixo das cobertas.

Mamã olha para ela, as costas de uma das mãos descansando na testa enfaixada. A pose faz com que pareça uma atriz de filme mudo prestes a desmaiar.

— Você vai ficar bem, mamã?

— Acho que não — responde. Não soa como se estivesse apenas chamando atenção. Mamã diz isso numa voz sem emoção, entediada. Parece cansada, sincera e incontestável.

— Você está me deixando preocupada, mamã.

— Você já está indo?

— Você quer que eu fique?

— Quero.

— Então eu fico.

— Apague a luz.

— Mamã?

— Sim.

— Você está tomando os remédios? Ou parou? Acho que parou, e isso me preocupa.

— Não comece essa lenga-lenga comigo. Apague essa luz.

Pari obedece. Senta na beira da cama e vê a mãe adormecer. Depois vai à cozinha, para começar a formidável tarefa de limpar tudo. Encontra um par de luvas e começa pelos pratos. Lava copos recendendo a leite azedado havia muito, cuias incrustadas de velhos cereais, pratos de comida com nódoas felpudas e esverdeadas de fungos. Lembra-se da primeira vez em que lavou pratos no apartamento de Julien, na manhã seguinte a terem dormido juntos pela primeira vez. Julien havia preparado uma omelete. Como ela gostou daquela tarefa simples e doméstica, lavar pratos na pia enquanto ele punha uma canção de Jane Birkin no toca-discos.

Pari o havia reencontrado um ano antes, em 1973, depois de quase uma década. Viram-se por acaso numa manifestação de rua, na frente da embaixada do Canadá, um protesto estudantil contra a caça às focas. Ela não queria ir, precisava terminar um trabalho sobre funções meromórficas, mas Collette insistiu. Na época, as duas moravam juntas, num arranjo que se mostrava cada vez mais desagradável para ambas. Agora Collette estava fumando maconha. Usava bandanas na cabeça e túnicas largas estampadas com pássaros e margaridas na cor magenta. Trazia para casa garotos desgrenhados, de cabelos compridos, que consumiam a comida de Pari e tocavam violão muito mal. Collette protestava sempre em manifestações de rua, denunciando a crueldade contra animais, o racismo, a escravidão, os testes nucleares da França no Pacífico. Havia sempre um alvoroço de urgência no apartamento, pessoas que Pari não conhecia entrando e saindo. E, quando estavam sozinhas, Pari sentia uma tensão entre elas, um ar de superioridade em Collette, uma atitude de censura silenciosa nela mesma.

— Eles estão mentindo — disse Collette com convicção. — Dizem que usam métodos humanos. Humanos! Você já viu o que eles usam para bater na cabeça delas? Aqueles tacapes? Na metade das vezes, o pobre animal ainda nem morreu, e os canalhas já estão enfiando os ganchos para arrastá-lo até o barco. Eles esfolam as focas vivas, Pari. Vivas! A maneira como Collette disse a última frase, a forma como a enfatizou, fez Pari ter vontade de pedir desculpas. Pelo quê, ela não sabia bem, mas sabia que naqueles tempos sentia um aperto no coração perto de Collette e de suas muitas repreensões e ofensas.

Somente umas trinta pessoas apareceram. Houve um boato de que Brigitte Bardot estaria lá, mas acabou sendo apenas isso, um boato. Collette estava desapontada com o resultado. Teve uma discussão agitada com um jovem magro, pálido e de óculos chamado Eric, que, Pari deduziu, era o encarregado de organizar a passeata. Pobre Eric. Pari sentiu pena. Ainda furiosa, Collette tomou a liderança. Pari seguiu arrastando os pés nas filas de trás, perto de uma garota de seios achatados que gritava slogans com uma espécie de entusiasmo nervoso. Pari manteve os olhos no chão, tentando fazer o possível para não se destacar.

De repente, numa esquina, um homem tocou em seu ombro.

— Você parece muito a fim de ser resgatada.

Julien estava com um paletó de tweed em cima de um suéter, jeans e um cachecol de lã. O cabelo estava mais comprido, e ele parecia um pouco mais velho, mas de maneira elegante, de modo que algumas mulheres da mesma idade considerariam injusto e irritante. Continuava esbelto e em forma, com alguns pés de galinha e um pouco mais grisalho nas têmporas, e só uma leve expressão de cansaço no rosto.

— Estou mesmo — concordou ela.

Os dois se beijaram no rosto, e ela aceitou quando Julien a convidou para tomar um café.

— Sua amiga parece brava. Com uma fúria homicida.

Pari olhou para trás e viu Collette ao lado de Eric, ainda cantando e brandindo o punho, mas, absurdamente, sem tirar os olhos dela e de Julien. Pari reprimiu uma risada — que teria provocado consequências irreparáveis. Deu de ombros como se desculpando e se afastou.

Foram a uma pequena cafeteria e sentaram-se a uma mesa perto da janela. Ele pediu café para os dois e um *mille-feuille* para cada um. Pari notou que ele falava com o garçom com o mesmo tom de autoridade cordial de que se lembrava tão bem, experimentando a mesma agitação nas vísceras que sentia quando garota e ele vinha buscar mamã para sair. De repente, sentiu-se muito autoconsciente de suas unhas roídas, do rosto sem maquiagem, do cabelo com o ondulado escorrido — agora gostaria de ter usado o secador, mas já estava atrasada quando saiu do banho e Collette não parava de andar de um lado para o outro como um animal de zoológico.

— Não sabia que você era do tipo contestador — observou Julien, acendendo o cigarro dela.

— Não sou. Aquilo era mais por culpa do que por convicção.

— Culpa? Por causa da caça às focas?

— Por causa de Collette.

—Ah, sim. Sabe que eu acho que também tenho um pouco de medo dela?

— Todo mundo tem.

Deram risada. Julien estendeu o braço, roçou no lenço dela e deixou a mão cair. — Seria muito batido dizer que você se tornou adulta, por isso não vou dizer. Mas você está muito bonita, Pari.

Ela mexeu na lapela da capa de chuva. — Nesse traje de detetive Clouseau? — Collette havia observado que era um hábito estúpido, essa palhaçada autodepreciativa com que Pari tentava mascarar seu nervosismo diante de homens pelos quais se sentia atraída. Principalmente quando era elogiada. Não pela primeira vez, e muito menos pela última, invejou a atitude natural e segura de mamã.

— Daqui a pouco você vai dizer que eu tenho a quem puxar — comentou.

— *Ah, non*. Por favor. É óbvio demais. Elogiar uma mulher é uma arte, você sabe.

— Não. Mas com certeza você sabe.

O garçom trouxe o café e os doces. Pari se concentrou nas mãos do garçom enquanto ele arrumava os pratos e as xícaras na mesa, sentindo as palmas das próprias mãos molhadas de suor. Só tivera quatro namorados na vida — um número modesto, ela sabia, se comparado à mamã na idade dela, ou até mesmo a Collette. Pari era muito cuidadosa, muito racional, cordata e adaptável, no geral mais firme e menos cansativa que mamã ou Collette. E não tinha amado nenhum namorado, embora tenha mentido e dito que amava, e quando estava com eles pensava em Julien, naquele rosto bonito que parecia brilhar com luz própria.

Enquanto comiam, conversaram sobre o trabalho dele. Contou que havia parado de ensinar um tempo atrás. Que trabalhou alguns anos em investimentos e sustentabilidade para o FMI. A melhor parte havia sido as viagens, explicou.

— Para onde?

— Jordânia, Iraque. Depois fiquei uns dois anos escrevendo um livro sobre economia informal.

— Foi publicado?

— Existem alguns boatos. — Sorriu. — Agora trabalho numa empresa de consultoria, aqui em Paris.

— Eu também quero viajar — disse Pari. — Collette vive dizendo que devíamos ir ao Afeganistão.

— Acho que sei por que *ela* gostaria de ir.

— Bem, temos pensado a respeito. Em ir até lá, quero dizer. Não estou interessada em haxixe, mas gostaria de viajar pelo país, conhecer o lugar onde nasci. Talvez encontrar a antiga casa em que morei com meus pais.

— Não tinha percebido essa compulsão em você.

— Eu me sinto curiosa. Quer dizer, me lembro de tão pouco.

— Acho que uma vez você falou algo sobre um cozinheiro da família.

Por dentro, Pari sentiu-se lisonjeada por Julien se lembrar de algo que ela dissera tantos anos atrás. Então, ele deve ter pensado nela, naquele período. Devia estar com ela na cabeça.

— Sim. O nome dele era Nabi. Também era o chofer. Dirigia o carro do meu pai, um automóvel americano grande, azul com a capota marrom. Lembro que tinha uma águia no capô.

Depois Julien perguntou sobre os estudos, e ela contou sobre sua predileção por variáveis complexas. Ele ouviu de maneira que mamã nunca fizera, pois mamã sempre parecia entediada com o assunto, atônita com a paixão de Pari por aquilo. Mamã jamais conseguia fingir interesse. Fazia piadas bem-humoradas que, aparentemente, satirizavam sua própria ignorância. *Oh là là*, dizia, sorrindo. *Minha cabeça está girando como um totem! Vamos fazer um acordo, Pari. Eu sirvo um chá, e você volta ao nosso planeta,* d'accord? Mamã dava risada, e Pari fazia piadas, mas sentia uma ponta de aspereza naquelas piadas, uma espécie de reprimenda indireta, uma insinuação de que seu conhecimento poderia ser considerado esotérico, e seu pensamento, frívolo. Frívolo. O que era engraçado, vindo de uma poeta, pensava Pari, mas nunca falou sobre isso para a mãe.

Julien perguntou o que ela via na matemática, e Pari respondeu que era um lugar seguro.

— Eu poderia dizer que "assustador" seria um adjetivo mais adequado — observou ele.

— É isso também.

Pari explicou que era um alívio constatar a permanência das verdades matemáticas, a falta de arbitrariedades e a ausência de ambiguidade. Em saber que as respostas podem ser evasivas, mas que podiam ser encontradas. Estavam lá, esperando, a um rabisco de giz de distância.

— Nada parecido com a vida, em outras palavras — comentou ele. — Na vida, são perguntas confusas ou que não têm resposta.

— Eu sou assim tão transparente? — Riu e escondeu o rosto com um guardanapo. — Estou falando como uma idiota.

— De jeito nenhum — contestou ele. Removeu o guardanapo. — De jeito nenhum.

— Como os seus alunos. Eu devo falar igual aos seus alunos.

Julien fez mais perguntas, que indicaram a Pari que ele tinha algum conhecimento de teoria analítica dos números e sabia sobre Carl Gauss e Bernhard Riemann, pelo menos por alto. Ficaram conversando até o céu escurecer. Tomaram café, depois cerveja, o que levou ao vinho. Afinal, quando não podia mais ser adiado, Julien inclinou-se um pouco e perguntou, num tom educado e respeitoso: — Diga como está Nila.

Pari estufou as bochechas e deixou o ar sair lentamente.

Julien aquiesceu, entendendo.

— Ela pode perder a livraria.

— Sinto muito por isso.

— Os negócios vêm caindo há anos. Talvez precise fechar a livraria. Ela não admite, mas isso seria um golpe. Seria difícil.

— Ela está escrevendo?

— Não tem escrito, não.

Julien mudou logo de assunto. Pari sentiu-se aliviada. Não queria falar sobre mamã, sobre seu hábito de beber, sobre a luta para fazê-la continuar tomando seus remédios. Pari se lembrava dos olhares constrangidos, todas as vezes em que ficaram sozinhos, ela e Julien, mamã se vestindo no quarto ao lado, Julien observando Pari, e ela tentando pensar em algo a dizer. Mamã deve ter percebido isso. Teria sido essa a razão de ter terminado com Julien? Se essa era a verdade, Pari desconfiava que ela havia feito isso mais como namorada ciumenta do que como mãe protetora.

Algumas semanas depois, Julien convidou Pari para morar com ele, num pequeno apartamento na Rive Gauche, no 7ème *arrondissement*. Pari aceitou. A agressividade espinhosa de Collette havia tornado insuportável a atmosfera do apartamento que dividiam.

Pari se lembra do primeiro domingo que passou com Julien no apartamento dele. Estavam recostados no sofá, um junto do outro. Pari encontrava-se num agradável estado de sonolência e Julien tomava chá, as pernas compridas apoiadas na mesa de centro, lendo um artigo opinativo na última página do jornal. Jacques Brel soava no toca-discos. De vez em quando, Pari mexia no peito dele, e Julien abaixava a cabeça para dar um beijo em sua pálpebra, na orelha, ou no nariz.

— Nós precisamos contar a mamã.

Sentiu que ele enrijeceu. Dobrou o jornal, tirou os óculos de leitura e os colocou no braço do sofá.

— Ela precisa saber.

— Acho que sim — concordou ele.

— Você acha?

— Não, claro. Você tem razão. Você devia falar com ela. Mas tenha cuidado. Não peça permissão ou as bênçãos dela, pois não vai conseguir nenhuma das duas coisas. Só conte para ela. Deixe claro que não se trata de uma negociação.

— Para você é fácil falar.

— É, talvez. Mas não esqueça que Nila é uma mulher vingativa. Sinto muito dizer isso. Mas foi o motivo de nossa separação. Ela é surpreendentemente vingativa. Por isso estou dizendo que não vai ser fácil para você.

Pari suspirou e fechou os olhos. Só de pensar sentia um aperto no estômago.

Julien acariciou as costas dela com a palma da mão. — Não seja muito escrupulosa.

Pari telefonou para a mãe no dia seguinte. Ela já sabia.

— Quem contou para você?

— Collette.

É claro, pensou Pari. — Eu ia contar.

— Eu sei que ia. Está contando. Não pode ficar escondida, uma coisa como essa.

— Você está chateada?

— Faz alguma diferença?

Pari estava perto da janela. Distraidamente, contornou a borda azul do velho e surrado cinzeiro de Julien com o dedo. Fechou os olhos. — Não, mamã. Não faz.

— Então, eu gostaria de dizer que *não* me magoou.

— Eu não queria fazer isso.

— Acho que isso é altamente discutível.

— Por que eu iria querer magoar você, mamã?

Mamã riu. Um som oco, feio.

— Às vezes, eu olho e não me vejo em você, Pari. É claro que não. Imagino que não deveria ser uma surpresa, afinal. Não sei que espécie de pessoa você é. Não sei quem você é, do que o seu sangue é capaz. Você é uma estranha para mim.

— Não estou entendendo o que está dizendo, mamã.

Mas a mãe já havia desligado.

Trecho de "Pássaro do Afeganistão", uma entrevista com Nila Wahdati feita por Étienne Boustouler, *Parallaxe* nº 84, pág. 33, inverno de 1974.

EB: Você aprendeu francês aqui?

NW: Minha mãe me ensinou em Cabul, quando eu era pequena. Ela só falava em francês comigo. Tínhamos aula todos os dias. Foi muito difícil para mim quando ela saiu de Cabul.

EB: Para vir à França?

NW: Sim. Meus pais se divorciaram em 1939, quando eu tinha dez anos. Eu era a filha única do meu pai. Ele jamais me deixaria vir com ela. Por isso fiquei lá, e ela veio a Paris morar com a irmã, Agnes. Meu pai tentou compensar minha perda me ocupando com um professor particular, com aulas de equitação e de arte. Mas nada substitui uma mãe.

EB: O que aconteceu com ela?

NW: Ah, ela morreu. Quando os nazistas invadiram Paris. Mas não foram eles que mataram minha mãe. Eles mataram Agnes. Minha mãe morreu de pneumonia. Meu pai só me contou quando os Aliados libertaram Paris, mas eu já sabia. Por alguma razão eu sabia.

EB: Deve ter sido difícil.

NW: Foi devastador. Eu adorava minha mãe. Tinha planos de morar com ela na França depois da guerra.

EB: Suponho que isso signifique que você não se dava bem com seu pai.

NW: Havia uma tensão entre nós. Discutíamos. Muito, o que era novidade para ele. Não estava acostumado a ser contestado, muito menos por uma mulher. Tínhamos brigas por causa do que eu vestia, aonde eu ia, do que dizia, como dizia, para quem dizia. Eu tinha me tornado uma pessoa ousada e aventureira, e ele ficou ainda mais ascético e emocionalmente austero. Acabamos nos tornando opositores naturais.

Ela abre um pequeno sorriso e aperta o nó do turbante preso à nuca.

NW: Depois, eu dei de me apaixonar. Com frequência, desesperadamente e, para horror do meu pai, pelos homens errados. Uma vez foi o filho de um caseiro, outra vez um funcionário público de baixo escalão que cuidava de alguns negócios de meu pai. Paixões loucas e caprichosas, todas elas, condenadas desde o início. Eu marcava encontros clandestinos e fugia de casa, e, claro, alguém informava meu pai que eu tinha sido vista na rua em algum lugar. Diziam que eu estava cabriolando. Sempre definiam assim, cabriolando. Ou, então, diziam que eu estava me exibindo. Meu pai precisava mandar uma expedição de busca para me trazer de volta. E me deixava trancada. Durante dias. Costumava dizer, do outro lado da porta: *Você está me humilhando. Por que você me humilha tanto? O que eu vou fazer com você?* Às vezes, ele respondia essa pergunta com o cinto, ou com um punho fechado. Me perseguia pelo quarto. Imagino que achava que podia me assustar e me subjugar. Eu escrevia muito na época, longos e escandalosos poemas de amor adolescente. Receio que muito melodramáticos e histriônicos. Pássaros engaiolados e amores acorrentados e coisas assim. Não sinto orgulho deles.

Sinto uma falsa modéstia que não é característica de Nila, portanto só posso deduzir que faz uma avaliação honesta de seus primeiros poemas. Se for isso, trata-se de uma brutalidade imperdoável. Suas poesias desse período são excelentes, mesmo traduzidas, especialmente se considerarmos a idade em que foram escritas. São comoventes, ricas de emoção e de visões, são imagéticas e cheias de graça narrativa. Tratam de um lindo modo de solidão e de uma tristeza irrefreável. Fazem uma crônica de suas decepções, os altos e baixos do amor jovem em toda a sua radiância, suas promessas e armadilhas. E há uma recorrente sensação de claustrofobia transcendente, de um horizonte se fechando, e sempre a vontade de lutar contra a tirania da circunstância — em geral, retratada na forma de uma sinistra figura masculina sem nome que paira ao redor. Uma alusão não pouco sutil ao pai é o que se depreende dos poemas. Digo tudo isso a ela.

EB: Você criou esses poemas a partir do ritmo, da rima e da métrica que creio pertencerem integralmente à poesia persa clássica. Você faz uso de uma imagética livre e fluente. Amplia detalhes aleatórios e mundanos. Foi uma grande inovação, no meu entender. Não seria justo dizer que, se tivesse nascido num país mais rico — digamos, no Irã —, você seria mais reconhecida como uma pioneira literária?

Ela abre um sorriso distorcido.

NW: Imagine.
EB: De qualquer forma, fiquei muito impressionado com o que você disse antes. Que não se orgulha desses poemas. Você gosta de algum trabalho seu?

NW: É uma pergunta espinhosa, essa. Acho que responderia no afirmativo, se ao menos conseguisse distanciar meu trabalho do próprio processo criativo.

EB: Você quer dizer separar o fim dos meios.

NW: Eu vejo o processo criativo como um empreendimento necessariamente desonesto. Aprofunde-se num lindo texto escrito, *monsieur* Boustouler, e vai encontrar todos os tipos de desonra. Criar significa vandalizar a vida de outras pessoas, transformando-as em participantes involuntários e inconscientes. Nós roubamos desejos alheios, seus sonhos, embolsamos seus defeitos. Pegamos o que não nos pertence. E fazemos isso conscientemente.

EB: E você era muito boa nisso.

NW: Eu fazia isso não pelo amor a alguma grandiosa noção de arte, mas porque não tinha escolha. A compulsão era forte demais. Se não me rendesse a ela, eu perderia o juízo. Você pergunta se me orgulho. Acho difícil alardear uma coisa obtida pelo que sei serem meios moralmente questionáveis. Deixo a decisão de dar palpites, ou não, para os outros.

Esvazia a taça de vinho, volta a enchê-la com o que resta na garrafa.

NW: O que posso dizer, no entanto, é que ninguém me elogiava em Cabul. Ninguém, lá, me considerava uma pioneira de qualquer coisa, a não ser de mau gosto, deboche e caráter imoral. Entre eles, meu pai, principalmente. Dizia que meus textos eram resmungos de uma puta. Usava exatamente essa palavra. Dizia que eu o traía. Vivia me perguntando por que eu achava tão difícil ser respeitável.

EB: E como você respondia?

NW: Dizia que não me importava com a noção que ele tinha de respeitabilidade. Dizia que não queria botar a coleira em torno do próprio pescoço.

EB: Imagino que isso só o desagradasse ainda mais.

NW: Naturalmente.

Hesito antes de dizer o que vem a seguir.

EB: Mas eu entendo a raiva dele.

Ela ergue uma sobrancelha.

EB: Ele era um patriarca, não era? E você era uma ameaça direta a tudo o que ele conhecia, tudo o que prezava. Requisitava de certa forma, com sua vida e seus escritos, novos limites para as mulheres, para mulheres que têm o que dizer sobre seu próprio papel, para chegar a um legítimo culto de si mesma. Você estava confrontando o monopólio que homens como ele mantêm há eras. Estava dizendo o que não podia ser dito. Pode-se dizer que estava liderando uma revolução de uma mulher só.
NW: E todo esse tempo eu achei que estava escrevendo sobre sexo.
EB: Mas em parte também é isso, não é?

Folheio minhas anotações e menciono alguns dos poemas mais ostensivamente eróticos, "Espinhos", "Somente a espera", "O travesseiro". Confesso também que estão entre os meus favoritos. Observo que lhes faltam nuance e ambiguidade. Passam a impressão de ter sido criados com o único objetivo de chocar e escandalizar. Me parecem polêmicos, como acusações contra os papéis dos sexos no Afeganistão.

NW: Bom, eu *estava* zangada. Zangada por ter de me proteger contra o sexo. De precisar ser protegida do próprio corpo. Porque eu era mulher. E as mulheres, sabe, são imaturas emocional, moral e intelectualmente. Não têm autocontrole, são vulneráveis a qualquer tentação física. São criaturas hipersexuais, que devem ser contidas para não ir para a cama com qualquer Ahmad ou Mahmood.

EB: Mas — desculpe dizer isso — foi exatamente o que você fez, não?
NW: Como um protesto exatamente contra essa ideia.

Ela tem uma risada deliciosa, cheia de malícia e apurada pela inteligência. Pergunta se quero almoçar. Diz que a filha reabasteceu a geladeira recentemente e prepara o que vem a ser um excelente sanduíche de *jambon fumé*. Prepara só um. Para si mesma, abre outra garrafa de vinho e acende outro cigarro. Volta a se sentar.

NW: Você concorda, pelo bem dessa conversa, que devemos permanecer em bons termos, *monsieur* Boustouler?

Eu digo que sim.

NW: Então, me faça dois favores. Coma o seu sanduíche e pare de olhar para a minha taça.

Desnecessário dizer, isso preventivamente elimina qualquer impulso que eu poderia ter de perguntar sobre a bebida.

EB: E o que aconteceu depois?
NW: Em 1948, eu fiquei doente, quando tinha quase dezenove anos. Fiquei gravemente doente, e vamos parar por aqui. Meu pai me levou até Nova Délhi para tratamento. Permaneceu seis semanas comigo, enquanto os médicos cuidavam de mim. Me disseram que eu poderia morrer. Talvez tivesse sido melhor. Morrer pode ser muito bom para a carreira de uma jovem poeta. Quando voltamos, eu estava fraca e retraída. Não conseguia escrever. Pouco me interessava por comida, conversas ou entretenimento. Fiquei avessa a visitas. Só queria dormir o dia inteiro com as cortinas fechadas, todos os dias. Foi o que fiz, basicamente. Afinal, acabei saindo da cama e retomando minha rotina diária, algo que defino como o estritamente essencial que uma pessoa precisa fazer para conti-

nuar funcional e nominalmente civil. Mas eu me sentia diminuída. Como se tivesse deixado algo vital de mim na Índia.

EB: O seu pai demonstrou preocupação?

NW: Ao contrário, ficou animado. Achou que meu encontro com a mortalidade tinha abalado minha imaturidade e rebeldia. Ele não entendeu que eu me sentia perdida. Certa vez li, *monsieur* Boustouler, que se uma avalanche nos enterrar, quando se está soterrado por toda aquela neve, não dá para dizer o que está em cima ou embaixo. Nós queremos nos desencavar, mas se escolhermos o caminho errado vamos entrar mais fundo até morrermos. Era como eu me sentia, desorientada, imersa em confusão, sem minha bússola. Indizivelmente deprimida também. E, nesse estado, ficamos vulneráveis. Provavelmente, foi a razão de eu ter aceitado quando Suleiman Wahdati pediu minha mão ao meu pai no ano seguinte, em 1949.

EB: Você tinha vinte anos.

NW: Mas ele tinha mais que isso.

Ela me oferece outro sanduíche, que eu recuso, e uma xícara de café, que aceito. Enquanto põe água para ferver, me pergunta se sou casado. Respondo que não e que duvido que um dia me case. Ela me olha por cima de seu ombro, me examina por um tempo e sorri.

NW: Ah, não sei como não percebi antes.

EB: Surpresa!

NW: Talvez seja a concussão.

Aponta para o turbante na cabeça.

NW: Não é uma metáfora da moda. Escorreguei e caí dias atrás, abri a testa. Mesmo assim, eu deveria ter percebido. Sobre você, quero dizer. Na minha experiência, os raros homens que entendem as mulheres, como você, em geral não querem nada com elas.

Ela me dá o café, acende um cigarro e volta a sentar-se.

NW: Eu tenho uma teoria sobre casamento, *monsieur* Boustouler. Na maioria das vezes, ficamos sabendo em duas semanas se vai dar certo. É surpreendente quantas pessoas continuam algemadas durante anos, décadas até, num estado prolongado de desilusão mútua e falsas esperanças, quando já tinham a resposta nas primeiras duas semanas. Eu nem precisei de tanto tempo. Meu marido era um homem decente. Mas era sério demais, indiferente, desinteressante. Além disso, era apaixonado pelo chofer.

EB: Ah, deve ter sido um choque.
NW: Bem, de certa forma, isso engrossou o roteiro.

Ela abre um sorriso tristonho.

NW: Basicamente, eu sentia pena dele. Não poderia ter escolhido um momento e um lugar piores para nascer como nasceu. Morreu de um derrame quando nossa filha tinha seis anos. Àquela altura, eu poderia ter permanecido em Cabul. Tinha a casa e o dinheiro do meu marido. Tinha um jardineiro e o já mencionado chofer. Teria sido uma vida confortável. Mas fiz as malas e viemos para a França, Pari e eu.

EB: O que, como sugeriu antes, você fez para o bem dela.
NW: Tudo o que eu fiz, *monsieur* Boustouler, fiz pela minha filha. Não que ela compreenda ou que reconheça toda a dimensão do que fiz por ela. Às vezes, ela não sabe pensar. Se soubesse a vida que teria de aguentar, não fosse por mim.

EB: Sua filha é uma decepção para você?
NW: *Monsieur* Boustouler, agora acho que ela é um castigo.

Um dia, em 1975, Pari chega em seu novo apartamento e encontra um pequeno pacote na cama. Faz um ano que ela foi buscar a mãe no pronto-socorro e nove meses desde que se separou de Julien. Pari mora com uma estudante de enfermagem chamada Zahia, uma jovem argelina de cabelos anelados e olhos verdes. É uma garota competente, com uma disposição vigorosa e inabalável, e as duas se dão bem morando juntas, apesar de Zahia ter ficado noiva do namorado Sami e resolvido ir morar com ele no final do semestre.

Ao lado do pacote há uma folha de papel dobrada. *Isso chegou para você, Vou passar a noite com Sami. Nos vemos amanhã.* Je t'embrasse. *Zahia.*

Pari abre o pacote. Encontra uma revista, com outro bilhete preso com clipe, escrito numa grafia familiar e graciosa, quase feminina. *Isto foi enviado a Nila e depois para o casal que mora no antigo apartamento de Collette, e agora foi remetido a mim. Você deveria atualizar o seu endereço. Leia por sua conta e risco. Nenhum de nós está muito bem, receio. Julien.*

Pari deixa a revista na cama e prepara uma salada de espinafre com um pouco de cuscuz. Veste o pijama e come em frente à TV, um pequeno aparelho em preto e branco alugado. Distraída, observa imagens de refugiados vietnamitas chegando de avião a Guam. Pensa em Collette, que havia protestado contra os americanos na Guerra do Vietnã. Collette, que levou uma coroa de dálias e margaridas ao memorial de mamã, que tinha abraçado e beijado Pari, que fez uma linda apresentação de um dos poemas de mamã no palanque.

Julien não foi ao funeral. Ligou e disse, numa voz fraca, que não gostava de enterros; que os achava deprimentes.

E quem não acha?, perguntou Pari.

Acho melhor eu ficar de fora.

Faça como quiser, disse Pari ao telefone, pensando: *Mas não vai absolver o fato de você não estar aqui. Assim como estar aqui não me absolve. Do quanto fomos descuidados. Do quanto fomos inconsequentes. Meu Deus.* Quando Pari se envolveu com Julien, sabia que seu *affair* tinha sido a última facada em mamã. Envolveu-se sabendo que, para o resto da vida, seria acometida por aleatórios momentos de culpa, por um remorso terrível, pegando-a de guarda baixa, e que eles doeriam nos ossos. Teria de lutar contra aquilo, agora e pelo resto dos dias que viriam. Seria uma torneira pingando no fundo de sua psique.

Ela toma um banho depois do jantar e revê algumas anotações para o próximo exame. Assiste um pouco mais de TV, lava e seca os pratos, varre o chão da cozinha. Mas não adianta. Não consegue se distrair. A revista está em cima da cama. O chamado chega até ela como um zumbido de baixa frequência.

Algum tempo depois, veste uma capa de chuva por cima do pijama e sai para dar uma volta no bulevar de la Chapelle, a alguns quarteirões ao sul de seu apartamento. O ar está frio, e gotas de chuva batem na calçada e nas vitrines das lojas, mas Pari não consegue mais conter sua inquietação no apartamento. Precisa de frio, do ar úmido, do espaço aberto.

Pari lembra que era toda cheia de perguntas quando mais nova. *Eu tenho primos em Cabul, mamã? Tenho tias e tios? E avós, eu tenho um grand-père e uma grand-maman? Por que eles nunca nos visitam? Nós não podemos escrever uma carta? Por favor, podemos visitá-los?*

A maioria das perguntas era a respeito do pai. *De que cor ele mais gostava, mamã? Conte para mim, mamã, ele nadava bem? Sabia muitas piadas?* Ela se lembra de ser perseguida por ele pelo quarto. O pai rolando com ela no tapete, fazendo-lhe cócegas na barriga e na sola do pé. Lembra o cheiro do sabonete de lavanda, o brilho da testa, os dedos longos. As abotoaduras ovais de lazurita, o vinco das calças do terno. Consegue ver os ciscos de pó que chutavam juntos do tapete.

O que Pari sempre desejara da mãe fora uma cola para juntar os pedaços soltos e separados da memória, transformar aquilo numa narrativa coerente. Mas mamã nunca disse muita coisa. Sempre sonegou detalhes de sua vida, da vida que tiveram juntas em Cabul. Mantinha Pari a distância desse passado comum, e, afinal, Pari deixou de perguntar.

Agora, de repente, mamã contou a esse redator da revista, Étienne Boustouler, mais sobre si mesma e de sua vida do que jamais revelara à própria filha.

Ou não.

Pari leu o artigo três vezes antes de sair do apartamento. E não sabe o que pensar, no que acreditar. Tanta coisa parece falsa. Algumas partes podem ser lidas como paródia. Um melodrama lúbrico, de beldades aprisionadas, romances malditos e opressão generalizada, tudo dito de maneira excitada e fogosa.

Pari anda em direção a oeste, rumo a Pigalle, caminhando depressa, mãos enfiadas nos bolsos da capa. O céu escurece logo, e a chuva que bate em seu rosto está mais firme e mais pesada, ondulando pelas janelas, desfocando faróis. Pari não se lembra se conheceu o homem, o avô. O pai de mamã, só viu uma fotografia dele lendo numa escrivaninha, mas duvida que fosse o vilão de bigode pontudo que mamã fez parecer. Pari acha que consegue ler as entrelinhas. Tem suas próprias teorias. Em sua versão, ele é um homem com razões para se preocupar com o bem-estar de uma filha profundamente infeliz e autodestrutiva, que só queria arruinar a própria vida. É um homem que sofre humilhações e repetidas agressões à sua dignidade e, mesmo assim, continua ao lado da filha, levando-a para a Índia quando está doente, ficando seis semanas com ela. Quanto àquela questão, qual era o verdadeiro problema de mamã? O que fizeram com ela na Índia, Pari imagina, ao se lembrar da cicatriz vertical na pélvis — quando questionou Zahia, ela disse que as incisões cesarianas são feitas sempre na horizontal.

Depois, o que mamã disse ao entrevistador sobre o marido, o pai de Pari. É uma calúnia? Será verdade que ele amava Nabi, o chofer? E, se for, por que revelar uma coisa dessas agora, depois de todo esse tempo, a não ser para confundir, humilhar e talvez causar dor? Se for isso, em quem?

Quanto a si mesma, Pari não se sente surpresa com o tratamento pouco lisonjeiro que mamã reservou a ela — não depois de Julien —, nem se surpreende com o relato seletivo e higienizado de mamã sobre seu papel de mãe.

Mentiras?

Ainda assim.

Mamã era uma escritora talentosa. Pari leu tudo que mamã escreveu em francês e também todos os poemas que havia traduzido do persa. O poder e a beleza dos textos eram inegáveis. Mas, se o relato que mamã fez de sua vida na entrevista foi uma mentira, de onde vieram as imagens de seu trabalho? Onde estava a fonte daquelas palavras, tão lindas e honestas, brutas e tristes? Será que era somente uma talentosa enganadora? Uma prestidigitadora com uma caneta no lugar da varinha, capaz de encantar uma plateia conjurando emoções que nunca vivenciou realmente? Seria isso possível?

Pari não sabe. Simplesmente não sabe. E essa, talvez, tenha sido a verdadeira intenção de mamã, estremecer o chão debaixo dos pés de Pari. Desestabilizar, derrubar intencionalmente, transformá-la numa estranha de si mesma, lançar o peso da dúvida em sua consciência, em tudo o que Pari achava que sabia da própria vida, fazê-la se sentir perdida, como se vagasse por um deserto à noite em meio à escuridão e ao desconhecido, com a verdade indefinível piscando como um minúsculo lampejo de luz a distância, apagando e acendendo, sempre se movendo, se afastando.

Talvez essa tenha sido a retribuição de mamã. Não só por Julien, mas também pela decepção que Pari sempre foi. Pari, que talvez representasse o fim naquelas bebedeiras, nos homens, nos anos desperdiçados em desesperadas tentativas de ser feliz. Todos os becos sem saída explorados e abandonados. Cada frustração deixando mamã mais magoada, mais desencantada, tornando a felicidade mais ilusória. *O que eu era para você, mamã?*, Pari faz essa pergunta mentalmente. *O que eu deveria ter sido, crescendo em seu útero — supondo que tenha sido em seu útero que fui concebida? Uma semente de esperança? Uma passagem reservada para tirar você da escuridão? Um remendo para o buraco que você tinha no coração? Se era isso, então eu não fui o suficiente. Nem cheguei perto. Não fui um bálsamo para a sua dor, apenas outro beco sem saída, outra carga, e você deve ter percebido isso também, desde cedo. Deve ter percebido. Mas o que você podia fazer? Não podia me vender a uma loja de penhores.*

Talvez essa entrevista tenha sido mamã rindo por último.

Pari se esconde embaixo do toldo de uma padaria para se refugiar da chuva, a poucos quarteirões do hospital em que Zahia cumpre parte de seus estudos. Acende um cigarro. Devia ligar para Collette, pensa. As duas só se falaram uma ou duas vezes desde o funeral. Quando eram mais novas, mastigavam chicletes até as mandíbulas doerem, sentavam frente ao espelho da penteadeira de mamã, escovando e prendendo os cabelos uma da outra. Pari avista uma senhora do outro lado da rua, usando uma touca plástica contra a chuva, andando com dificuldade pela calçada seguida por um pequeno terrier amarronzado. Não pela primeira vez, um pequeno raio de luz rompe a confusão nebulosa das memórias de Pari e lentamente toma a forma de um cão. Não um brinquedinho como o daquela senhora, mas um cachorro grande, vira-lata, peludo, sujo e com o rabo e as orelhas cortados. Pari não sabe se é de fato uma lembrança ou um fantasma da memória, ou nem uma coisa nem outra. Certa vez, havia perguntado a mamã se elas tiveram um cachorro em Cabul, e mamã respondera: *Você sabe que eu não gosto de cachorro. Eles não têm autorrespeito. Você só dá pontapés, e eles continuam amando você. É deprimente.*

Mamã disse outra coisa:

Eu não me vejo em você. Não sei quem você é.

Pari joga o cigarro fora. Resolve ligar para Collette. Faz planos para se encontrarem para tomar um chá. Ver como ela está indo. Quem está encontrando. Olhar as vitrines, como costumavam fazer.

Ver se a velha amiga ainda quer fazer aquela viagem ao Afeganistão.

PARI MARCA UM ENCONTRO COM Collette. As duas se reúnem num conhecido bar em estilo marroquino, com cortinas violetas e almofadas cor de laranja por toda parte e um músico de cabelos encaracolados num pequeno palco. Collette não chegou sozinha. Trouxe um jovem com ela. O nome é Eric Lacombe. Ele dá aulas de arte dramática para a sétima e oitava séries num liceu no 18ème. Diz a Pari que a viu antes, alguns anos atrás, num protesto estudantil contra a caça às focas. De início, Pari não consegue lembrar, mas depois se recorda que ele era um daqueles contra quem Collette esbravejava por causa de seu fraco desempenho, aquele que ela cutucou no peito. Sentaram-se no chão, em almofadas cor de laranja, e pediram bebidas. Logo no começo, Pari tem a impressão de que Collette e Eric formam um casal, mas Collette faz muitos elogios a Eric, e logo Pari entende que ele foi trazido para ela. O desconforto que normalmente a acometeria numa situação desse tipo é espelhado — e mitigado — pelo constrangimento do próprio Eric. Pari acha divertido, até afetuoso, o modo como ele fica vermelho e balança a cabeça num ar de desculpas e constrangimento. Comendo pão com um patê de azeitonas pretas, Pari lança olhares furtivos a ele. Não dá para dizer que é bonito. O cabelo é preto e comprido, amarrado com um elástico na nuca. Tem mãos pequenas e pele clara. O nariz é afilado demais, a testa é muito saliente, o queixo é quase inexistente, mas ele tem olhos brilhantes e sorridentes e o hábito de pontuar o final de cada frase com um sorriso de expectativa, como um ponto de interrogação divertido e invisível. E ainda que seu rosto não agrade Pari como o de Julien, é um rosto muito mais bondoso, e — como Pari verá mais adiante — revela um embaixador da paciência, da atenção e da decência a toda prova.

Os dois se casam num dia frio da primavera de 1977, poucos meses depois de Jimmy Carter tomar posse do outro lado do Atlântico. Contra a vontade dos pais, Eric insiste em uma pequena cerimônia civil, só com os dois e Collette como testemunha. Diz que o casamento formal é uma extravagância com a qual eles não podem arcar. O pai, um banqueiro abastado, se oferece para pagar. Afinal, Eric é seu único filho. Oferece como presente, depois como empréstimo. Mas Eric declina e, mesmo sem nunca ter dito, Pari sabe que é para salvá-la do constrangimento de uma cerimônia em que ela estaria sozinha, sem familiares presentes, ninguém para conduzi-la ao altar, ninguém para verter uma lágrima de felicidade por ela.

Quando ela comenta sobre seus planos de ir ao Afeganistão, ele compreende, de um modo que Julien jamais entenderia, acredita Pari. E de uma maneira que ela nunca havia admitido abertamente para si mesma.

— Você acha que foi adotada — diz Eric.

— Você vai comigo?

Eles decidem viajar naquele verão, quando Eric estará em férias da escola e Pari pode fazer uma breve pausa em seu trabalho de ph.D. Eric matricula os dois em aulas de persa com um professor que conheceu pela mãe de um de seus alunos. É comum Pari encontrá-lo no sofá com fones de ouvido, toca-fitas no peito, os olhos fechados, e concentrado, murmurando *obrigado, alô* e *como vai* em persa com forte sotaque.

Poucas semanas antes do verão, com Eric já negociando as passagens aéreas e as acomodações, Pari descobre que está grávida.

— Nós podemos ir assim mesmo — diz Eric. — Nós devíamos ir.

É Pari quem decide o contrário. — É uma irresponsabilidade — contesta. Os dois moram num estúdio com aquecimento precário, canos vazando, sem ar-condicionado e em meio a um sortimento de móveis de segunda mão.

— Isto não é lugar para um bebê — diz ela.

Eric arruma outro trabalho como professor de piano, que pensou em seguir antes de se decidir pelo teatro, e, quando Isabelle chega — a meiga Isabelle, de pele clara e olhos cor de açúcar caramelado —, eles se mudam para um pequeno apartamento de dois quartos não muito longe do Jardim de Luxemburgo com a ajuda financeira do pai de Eric, que, dessa vez, é aceita na condição de que seja um empréstimo.

Pari tira uma licença de três meses. Passa os dias com Isabelle. Sente-se leve perto de Isabelle. Sente uma aura ao redor de si mesma sempre que Isabelle olha para ela. À noite, quando Eric volta do liceu para casa, a primeira coisa que faz é deixar o casaco e a pasta na porta, sentar no sofá, estender os braços, e agitar os dedos. — Me dê Isabelle aqui, Pari. Dê Isabelle para mim. — Enquanto ele balança a filha no peito, Pari comenta sobre todos os detalhes do dia, quanto leite Isabelle tomou, as brincadeiras divertidas que fizeram, os novos sons que ela está emitindo. Eric nunca se cansa de ouvir.

A viagem ao Afeganistão foi adiada. A verdade é que Pari não sente mais aquela lancinante necessidade de procurar respostas e raízes. Por causa de Eric e seu companheirismo estável e reconfortante. E de Isabelle, que solidificou o chão sob os pés de Pari — mesmo que esteja ainda minado por brechas e pontos cegos, todas as perguntas sem resposta, todas as coisas que mamã nunca revelou. Elas ainda estão lá; mas Pari não mais anseia pelas respostas como antes.

E aquela antiga sensação, que ela sempre teve de uma ausência em sua vida, de alguma coisa ou de alguém importante, amainou. Ainda acontece, de vez em quando — às vezes, com uma intensidade que a pega desprevenida —, mas com menos frequência que antes. Pari nunca esteve tão contente, tão segura e feliz.

Em 1981, quando Isabelle está com três anos, Pari, grávida de alguns meses de Alain, tem de ir a uma conferência em Munique. Vai apresentar um trabalho em que é coautora, sobre o uso de fórmulas modulares fora da teoria dos números, especificamente em topologia e física teórica. A apresentação é bem recebida, depois Pari e alguns outros professores vão a um bar barulhento tomar cerveja e comer salgadinhos e *weisswurst*. Ela volta para o hotel antes da meia-noite e vai para a cama sem tirar a roupa nem lavar o rosto. O telefone a desperta às 2h30 da manhã, quando Eric liga de Paris.

— É Isabelle — diz. Está com febre. De repente, as gengivas ficaram inchadas e avermelhadas. Sangrando muito ao menor toque. — Mal consigo enxergar os dentes dela. Pari, eu não sei o que fazer. Li em algum lugar que pode ser...

Pari quer que ele pare de falar. Quer pedir para calar a boca, que não vai conseguir ouvir aquilo, mas é tarde demais. Ela ouve as palavras "leucemia infantil", ou talvez tenha dito linfoma, mas afinal qual é a diferença? Pari senta na beira da cama, imóvel como uma pedra, a cabeça latejando, a pele banhada de suor. Sente-se furiosa com Eric por plantar uma coisa tão horrível na cabeça dos dois, no meio da noite, quando ela está a setecentos quilômetros de distância e indefesa. Sente-se furiosa consigo mesma pela própria estupidez. Abrir-se dessa forma, voluntariamente, para uma vida de angústias e preocupações. Foi loucura. Pura insanidade. Uma fé espetacularmente tola e sem base, contra enormes probabilidades, de que um mundo que não controlamos não nos tire a única coisa que não podemos perder. Fé de que o mundo não vai nos destruir. *Eu não tenho força para isso*. Ela chega a dizer essas palavras em voz baixa. — Eu não tenho força para isso. — Naquele momento, não consegue imaginar uma coisa mais irracional e temerária do que optar por ser mãe.

E parte dela — *Deus me ajude*, pensa, *Deus me perdoe por isso* —, parte dela está furiosa com Isabelle, por fazer isso com ela, fazê-la sofrer desse jeito.

— Eric. Eric. *Écoute-moi*. Eu ligo para você depois. Agora preciso desligar.

Esvazia a bolsa na cama, encontra um pequeno caderno marrom com números telefônicos anotados. Faz uma ligação para Lyon. Collette mora em Lyon agora, com o marido Didier, onde ela abriu uma pequena agência de viagens. Didier está estudando medicina. É Didier quem atende o telefone.

— Pari, você sabe que eu estudo psiquiatria, não sabe? — diz ele.

— Eu sei. Eu sei. Só achei que...

Didier faz algumas perguntas. Isabelle tem perdido peso? Suores noturnos, hematomas incomuns, fadiga, febres crônicas?

No fim, ele diz que Eric deve levar Isabelle a um médico pela manhã, mas, pelo que ainda se lembra de sua formação básica na escola de medicina, tem a impressão de que deve ser uma gengivoestomatite aguda.

Pari agarra o receptor com tanta força que seu punho dói. — Por favor — fala com paciência —, Didier.

— Ah, desculpe. O que eu quis dizer é que parece ser o primeiro sintoma de herpes.

— Herpes.

Em seguida, acrescenta as palavras mais felizes que Pari já tinha ouvido na vida. — Acho que ela vai ficar bem.

Pari encontrou Didier só duas vezes, uma antes e uma depois do casamento com Collette. Mas, naquele momento, ela o ama de verdade. Diz isso a ele, chorando ao telefone. Diz que o ama, várias vezes, ele ri e deseja boa noite. Pari liga para Eric, que vai levar Isabelle de manhã ao dr. Perrin. Depois, com os ouvidos zunindo, volta para a cama, vendo as luzes da rua escorrendo pela madeira verde e opaca das venezianas. Pensa na ocasião em que teve de ser hospitalizada com pneumonia, quando tinha oito anos. Mamã se recusando a ir para casa, insistindo em dormir na cadeira ao lado da cama, e sente um novo parentesco com a mãe, inesperado, atrasado. Sentiu saudade dela muitas vezes nos últimos anos. No casamento, é claro. No nascimento de Isabelle. E em diversos momentos aleatórios. Mas nunca tanto quanto nessa noite terrível e maravilhosa, nesse quarto de hotel em Munique.

No dia seguinte, já de volta a Paris, diz a Eric que os dois não devem mais ter filhos depois do nascimento de Alain. Só aumentaria a probabilidade de sofrimento.

Em 1985, quando Isabelle estava com sete anos, Alain com quatro e o pequeno Thierry com dois, Pari aceitou uma proposta para lecionar numa proeminente universidade em Paris. Por um tempo, ela se torna vítima de previsíveis disputas e mesquinharias acadêmicas — não surpreendentes, dado que, aos trinta e seis anos, ela é uma das mais jovens professoras do departamento e uma das duas únicas mulheres. Vivencia aquilo tudo de uma forma que imagina que mamã nunca teria sido capaz. Evita entrar em confrontos. Não presta nenhuma queixa formal. Sem lisonjear nem bajular ninguém. Sempre haverá quem não acredite nela, mas, quando o Muro de Berlim vem abaixo, o mesmo acontece com os muros da academia, e gradualmente ela vai ganhando a maioria dos colegas com sua atitude sensível e sua irresistível sociabilidade. Faz amigos no próprio departamento e em outros também, comparece a eventos da faculdade, festas beneficentes, um ocasional coquetel ou jantar. Eric a acompanha nessas noites. Numa recorrente piada interna, ele insiste em usar a mesma gravata de lã e o paletó de veludo com reforços nos cotovelos. Anda pela sala cheia de gente, experimentando canapés, bebericando vinho, parecendo deslocado e jovial, e às vezes Pari o afasta de algum grupo de matemáticos antes que ele dê sua opinião sobre superfícies tridimensionais ou aproximações de Diofante.

É inevitável que nessas festas alguém pergunte a Pari seu ponto de vista sobre os acontecimentos no Afeganistão. Numa dessas noites, um professor visitante levemente embriagado, chamado Chatelard, pergunta o que ela acha que vai acontecer no Afeganistão quando os soviéticos forem embora. — Seu povo vai encontrar a paz, *madame le professeur*?

— Eu não saberia dizer — responde Pari. — Falando em termos práticos, eu só conheço o Afeganistão de nome.

— *Non mais, quand même* — diz ele. — Mas ainda assim deve ter uma opinião.

Ela sorri, tentando controlar as impropriedades que sempre a acometem nessas discussões. — Só o que leio no *Le Monde*. Assim como você.

— Mas você cresceu lá, *non*?

— Eu saí de lá ainda muito pequena. Você viu meu marido? Aquele com reforços no cotovelo do paletó?

O que ela diz é verdade. Acompanha as notícias nos jornais, lê artigos sobre a guerra, o Ocidente fornece armamentos aos mujahidin, mas o Afeganistão está longe de seu pensamento. Tem muita coisa para fazer em casa, que agora é uma bela casa de quatro quartos em Guyancourt, a cerca de vinte quilômetros do centro de Paris. Eles moram numa pequena colina, perto de um parque com lagos e alamedas. Eric escreve peças de teatro, além de lecionar. Uma de suas peças, uma farsa política ligeira, vai ser montada no outono em Paris, num pequeno teatro perto do Hôtel de Ville, e ele já foi contratado para escrever outra.

Isabelle se tornou uma adolescente quieta e reflexiva. Mantém um diário e lê um romance por semana. Gosta de Sinéad O'Connor. Tem dedos longos e bonitos e estuda violoncelo. Em algumas semanas, vai interpretar "Chanson triste" de Tchaikovsky num recital. No início, não queria ter aulas de violoncelo, e Pari tomou algumas lições com ela, como prova de solidariedade. O que se revelou ao mesmo tempo desnecessário e inviável. Desnecessário porque Isabelle logo adotou de bom grado o instrumento e inviável porque o violoncelo provocava dores nas mãos de Pari. Já há um ano Pari tem acordado de manhã com uma rigidez nas mãos e nos pulsos que só melhora depois de meia hora, às vezes uma hora. Eric desistiu de fazer pressão para que consulte um médico, mas volta a insistir: — Você tem só quarenta e três anos, Pari — diz. — Isso não é normal. — Pari marca uma consulta.

Alain, o filho do meio, tem um charme malicioso e um pouco agressivo. É obcecado por artes marciais. Nasceu prematuro e ainda é pequeno para um garoto de dez anos, mas o que falta em estatura é mais que compensado pela vontade e pela iniciativa. Seus adversários sempre se enganam com seu físico anímico e as pernas finas. Eles o subestimam. Muitas vezes, Pari e Eric ficam deitados à noite, ambos admirados com a enorme vontade e a energia feroz do filho. Pari não se preocupa com Isabelle nem com Alain.

Thierry é a sua preocupação. Thierry, que talvez em algum nível obscuro, primordial, sinta que não foi esperado, planejado, convidado. Thierry tende a silêncios de mágoa e a olhares furtivos, a teimar e relutar sempre que Pari pede alguma coisa. Confronta a mãe por qualquer razão só para desafiá-la, é o que parece a Pari. Em alguns dias, dá a impressão de estar coberto por uma nuvem. Pari logo percebe quando isso acontece. Quase pode enxergar. A nuvem se acumula e incha, até afinal se romper e transbordar uma torrente de acessos de raiva que se traduzem em bater os pés e estremecer as bochechas, que assustam Pari e deixam Eric piscando os olhos com um sorriso infeliz. Pari sabe instintivamente que Thierry, assim como a dor em suas juntas, será uma preocupação para toda a vida.

É comum ela conjeturar que tipo de avó mamã teria sido. Em especial com Thierry. Intuitivamente, acha que mamã teria sido útil com ele. Talvez visse nele algo de si mesma — embora não em termos biológicos, é claro, disso Pari tem certeza há algum tempo. As crianças sabem de mamã. Isabelle, em particular, se mostra curiosa. Já leu muitos de seus poemas.

— Eu gostaria de ter conhecido mamã.

— Ela devia ser muito charmosa.

— Acho que teríamos sido boas amigas, ela e eu. Você não acha? Teríamos lido os mesmos livros. Eu tocaria violoncelo para ela.

— Ela teria adorado — diz Pari. — Disso eu tenho certeza.

Pari não falou com os filhos sobre o suicídio. Um dia, eles vão saber, é muito provável. Mas não vão ouvir isso dela. Não vai plantar aquela semente na cabeça deles, de que um pai seja capaz de abandonar os filhos, de dizer que os filhos não fizeram o suficiente. Pari acredita que os filhos e Eric sempre foram o suficiente. Sempre serão.

No verão de 1994, Pari e Eric levam os filhos a Maiorca. É Collette quem organiza as férias para eles, por meio de sua já movimentada agência de viagens. Collette e Didier se encontram com o casal em Maiorca, e todos ficam duas semanas numa casa alugada em frente à praia. Collette e Didier não têm filhos, não por conta de algum infortúnio genético, mas porque não querem. Pari acha que essa é uma boa fase. Sua artrite reumatoide está sob controle no momento. Toma uma dose de metotrexato, que está tolerando bem. Felizmente, não teve de tomar nenhum esteroide nos últimos tempos, tampouco tem sofrido com a insônia que os acompanha.

— Sem falar no aumento do peso — explica ela a Collette. — Ainda mais sabendo que ia ter de usar maiô na Espanha? — Dá risada. — Ah, vaidade.

Eles passam os dias fazendo turismo na ilha, indo de carro até a costa noroeste, perto das montanhas da serra de Tramuntana, parando para caminhar por bosques de oliveiras e entrar em florestas de pinheiros. Comem *porcelana*, um maravilhoso prato de garoupa chamado *lubina* e um guisado de berinjela com abobrinha chamado *tumbet*. Thierry se recusa a comer aquilo, e em todos os restaurantes Pari solicita que o *chef* prepare um espaguete com molho de tomate, sem carne nem queijo. A pedido de Isabelle — ela descobriu a ópera recentemente —, vão assistir a uma produção, em determinada noite, de *Tosca*, de Giacomo Puccini. Para sobreviver à provação, Collette e Pari passam sub-repticiamente um frasco prateado de vodca barata entre elas.

Na metade do segundo ato, estão um tanto bêbadas e não conseguem deixar de rir como colegiais do histrionismo do ator interpretando Scarpia.

Um dia, Pari, Collette, Isabelle e Thierry preparam um lanche e vão à praia. Didier, Alain e Eric saíram de manhã para uma longa caminhada na baía de Soller. Durante o trajeto, eles fazem uma parada numa butique para comprar um maiô que chamou a atenção de Isabelle. Ao entrarem na loja, Pari vê de relance o próprio reflexo na vitrine. Em geral, ainda mais ultimamente, um processo mental automático é acionado quando ela está diante de um espelho, uma preparação para avistar seu antigo eu. É uma espécie de amortecedor, que diminui o impacto. Mas, na loja, ela foi apanhada com a guarda baixa, vulnerável à realidade não distorcida pela autoilusão. O que ela vê é uma mulher de meia-idade, numa blusa parda desajeitada e uma saia de praia que não consegue esconder bem as dobras da pele flácida nos joelhos. O sol destaca o tom cinza do cabelo. E, apesar do delineador e do batom que definem seus lábios, ela tem um rosto ao qual nenhum transeunte dará mais que uma olhadela, como se fosse um sinal de trânsito ou uma caixa de correio. É um momento breve, mal altera o batimento do pulso, mas longo o suficiente para seu eu enganador se atualizar com a realidade daquela mulher que retribui seu olhar na vitrine da loja. É um pouco devastador. Isso é que é envelhecer, pensa, enquanto entra na loja atrás de Isabelle; são esses momentos aleatórios e indelicados que nos pegam de surpresa.

Mais tarde, quando chegam à casa alugada voltando da praia, descobrem que os homens já retornaram.

— Papa está ficando velho — diz Alain.

Atrás do bar, misturando sangria numa jarra, Eric revira os olhos e dá de ombros, cordato.

— Achei que eu ia ter de carregar você, papa.

— Me dê um ano. Vamos voltar em um ano e apostar uma corrida em volta da ilha, *mon pote*.

Eles nunca mais vão voltar a Maiorca. Uma semana depois de chegarem a Paris, Eric sofre um ataque cardíaco. Acontece quando ele está no trabalho, conversando com um técnico de iluminação. Consegue sobreviver, mas vai sofrer mais dois ataques no decorrer dos três anos seguintes, e o terceiro será fatal. E assim, aos quarenta e oito anos, Pari fica viúva, como mamã.

UM DIA, no início da primavera de 2010, Pari recebe uma ligação interurbana. Não era uma ligação inesperada. Pari esteve a manhã toda se preparando para ela. Antes de receber a ligação, dá um jeito de ficar sozinha no apartamento. Isso significa pedir para Isabelle sair mais cedo do que o habitual. Isabelle e o marido, Albert, moram logo ao norte de Saint-Denis, a poucos quarteirões do apartamento de um quarto de Pari. Isabelle vem visitar Pari de manhã a cada dois dias, depois de deixar os filhos na escola. Traz uma baguete, algumas frutas frescas. Pari ainda não está presa a uma cadeira de rodas, uma eventualidade para a qual vem se preparando. Apesar de forçada a uma aposentadoria precoce por causa da doença, ainda é perfeitamente capaz de ir sozinha ao mercado, de fazer caminhadas diárias. São as mãos, as mãos feias e retorcidas que mais deixam a desejar, mãos que nos dias ruins parecem ter fragmentos de cristal chacoalhando nas juntas. Pari usa luvas sempre que sai de casa, para manter as mãos aquecidas, mas principalmente por sentir vergonha das juntas nodosas, dos dedos disformes, do que o seu médico chama de "deformidade do pescoço do cisne", o dedo mínimo esquerdo permanentemente flexionado.

Ah, vaidade, diz ela a Collette.

Hoje de manhã, Isabelle trouxe alguns figos, sabonete, pasta de dente e um Tupperware com sopa de castanha. Albert está pensando em sugerir uma nova entrada no cardápio aos donos do restaurante onde ele trabalha como *sous-chef*. Enquanto esvazia as sacolas, Isabelle fala com Pari sobre um novo trabalho que surgiu. Ela compõe temas musicais para programas de televisão e comerciais e espera trabalhar logo para o cinema. Diz que vai começar a compor para uma minissérie que está sendo filmada em Madri.

— Você vai estar lá — pergunta Pari —, em Madri?

— *Non*. O orçamento é muito apertado. Não cobre minhas despesas de viagem.

— Que pena. Você poderia ficar com Alain.

— Ah, já imaginou, mamã? Coitado do Alain. Ele mal tem espaço para esticar as pernas.

Alain é consultor financeiro. Mora num apartamento minúsculo em Madri, com a mulher Ana e os quatro filhos. Manda e-mails regularmente a Pari com fotos e pequenos vídeos das crianças.

Ela pergunta se Isabelle tem notícias de Thierry, e Isabelle diz que não. Thierry está na África, no leste do Chade, onde trabalha num campo de refugiados de Darfur. Pari sabe disso porque Thierry tem contatos esporádicos com Isabelle. É a única com quem ele fala. É assim que Pari sabe das circunstâncias gerais da vida do filho, por exemplo, que ele passou um período no Vietnã. Ou que esteve casado com uma vietnamita, por pouco tempo, quando tinha vinte anos.

Isabelle põe uma panela de água para ferver e pega duas xícaras no armário.

— Hoje não, Isabelle. Aliás, eu preciso pedir que você saia.

Isabelle lança um olhar magoado, e Pari se repreende por não ter se expressado melhor. Isabelle sempre teve uma natureza delicada.

— O que estou dizendo é que vou receber um telefonema e preciso de alguma privacidade.

— Um telefonema? De quem?

— Depois eu conto — responde Pari.

Isabelle cruza os braços e sorri. — Você arranjou um namorado, mamã?

— Um namorado? Você está cega? Tem olhado para mim recentemente?

— Não há nada de errado com você.

— Você precisa sair. Depois eu explico, prometo.

— *D'accord, d'accord.* — Isabelle joga a bolsa no ombro, pega o casaco e as chaves. — Mas quero que saiba que estou devidamente intrigada.

O homem que telefona às 9h30 chama-se Markos Varvaris. Ele entrou em contato pelo Facebook com a seguinte mensagem, escrita em inglês: *Você é a filha da poeta Nila Wahdati? Se for, gostaria muito de falar com você sobre algo de seu interesse.* Pari pesquisou o nome dele na internet e descobriu que é um cirurgião plástico que trabalhava para uma organização sem fins lucrativos em Cabul. Agora, ao telefone, ele a cumprimenta em persa e continua falando em persa até Pari interrompê-lo.

— *Monsieur* Varvaris, desculpe, mas será que podemos falar em inglês?

— Ah, claro. Peço desculpas. Mas faz sentido, você saiu de lá muito nova, não foi?

— Sim, é verdade.

— Eu aprendi persa aqui mesmo. Diria que sou mais ou menos fluente no idioma. Estou vivendo em Cabul desde 2002, cheguei pouco depois da saída do Talibã. Foram tempos de muito otimismo. Sim, todo mundo pronto para a reconstrução e a democracia e tudo o mais. Agora a história é diferente. Claro, estamos nos preparando para uma eleição presidencial, mas é uma história diferente. Receio que seja.

Pari ouve pacientemente enquanto Markos Varvaris faz prolongadas ilações sobre o desafio que são as eleições no Afeganistão, diz que Karzai vai vencer, e depois fala sobre as incursões do Talibã no norte, a interferência cada vez maior dos islamitas nas notícias da mídia, uma observação paralela sobre a superpopulação de Cabul, finalmente sobre o preço da moradia, antes de fechar o círculo e dizer: — Eu moro nesta casa já há muitos anos. Soube que você também morou aqui.

— Desculpe?

— Esta era a casa de seus pais. Ao menos foi o que fui levado a acreditar.

— Se me permite a pergunta, quem disse isso?

— O dono da casa. O nome dele é Nabi. *Era* Nabi, devo dizer. Já falecido, infelizmente, há pouco tempo. Você se lembra dele?

O nome remete Pari a um rosto jovem e bonito, de costeletas, uma muralha de cabelos escuros e cheios, penteados para trás.

— Sim. Lembro mais do nome. Era o cozinheiro em nossa casa. E chofer também.

— Era as duas coisas, sim. Ele morava aqui, nesta casa, desde 1947. Sessenta e três anos. É meio inacreditável, não? Mas, como já disse, ele morreu. No mês passado. Eu gostava muito dele. Todo mundo gostava.

— Entendi.

— Nabi me deu algumas anotações — diz Markos Varvaris — para eu ler depois de sua morte. Quando ele morreu, pedi a um colega afegão que traduzisse para o inglês. Essas anotações, aliás, são mais que anotações. É uma carta, mais exatamente, uma carta notável. Nabi diz algumas coisas na carta. Procurei seu nome porque algumas coisas têm a ver com você, e também porque ele pede explicitamente que eu a encontre e entregue essa carta. Foram muitas buscas, mas conseguimos localizá-la. Graças à internet. — Solta uma risada curta.

Uma parte de Pari quer desligar. Intuitivamente, ela não duvida que quaisquer que sejam as revelações que esse velho escreveu num papel, essa pessoa de seu passado distante, do outro lado do mundo, são verdadeiras. Ela já sabe há muito tempo que mamã mentiu sobre sua infância. Mas, mesmo com a base de sua vida abalada por uma mentira, o que Pari plantou desde então nessa base é verdadeiro, forte e inabalável como um carvalho gigante. Eric, os filhos, os netos, sua carreira, Collette. Então, de que adianta? Depois de todo esse tempo? De que adianta? Talvez seja melhor desligar.

Mas ela não desliga. Com o coração palpitando e a palma das mãos suando, ela pergunta: — O que... o que ele diz nas anotações, nessa carta?

— Bem. Uma das coisas é que ele era seu tio.

— Meu tio?

— Tio por afinidade, para ser exato. E tem mais. Ele diz muitas outras coisas.

— *Monsieur* Varvaris, você está com elas? Essas anotações, essa carta, ou a tradução. Estão com você?

— Sim.

— Será que pode ler para mim? Pode ler para mim?

— Você quer dizer agora?

— Se estiver com tempo. Eu posso telefonar, fazer uma ligação a cobrar.

— Não é preciso. Mas tem certeza?

— *Oui* — responde ela ao telefone. — Tenho certeza, *monsieur* Varvaris.

Markos lê a carta para ela. Lê tudo. Demora bastante. Quando termina, Pari agradece e diz que vai entrar em contato em breve.

Depois de desligar, ajusta a cafeteira para fazer uma xícara e vai até a janela. De lá, descortina a visão conhecida, a rua estreita de pedras arredondadas abaixo, a farmácia rua acima, a casa de falafel na esquina, a padaria administrada por uma família basca.

As mãos de Pari tremem. Algo assustador está acontecendo com ela. Algo realmente notável. Em sua cabeça, a imagem é de um machado rompendo o solo, com um óleo negro e abundante ebulindo repentinamente na superfície. É o que está acontecendo com ela, memórias irrompidas, surgindo das profundezas. Olha pela janela, na direção da *brasserie*, mas o que vê não é o garçom magricelo de avental preto amarrado na cintura sacudindo a toalha em cima da mesa, vê um carrinho vermelho com rodas que rangem, sacolejando debaixo de um céu com nuvens se expandindo, rolando por ribanceiras e leitos secos, para cima e para baixo de colinas cor de ocre subindo e descendo na distância. Vê emaranhados de árvores frutíferas plantadas nas ranhuras, a brisa agitando as folhas, filas de parreiras ligando casinhas de tetos achatados. Vê varais e mulheres agachadas perto de um riacho, cordas que estalam num balanço embaixo de uma grande árvore, um cachorrão fugindo das provocações dos garotos da aldeia, um homem com nariz de gavião cavando um fosso, a camisa emplastrada nas costas pelo suor, e uma mulher encoberta debruçada sobre um fogareiro.

Mas há ainda mais uma coisa, na periferia de tudo aquilo, no limite de sua visão, e isso é o que mais a atrai, uma sombra vaga. Uma figura. Ao mesmo tempo suave e enérgica. A suavidade de mãos que seguram as suas. A dureza de joelhos em que já descansou a cabeça. Procura seu rosto, mas ele foge, esgueirando-se cada vez que ela olha. Pari sente um buraco se abrindo dentro dela. Sempre houve uma grande ausência em sua vida, em toda a sua vida. Por alguma razão, ela sempre soube.

— Meu irmão — diz, sem perceber que está falando. Sem perceber que está chorando.

Um verso de uma canção persa passa de repente por sua cabeça.

Conheço uma fadinha triste
Que foi soprada pelo vento da noite.

Existe outro verso, talvez anterior, ela tem certeza, mas que também foge da cabeça.

Pari senta. Precisa sentar. Acha que não consegue ficar em pé no momento. Espera o café coar, pensa que quando estiver pronto ela vai tomar uma xícara, talvez fumar um cigarro, depois irá até a sala de estar para telefonar a Collette em Lyon, ver se a velha amiga pode organizar uma viagem a Cabul.

Mas no momento Pari se mantém sentada. Fecha os olhos, a cafeteira começa a gorgolejar, e pelos olhos semicerrados ela vê colinas suaves sob um céu alto e azul, o sol se pondo atrás de um moinho, e sempre, sempre, cadeias de montanhas difusas que se estendem cada vez mais no horizonte.

Sete

Verão de 2009

— Seu pai é um grande homem.

Adel ergueu os olhos. Era a professora, Malalai, quem estava debruçada e cochichava em seu ouvido. Uma mulher rechonchuda, de meia-idade, usando um xale violeta com brocados nos ombros, sorrindo para ele de olhos fechados.

— Você é um garoto de sorte.

— Eu sei — respondeu Adel também cochichando.

— Que bom — ela articulou sem som.

Estavam em pé na escada de entrada da nova escola para meninas da cidade, um edifício verde-claro retangular, com teto plano e grandes janelas, quando o pai de Adel, seu *baba jan*, fez uma breve oração seguida de um animado discurso. Reunido diante deles, no escaldante calor do meio do dia, postava-se um grande número de habitantes da pequena cidade de Shadbagh-e-Nau, Nova Shadbagh.

— O Afeganistão é a mãe de nós todos — disse o pai de Adel, o dedo médio erguido em direção ao céu. O sol refletiu em seu anel de ágata. — Mas é uma mãe convalescente, que sofreu por um longo tempo. É verdade que uma mãe precisa dos filhos para se recuperar, sim, mas também precisa das filhas. Tanto quanto ou até mais!

Isso provocou ruidosos aplausos e diversos urros e brados de aprovação. Adel percorreu os rostos na multidão. Eles estavam arrebatados enquanto olhavam para o pai dele. *Baba jan*, com suas sobrancelhas negras e eriçadas e barba cheia, impondo-se alto e forte e grande acima deles, os ombros tão largos que quase encobriam a porta da escola atrás.

O pai continuou a falar. E o olhar de Adel encontrou o de Kabir, um dos dois guarda-costas de *baba jan*, Kalashnikov na mão. Adel podia ver a multidão refletida nos óculos Ray-Ban de lentes escuras de Kabir. Kabir era baixo, magro, quase franzino, e usava ternos de cores vivas, lavanda, turquesa, laranja, mas *baba jan* dizia que ele era um falcão, e que subestimar Kabir era um perigo que se corria por sua própria conta e risco.

— Então, eu digo a vocês, jovens filhas do Afeganistão — começa *baba jan*, os braços longos e grossos esticados num gesto aberto de boas-vindas. — Vocês agora têm um dever solene. Aprender, se dedicar e se dar bem nos estudos, para deixar não só seus pais e mães orgulhosos, mas também a mãe que é comum a todos nós. Seu futuro está em suas mãos, não nas minhas. Peço que não vejam esta escola como um presente que dou a vocês. É apenas um prédio que abriga o *verdadeiro* presente, e esse são vocês. Vocês são o presente, jovens irmãs, não só para mim, mas para a comunidade de Shadbagh-e-Nau e, mais importante, para o próprio Afeganistão! Deus as abençoe.

Irromperam novos aplausos. Muitas pessoas gritaram "Deus o abençoe, comandante Sahib!". *Baba jan* ergueu um punho, abriu um sorriso largo, os olhos de Adel quase marejaram de emoção.

A professora, Malalai, entregou uma tesoura a *baba jan*. Uma fita vermelha havia sido atada na passagem para as salas de aula. A multidão chegou um pouco mais perto, para enxergar melhor, mas Kabir fez algumas pessoas recuarem, empurrando duas delas pelo peito. Mãos se ergueram da multidão, segurando telefones celulares para gravar o corte da fita. *Baba jan* pegou a tesoura, fez uma pausa, virou-se para Adel e disse: — Aqui, filho. Faça as honras. — Entregou a tesoura a Adel.

Adel piscou os olhos. — Eu?

— Vá em frente — insistiu *baba jan*, dando uma piscada.

Adel cortou a fita. Um longo aplauso irrompeu. Adel ouviu os estalidos de algumas câmeras, vozes bradando "Allah u Akbar!".

Baba jan ficou parado na porta, enquanto as alunas faziam fila para entrar nas salas de aula, uma de cada vez. Eram meninas entre oito e quinze anos de idade, todas usando lenço branco e uniforme risca de giz preto e cinza que *baba* lhes dera. Adel ficou olhando cada aluna se apresentar timidamente a *baba jan* ao entrar. *Baba jan* sorria calorosamente e dava tapinhas na cabeça delas, oferecendo uma ou duas palavras de estímulo. — Desejo todo o sucesso, bibi Miriam. Estude bastante, bibi Homaira. Vamos nos orgulhar de você, bibi Ilham.

Pouco depois, Adel se manteve perto do pai ao lado do Land Cruiser preto, agora suando de calor, observando-o apertar as mãos dos habitantes. *Baba jan* dedilhava um cordão de contas de orações na mão livre e ouvia pacientemente, inclinando-se um pouco, assentindo, atento a cada pessoa que vinha agradecer, oferecer preces, homenagear, muitas delas aproveitando a oportunidade para pedir um favor. Uma mãe com o filho doente que precisava consultar um cirurgião em Cabul, um homem necessitando de um empréstimo para abrir uma sapataria, um mecânico pedindo um novo jogo de ferramentas.

— Comandante Sahib, se o senhor fizer a bondade...

— Não tenho ninguém mais a quem recorrer, comandante Sahib.

Adel nunca tinha ouvido ninguém que não pertencesse à família mais próxima se dirigir a *baba jan* a não ser como "comandante Sahib", apesar de os russos já terem partido havia muito tempo e *baba jan* não disparar uma arma há uma década ou mais. Em sua casa, havia fotografias emolduradas de *baba jan* nos tempos da Jihad espalhadas pela sala de estar. Adel havia memorizado cada uma das fotos: o pai apoiado no para-lama de um velho jipe empoeirado, agachado na torre giratória de um tanque calcinado, posando com orgulho com seus homens, o cinto de munições cruzado no peito, ao lado de um helicóptero que haviam abatido. Aqui, ele usava um colete e uma bandoleira, testa encostada no solo do deserto em oração. Era muito mais magro naquela época, o pai de Adel, e sempre naquelas fotos não havia nada atrás dele além de montanhas e areia.

Baba jan fora ferido duas vezes pelos russos em batalha. Tinha mostrado seus ferimentos a Adel, um logo abaixo da caixa torácica — dizendo que aquele tinha custado seu baço — e outro mais ou menos a um polegar de distância do umbigo. Disse que teve sorte, dadas as circunstâncias. Alguns amigos perderam braços, pernas, olhos, outros tiveram o rosto queimado. E fizeram isso pelo país, *baba jan* disse, fizeram isso por Deus. Isso é que era uma Jihad, explicou. Sacrifício. Você sacrifica seus membros, sua visão, e até sua vida, e o faz com prazer. A Jihad também garantia alguns direitos e privilégios, falou, porque Deus cuidava para que os que se sacrificassem colhessem mais recompensas.

Tanto nesta vida como na próxima, disse *baba jan*, apontando o dedo grosso primeiro para baixo, depois para cima.

Examinando as fotografias, Adel desejava ter estado lá, lutando na Jihad ao lado do pai naqueles dias mais aventurosos. Gostava de se imaginar com *baba jan* disparando nos helicópteros, explodindo tanques, desviando-se das balas, vivendo nas montanhas e dormindo em cavernas. Pai e filho, heróis de guerra.

Havia também uma grande foto emoldurada de *baba jan* sorrindo ao lado do presidente Karzai no *Arg*, o palácio presidencial em Cabul. Essa era mais recente, tirada no decorrer de uma pequena cerimônia durante a qual *baba jan* havia recebido um prêmio por seu trabalho humanitário em Shadbagh-e--Nau. Era um prêmio que *baba jan* tinha mais que merecido. A nova escola para meninas era apenas seu último projeto. Adel sabia que era comum as mulheres da aldeia morrerem de parto, mas não morriam mais, porque seu pai havia construído uma grande clínica, dirigida por dois médicos e três parteiras cujos salários eram pagos do seu bolso. Toda a população da aldeia tinha direito a atendimento gratuito na clínica; nenhuma criança de Shadbagh-e-Nau deixava de ser vacinada. *Baba jan* despachou equipes para localizar pontos de água em toda a cidade e cavar poços. Foi *baba jan* quem finalmente ajudou a trazer eletricidade em tempo integral para Shadbagh-e--Nau. Pelo menos uma dúzia de negócios foi aberta graças aos seus empréstimos, que, segundo Adel havia apurado com Kabir, raramente eram saldados.

Adel foi sincero quando falou com a professora um pouco antes. Ele *sabia* que tinha sorte de ser filho de um homem assim.

Quando a rodada de cumprimentos estava chegando ao fim, Adel avistou um homem insignificante aproximando-se do pai. Usava óculos redondos, de armação fina, uma barba curta e cinzenta e tinha dentes pequenos que pareciam cabeças de fósforos queimados. Atrás dele vinha um garoto mais ou menos da idade de Adel. Os dedos grandes dos pés do garoto saíam por buracos simétricos do tênis. Os cabelos formavam uma massa compacta e desgrenhada. A calça jeans estava dura de sujeira e era curta demais. Em compensação, a camiseta chegava quase até os joelhos.

Kabir plantou-se entre o velho e *baba jan*. — Eu já disse que não é um bom momento — falou.

— Só quero uma palavrinha com o comandante — explicou o velho.

Baba jan pegou Adel pelo braço e delicadamente o conduziu ao banco traseiro do Land Cruiser. — Vamos, filho. Sua mãe está esperando. — Sentou-se ao lado de Adel e fechou a porta.

Dentro, quando os vidros fumê subiram, Adel viu Kabir dizer alguma coisa ao velho que não conseguiu ouvir. Depois Kabir contornou a frente do utilitário e entrou no banco do motorista, deixando o Kalashnikov no banco do passageiro antes de ligar a ignição.

— Qual era o assunto? — perguntou Adel.

— Nada importante — respondeu Kabir.

Pegaram a estrada. Alguns garotos que estavam na multidão perseguiram o carro por um tempo antes de o Land Cruiser se afastar. Kabir entrou na rua principal, uma movimentada avenida que dividia em dois a cidade de Shadbagh-e-Nau, sempre buzinando e embicando o automóvel pelo tráfego. Todos abriam caminho. Algumas pessoas acenavam. Adel observava as calçadas lotadas dos dois lados, o olhar vagando por imagens conhecidas: carcaças penduradas em ganchos nos açougues, ferreiros trabalhando em rodas de madeira e bombeando os foles manuais, vendedores de frutas espantando moscas das uvas e cerejas, o barbeiro afiando a navalha ao lado da cadeira na calçada. Passaram por casas de chá, pontos de *kabob*, uma oficina mecânica, uma mesquita, até Kabir entrar com o carro na grande praça pública da cidade, cujo centro ostentava uma fonte azul e um mujahidin esculpido numa pedra negra de três metros de altura, olhando para o leste, um turbante enrolado na cabeça, um lançador RPG no ombro. *Baba jan* havia contratado pessoalmente um escultor de Cabul para fazer a estátua.

Ao norte da avenida havia alguns quarteirões de área residencial, compostos basicamente de ruas estreitas não pavimentadas e pequenas casas com teto achatado pintadas de branco, amarelo ou azul. Umas poucas tinham antenas parabólicas no teto. Bandeiras afegãs pendiam de várias janelas. *Baba jan* explicara a Adel que a maioria das casas e do comércio de Shadbagh-e-Nau foi construída mais ou menos nos últimos quinze anos. Ele tinha ajudado em muitas das construções. A maioria das pessoas que viviam aqui o considerava o fundador de Shadbagh-e-Nau, e Adel sabia que os anciãos haviam sugerido que a cidade tivesse o nome dele, mas *baba jan* declinou aquela honra.

Dali, a avenida principal seguia por três quilômetros em direção ao norte e chegava a Shadbagh-e-Kohna, a Velha Shadbagh. Adel nunca tinha visto a aldeia da forma como era décadas atrás. Quando *baba jan* se mudara com a mãe de Cabul para Shadbagh, a velha aldeia já estava quase desaparecida. Não existia mais nenhuma das casas antigas. A única relíquia que ainda sobrevivia era um velho e decadente moinho. Em Shadbagh-e-Kohna, Kabir saiu da avenida principal à esquerda e pegou uma estrada de terra larga, de um quilômetro, que ligava a avenida principal às maciças muralhas de quatro metros de altura do complexo em que Adel morava com os pais — agora a única estrutura em pé em Shadbagh-e-Kohna, sem contar o moinho. Adel via as paredes brancas ao longe, enquanto o utilitário trepidava e sacolejava na pista. Anéis de arame farpado corriam pelo alto dos muros.

Um guarda uniformizado, que estava sempre de vigília na entrada principal do complexo, fez uma saudação e abriu o portão. Kabir dirigiu o utilitário por um caminho de cascalho em direção à residência dentro das muralhas.

A casa tinha três andares e era pintada de rosa e azul-turquesa. Com colunas altas, beirais pontudos e vidros espelhados que cintilavam sob o sol. Tinha parapeitos, uma varanda com mosaicos brilhantes e amplos balcões com gradis de ferro fundido. Dentro, eram nove banheiros e sete quartos; às vezes, quando Adel e *baba* brincavam de esconde-esconde, Adel vagava por uma hora ou mais até achar o pai. Todas as bancadas nos banheiros e na cozinha eram feitas de granito e mármore calcário. Ultimamente, para deleite de Adel, *baba jan* vinha falando em construir uma piscina no subsolo.

Kabir estacionou na entrada circular em frente às altas portas de entrada. Desligou o motor.

— Você pode nos dar um minuto? — pediu *baba jan*.

Kabir assentiu e saiu do carro. Adel o viu subindo os degraus de mármore até a porta e tocar a campainha. Foi Azmaray, o outro guarda-costas, um tipo baixo, bronco e atarracado, quem abriu a porta. Os dois homens trocaram algumas palavras e ficaram por ali, cada um acendendo um cigarro.

— Você precisa mesmo ir? — perguntou Adel. O pai ia viajar para o sul pela manhã, para supervisionar os campos de algodão em Helmand e se encontrar com trabalhadores da fábrica de tecidos que havia construído lá. Ia ficar fora por duas semanas, um período de tempo que, para Adel, parecia interminável.

Baba jan olhou para ele do alto. Sua figura apequenava Adel, ocupando mais da metade do banco traseiro. — Eu também preferia não ir, filho.

Adel aquiesceu. — Hoje, eu me senti orgulhoso. Orgulhoso de você.

Baba jan depositou o peso de sua grande mão no joelho de Adel. — Obrigado, Adel. Fico contente. Mas eu levo você a essas coisas para aprender, para entender que é importante que pessoas afortunadas, pessoas como nós, assumam suas responsabilidades.

— Eu só queria que você não precisasse viajar tanto.

— Eu também, filho, eu também. Mas só viajo amanhã. Hoje, eu ainda volto para casa.

Adel concordou, baixando os olhos em direção às mãos.

— Escute — disse o pai numa voz calma. — O povo desta cidade precisa de mim, Adel. Precisa da minha ajuda para ter uma casa e encontrar trabalho e ganhar a vida. Cabul tem seus próprios problemas. E não pode fazer nada por eles. Se eu não fizer alguma coisa, ninguém mais vai fazer. E essas pessoas vão sofrer.

— Eu sei disso — murmurou Adel.

Baba jan apertou um pouco o joelho dele. — Você sente falta de Cabul, eu sei, dos seus amigos. Tem sido difícil se adaptar aqui, tanto para você como para sua mãe. E sei que estou sempre viajando e indo a reuniões e que um monte de pessoas exige o meu tempo. Mas olhe para mim, filho.

Adel ergueu os olhos e encontrou os de *baba*. Um olhar delicado sob o dossel das sobrancelhas espessas.

— Ninguém neste mundo é mais importante para mim do que você, Adel. Você é meu filho. Eu desistiria de tudo isso de bom grado por você. Eu daria a minha vida por você, filho.

Adel aquiesceu, os olhos um pouco marejados. Às vezes, quando *baba jan* falava desse jeito, Adel sentia o coração inchar e inchar até ter dificuldade para respirar.

— Você me entendeu?
— Sim, *baba jan*.
— Você acredita em mim?
— Acredito.
— Que bom. Então, dê um beijo em seu pai.

Adel abraçou o pescoço de *baba jan*, e o pai o segurou apertado e com paciência. Adel lembrou-se de quando era pequeno, quando cutucava o ombro do pai no meio da noite, ainda trêmulo por causa de um pesadelo, e o pai puxava a coberta e deixava que entrasse na cama, envolvendo-o e beijando o alto da cabeça até Adel parar de tremer e voltar a dormir.

— Talvez eu traga alguma coisa de Helmand para você — disse *baba jan*.
— Não precisa — replicou Adel, a voz abafada. Já tinha mais brinquedos do que conseguia usar. E não existia um brinquedo no mundo que pudesse compensar a ausência do pai.

MAIS TARDE, NAQUELE DIA, Adel estava empoleirado no meio da escada espiando uma cena que se desenrolava lá embaixo. Alguém havia tocado a campainha da porta, e Kabir atendeu. Kabir estava encostado no batente com os braços cruzados, bloqueando a entrada enquanto falava com uma pessoa do outro lado. Era o velho que tinha visto mais cedo na escola, percebeu Adel, o homem de óculos com os dentes de fósforos queimados. O garoto com o sapato furado também estava lá, em pé ao seu lado.

O velho perguntou: — Aonde ele foi?

Kabir respondeu: — Negócios. No sul.
— Ouvi dizer que ele só ia viajar amanhã.
Kabir deu de ombros.
— Quanto tempo ele vai ficar fora?
— Dois meses, talvez três. Quem sabe dizer?
— Não foi o que ouvi falar.
— Agora você está abusando da minha paciência, velho — disse Kabir, descruzando os braços.
— Eu vou esperar.
— Não, aqui, não.
— Na beira da estrada, eu quis dizer.
Kabir se agitou com impaciência. — Fique à vontade — falou. — Mas o comandante é um homem muito ocupado. Ninguém sabe quando ele vai voltar.
O velho aquiesceu e se afastou, com o garoto atrás.
Kabir fechou a porta.
Adel abriu a cortina da janela do quarto de casal e ficou observando o velho e o garoto andando pela estrada de terra que ligava o complexo à estrada principal.
— Você mentiu para ele — disse Adel.
— Faz parte do que sou pago para fazer. Proteger seu pai dos abutres.
— Afinal, o que ele quer, um emprego?
— Algo assim.
Kabir sentou no sofá e tirou os sapatos. Olhou para Adel e deu uma piscada. Adel gostava de Kabir, muito mais que de Azmaray, que era antipático e mal falava com ele. Kabir jogava baralho com Adel e o convidava para assistir a DVDs juntos. Kabir adorava cinema. Tinha uma coleção comprada no mercado negro, e assistia a dez ou doze filmes por semana — iranianos, franceses, americanos, de Bollywood, claro, não fazia diferença. E, às vezes, quando a mãe de Adel estava em outro quarto e Adel prometia não contar ao pai, Kabir tirava o carregador do Kalashnikov e deixava Adel segurar a arma, como um mujahidin. No momento, o Kalashnikov estava apoiado na parede na porta da frente.

Kabir recostou-se e pôs os pés no braço do sofá. Começou a folhear um jornal.

— Eles parecem inofensivos — observou Adel, soltando a cortina e virando-se para Kabir. Só enxergava a testa do guarda-costas por cima do jornal.

— Então, eu deveria ter convidado os dois para tomar um chá — resmungou Kabir. — Oferecer um pedaço de bolo também.

— Não tem graça.

— Todos eles parecem inofensivos.

— *Baba jan* vai ajudar os dois?

— É provável — suspirou Kabir. — Seu pai é um rio para o povo. — Baixou o jornal e sorriu. — De onde é essa frase? Vamos, Adel. Nós assistimos no mês passado.

Adel deu de ombros. Começou a subir a escada.

— *Lawrence* — disse Kabir do sofá. *Lawrence da Arábia*. Anthony Quinn. Logo depois, no momento em que Adel chegou ao alto da escada, disse: — Eles são abutres, Adel. Não acredite nessa encenação. Eles tirariam tudo de seu pai se pudessem.

CERTA MANHÃ, DOIS DIAS DEPOIS de o pai partir para Helmand, Adel foi até o quarto do casal. A música do outro lado da porta era alta e ritmada. Entrou e encontrou a mãe de short e camiseta, em frente à gigantesca tela plana da TV, imitando os movimentos de três loiras suadas, uma série de pulos, agachamentos, estocadas e gestos. Ela viu o filho pelo grande espelho do quarto de vestir.

— Quer me acompanhar? — perguntou, arfando, mais alto que a música.

— Prefiro ficar aqui sentado — respondeu Adel. Abaixou-se no tapete e observou a mãe, que se chamava Aria, pular como um sapo de um lado a outro do quarto.

A mãe de Adel tinha mãos e pés delicados, um nariz pequeno e arrebitado e um rosto bonito como o de uma atriz dos filmes de Bollywood a que Kabir assistia. Era esbelta, ágil e jovem — tinha só catorze anos quando se casou com *baba jan*. Adel tinha ainda outra mãe, mais velha, e três meios-irmãos mais velhos, mas *baba jan* alojara a todos no leste, em Jalalabad, e Adel só os encontrava uma vez por mês ou coisa assim, quando *baba jan* o levava lá para uma visita. Ao contrário da mãe e da madrasta, que não gostavam uma da outra, Adel e seus meios-irmãos se davam muito bem. Nas visitas que fazia a Jalalabad, eles levavam Adel a parques, bazares, ao cinema e a torneios de *buzkashi*. Jogavam *Resident evil* e matavam os zumbis de *Call of duty* lado a lado com ele, e sempre o escolhiam para o time nas partidas de futebol da vizinhança. Adel gostaria tanto que eles morassem aqui, perto dele...

Adel viu a mãe deitar de costas e levantar e baixar as pernas esticadas até o chão, uma bola de plástico azul presa nos tornozelos.

Na verdade, Adel se sentia oprimido pelo tédio de Shadbagh. Não tinha feito um único amigo nos dois anos desde que morava aqui. Não podia ir de bicicleta até a cidade, certamente não sozinho, não com a onda de sequestros acontecendo em toda a região — ainda que escapasse de vez em quando, por pouco tempo, mas sempre nos limites do perímetro do complexo. Não tinha colegas de sala de aula, porque *baba jan* não o deixava frequentar a escola local — por razões de segurança, dizia —, substituída por um professor particular que vinha em casa todas as manhãs para as lições. De forma geral, Adel passava o tempo lendo, chutando uma bola de futebol por ali sozinho ou assistindo aos filmes de Kabir, geralmente os mesmos, muitas e muitas vezes. Vagava ocioso pelos amplos corredores do casarão de teto alto, passando por todos os quartos grandes e vazios, ou ficava olhando pela janela de seu quarto no andar de cima. Adel morava numa mansão, mas era um mundo pequeno. Havia dias em que se sentia tão entediado que tinha vontade de bater a cabeça na parede.

Sabia que a mãe também se sentia terrivelmente solitária aqui. Tentava preencher os dias com uma rotina, exercícios pela manhã, banho, desjejum, depois ler, cuidar do jardim, ver novelas indianas na TV à tarde. Quando *baba jan* estava fora, o que era frequente, ela sempre usava moletons cinzentos e tênis pela casa, sem maquiagem, o cabelo preso num coque atrás da cabeça. Raramente abria a caixa de joias onde guardava todos os anéis, colares e brincos que *baba jan* trazia de Dubai. Às vezes, passava horas conversando com a família em Cabul. Só quando a irmã ou os parentes a visitavam por alguns dias, uma vez a cada dois ou três meses, Adel via a mãe reviver. Usava vestidos longos estampados e sapatos de salto alto, se maquiava. Os olhos brilhavam, e sua risada podia ser ouvida por toda a casa. Era nessas horas que Adel tinha um vislumbre da pessoa que ela já havia sido.

Quando *baba jan* estava viajando, Adel e a mãe tentavam ser um alívio um para o outro. Remexiam nas peças de quebra-cabeças e jogavam golfe e tênis no videogame de Adel. Mas o passatempo favorito de Adel com a mãe era construir casas com palitos de dente. A mãe desenhava uma planta em três dimensões da casa numa folha de papel, com uma varanda na frente, teto inclinado, escadas do lado de dentro e paredes separando os diferentes cômodos. Primeiro eles construíam os alicerces, depois as paredes e escadas internas, passando horas pincelando cola nos palitos com todo o cuidado, esperando secar. A mãe de Adel contou que quando era mais nova, antes de casar com o pai de Adel, ela sonhava em ser arquiteta.

Foi numa dessas vezes, durante a construção de um arranha-céu, que ela contou a Adel a história do casamento com *baba jan*.

Era pra ele ter se casado com minha irmã mais velha, explicou.

Tia Nargis?

Sim. Isso foi em Cabul. Um dia, ele a viu na rua e pronto. Tinha de se casar com ela. Apareceu em nossa casa no dia seguinte, ele e cinco de seus homens. Eles mais ou menos se convidaram a entrar. Todos de botas. Meneou a cabeça e deu risada, como se fosse uma coisa engraçada que *baba jan* havia feito, mas não do jeito que ria normalmente quando achava alguma coisa engraçada. *Você devia ter visto a expressão de seus avós.*

Todos se reuniram na sala de visitas, *baba jan*, os homens e os pais dela. Ela ficou na cozinha preparando um chá enquanto eles conversaram. Mas havia um problema, explicou, porque a irmã dela já estava noiva, prometida a um primo que morava e estudava engenharia em Amsterdã. Como eles poderiam romper esse noivado?, os pais perguntaram.

E então eu entrei, levando chá e uma bandeja de doces. Encho as xícaras e ponho a bandeja na mesa, e seu pai me vê, e, quando me viro para sair, seu pai diz "Talvez o senhor tenha razão. Não é justo romper um noivado. Mas se me disser que essa daí também está comprometida, receio que não terei escolha, a não ser pensar que não gosta de mim". E deu risada. E foi assim que nós casamos.

Pegou um tubo de cola.

Você gostava dele?

Fez um pequeno trejeito com os ombros. *Verdade seja dita, eu estava mais com medo do que qualquer outra coisa.*

Mas agora você gosta dele, certo? Você o ama?

Claro que sim, respondeu a mãe de Adel. *Que pergunta!*

Você não se arrepende de ter casado com ele.

Ela largou a cola e esperou alguns segundos antes de responder. *Olhe para a nossa vida, Adel,* disse devagar. *Olhe ao seu redor. Me arrepender do quê?* Sorriu e deu um delicado puxão no lóbulo da orelha dele. *Além do mais, eu não teria tido você.*

A mãe de Adel desligou a TV e sentou no chão, arfando, enxugando o suor do pescoço com uma toalha.

— Por que não faz alguma coisa sozinho hoje? — perguntou, esticando as costas. — Eu vou tomar um banho e comer. E estava pensando em ligar para seus avós. Não falo com eles há uns dois dias.

Adel soltou um suspiro e se levantou.

Já no quarto, um andar abaixo e em outra ala da casa, pegou a bola de futebol e uma camisa de Zidane que *baba jan* lhe dera de presente no último aniversário, o de doze anos. Quando desceu a escada, encontrou Kabir cochilando, o jornal aberto no peito como se fosse uma colcha. Pegou uma lata de suco de maçã na geladeira e saiu.

Adel seguiu o caminho de cascalho em direção à entrada principal do complexo. A guarita, onde os guardas armados ficavam, estava vazia. Adel conhecia o período de rodízio dos guardas. Abriu o portão com cuidado e saiu, fechando o portão atrás de si. Quase de imediato, teve a impressão de que conseguia respirar melhor deste lado do muro. Em algumas ocasiões, o complexo era muito parecido com uma prisão.

Caminhou sob a grande sombra do muro, em direção à parte de trás do complexo, longe da estrada principal. Lá atrás, depois do complexo, encontravam-se os pomares de *baba jan,* dos quais ele muito se orgulhava. Vários acres de longas fileiras paralelas de árvores de peras e maçãs, damascos e cerejas, figos e também nêsperas. Entre o complexo e os pomares havia uma clareira, quase vazia, a não ser por um barracão onde os jardineiros guardavam as ferramentas. A única outra presença era um cepo do que teria sido, pela aparência, uma gigantesca árvore velha. Uma vez *baba jan* contou os anéis do tronco com Adel e concluiu que era provável que a árvore tivesse visto os exércitos de Gengis Khan passarem marchando. Com um meneio pesaroso, disse que quem a tinha cortado devia ser um grande tolo, fosse lá quem fosse.

Era um dia quente, o sol brilhava num céu azul imaculado, como o dos desenhos com crayon que Adel fazia quando era pequeno. Descansou a lata de suco de maçã no troco serrado e fez embaixadas com a bola. Seu melhor desempenho era de sessenta e oito toques sem deixar a bola cair. O recorde foi estabelecido no meio do verão, e ele continuava tentando melhorar. Adel havia completado vinte e um toques quando percebeu que alguém o observava. Era o garoto, aquele que estava com o velho que tentara se aproximar de *baba jan* na cerimônia de inauguração da escola. Agora estava agachado na sombra do barracão de tijolo.

— O que você está fazendo aqui? — perguntou Adel, tentando cuspir as palavras da maneira como Kabir fazia quando falava com estranhos.

— Pegando um pouco de sombra — respondeu o garoto. — Não me entregue.

— Você não deveria estar aqui.

— Nem você.

— O quê?

O garoto deu uma risadinha. — Tudo bem. — Abriu os braços e se levantou. Adel tentou ver se os bolsos dele estavam cheios. Talvez tivesse vindo para roubar frutas. O garoto andou até Adel, levantou a bola com o pé, fez duas embaixadas e a passou de calcanhar para Adel. Adel pegou a bola e pôs embaixo do braço.

— O seu valentão quer que esperemos na estrada, eu e meu pai. Mas não tem uma sombra. E nem uma maldita nuvem no céu.

Adel sentiu necessidade de sair em defesa de Kabir. — Ele não é um valentão.

— Bom, ele fez questão que víssemos bem o Kalashnikov, isso eu posso dizer. — Olhou para Adel, um sorriso divertido e preguiçoso nos lábios. Deu uma cuspida perto dos pés. — Vejo que você é fã do homem da cabeçada.

Levou um momento para Adel perceber a quem ele estava se referindo.
— Você não pode julgar Zidane por causa de um erro — contestou. — Ele foi o melhor. Era um mago no meio-campo.
— Já vi melhores.
— Ah, é? Quem?
— Maradona.
— Maradona? — repetiu Adel, indignado. Já tivera aquela discussão antes, com um de seus meios-irmãos em Jalalabad. — Maradona é um enganador! "A mão de Deus", lembra?
— Todo mundo engana e todo mundo mente.

O garoto bocejou e começou a se afastar. Devia ter a altura de Adel, talvez um fio de cabelo mais alto, e devia ter mais ou menos a mesma idade, pensou Adel. Mas por alguma razão ele andava como se fosse mais velho, sem pressa, com um ar de quem já tivesse visto tudo na vida e nada o surpreendesse.
— Meu nome é Adel.
— Gholam. — Os dois se deram as mãos. O aperto de Gholam era firme, a palma da mão seca e calejada.
— Que idade você tem?

Gholam deu de ombros. — Treze, acho. Agora já pode ser catorze.
— Você não sabe o dia de seu aniversário?

Gholam abriu um sorriso. — Aposto que você sabe o seu. Aposto que fica contando.
— Não — discordou Adel, na defensiva. — Quer dizer, eu não fico contando.
— Eu preciso ir embora. Meu pai está lá sozinho.
— Pensei que era seu avô.
— Pois pensou errado.
— Quer fazer uns tiros livres? — propôs Adel.
— Você diz bater uns pênaltis?
— Cinco cada um. Melhor de três.

Gholam cuspiu outra vez, olhou na direção da estrada e voltou a olhar para Adel. Adel notou que o queixo dele era pequeno para o rosto e que tinha caninos extras encavalados na frente, um deles lascado e apodrecendo. A sobrancelha esquerda era fendida em dois por uma cicatriz curta e estreita. E ele cheirava mal. Mas Adel não conversava — muito menos jogava bola — como um garoto da mesma idade havia quase dois anos, descontando as visitas mensais a Jalalabad. Adel já estava preparado para uma recusa, mas Gholam deu de ombros e falou: — É, por que não? Mas eu chuto primeiro.

Usaram duas pedras a oito passos de distância uma da outra para fazer as traves do gol. Gholam deu seus cinco chutes. Marcou um, mandou dois para fora, e Adel defendeu dois com facilidade. Gholam se mostrou ainda pior no gol do que nos chutes. Adel conseguiu marcar quatro, sempre fazendo com que ele pulasse para o outro lado, e o único chute que perdeu nem foi no gol.

— Merda — disse Gholam, dobrado em dois, apoiando a palma das mãos nos joelhos.

— Revanche? — Adel tentava não se vangloriar, mas era difícil. Estava voando por dentro.

Gholam concordou, e o resultado foi ainda mais desequilibrado. Conseguiu fazer só um gol de novo, e dessa vez Adel converteu suas cinco tentativas.

— Já chega, estou sem fôlego — disse Gholam, levantando os braços. Arrastou os pés até o toco da árvore e sentou com um gemido cansado. Adel pegou a bola e sentou ao lado dele.

— Provavelmente isto não está ajudando — disse Gholam, pescando um maço de cigarros do bolso da frente do jeans. Só tinha um. Acendeu-o com um fósforo, inalou com um ar satisfeito e o ofereceu a Adel. Adel sentiu-se tentado a aceitar, ao menos para impressionar Gholam, mas recusou, preocupado que Kabir ou a mãe sentissem o cheiro.

— Faz muito bem — observou Gholam, jogando a cabeça para trás.

Conversaram sobre futebol por um tempo, e Adel teve a agradável surpresa de ver que o conhecimento de Gholam era sólido. Falaram sobre as partidas de que mais gostaram e trocaram histórias de gols favoritos. Cada um enumerou uma lista dos cinco melhores jogadores: eram quase os mesmos, mas Gholam incluiu o Ronaldo brasileiro, e Adel preferiu o Ronaldo português. Era inevitável que acabassem falando da final de 2006 e da dolorosa lembrança, para Adel, do incidente da cabeçada no adversário. Gholam disse que assistira à partida inteira com uma multidão pela vitrine de uma loja de TV perto do campo.

— Campo?

— O campo onde eu cresci. No Paquistão.

Contou para Adel que era a primeira vez que vinha ao Afeganistão. Tinha morado a vida toda no Paquistão, no campo de refugiados de Jalozai, onde nascera. Disse que Jalozai era como uma cidade, um grande labirinto de tendas e barracos de barro e casas construídas com plástico e alumínio alinhados numa confusão de vielas estreitas, sujas de lixo e fezes. Era uma cidade no ventre de uma cidade ainda maior. Ele e os irmãos — ele era o mais velho por três anos — haviam sido criados no campo. Morava lá numa casa de taipa com os irmãos, a mãe, o pai, que se chamava Iqbal, e Parwana, a avó paterna. Naquelas ruelas, ele e os irmãos haviam aprendido a andar e a falar. Estudaram na escola de lá. Brincavam com varetas e rodas de bicicleta enferrujadas naquelas ruas sujas, correndo com outros garotos refugiados até o sol se pôr e a avó chamar para voltar para casa.

— Eu gostava de lá — falou. — Eu tinha amigos. Conhecia todo mundo. Nós estávamos nos dando bem até. Tenho um tio na América, o meio-irmão do meu pai. Tio Abdullah. Jamais o conheci. Mas ele mandava dinheiro para nós a cada tantos meses. Ajudou. Ajudou bastante.

— Por que vocês foram embora?

— Não teve outro jeito. Os paquistaneses fecharam o campo. Disseram que os afegãos pertenciam ao Afeganistão. Depois, o dinheiro do meu tio parou de chegar. Então, meu pai disse que era melhor voltarmos para casa e recomeçarmos, agora que o Talibã havia fugido para o lado paquistanês da fronteira. Disse que éramos hóspedes no Paquistão e tínhamos abusado da hospitalidade dele. Foi realmente deprimente. Este lugar — apontou com um gesto de mão — é um país estrangeiro para mim. E os garotos do campo, aqueles que já conheciam o Afeganistão? Nenhum dizia nada de bom a respeito.

Adel queria dizer que entendia como Gholam se sentia. Queria dizer quanta saudade tinha de Cabul, dos amigos, dos meios-irmãos em Jalalabad. Mas sentiu que Gholam poderia rir dele. Em vez disso, falou: — É, aqui é muito *chato*.

Gholam riu assim mesmo. — Acho que não era bem disso que eles estavam falando — comentou.

Adel entendeu vagamente que havia sido repreendido.

Gholam deu uma tragada e soltou algumas argolas de fumaça. Os dois ficaram olhando os anéis espiralar até se desintegrar.

— Meu pai disse a mim e aos meus irmãos: "Esperem só até respirarem o ar de Shadbagh, meninos, o gosto da água". Ele nasceu aqui, o meu pai, foi criado aqui também. Disse: "Vocês nunca tomaram uma água tão fresca e tão doce, garotos". Falava sempre sobre Shadbagh, que imagino que fosse apenas um pequeno vilarejo quando ele morava aqui. Dizia que tinha um tipo de uva que não dava em nenhum outro lugar do mundo. Parecia que estava descrevendo o paraíso.

Adel perguntou onde ele estava ficando agora. Gholam jogou a ponta do cigarro fora, olhou para o céu, estreitando os olhos na luminosidade. — Sabe o campo aberto perto do moinho?

— Sei.

Adel esperou algo mais, mas não havia mais nada.

— Você mora naquele terreno?

— Por enquanto — murmurou Gholam. — Nós temos uma tenda.

— Você não tem família aqui?

— Não. Todos foram embora ou morreram. Bom, meu pai tem um tio em Cabul. Ou tinha. Quem sabe se ainda está vivo. Era irmão da minha avó, trabalhava para uma família rica de lá. Mas acho que Nabi e minha avó não se falam há décadas, cinquenta anos ou mais, imagino. São praticamente estranhos. Acho que meu pai poderia falar com ele, se precisasse mesmo. Mas ele quer se virar sozinho. Aqui. Aqui é o lar dele.

Passaram alguns momentos em silêncio, sentados no cepo, observando as folhas do pomar tremelicar com as lufadas de vento quente. Adel pensou em Gholam e sua família dormindo numa tenda, com escorpiões e cobras rastejando ao redor.

Adel não soube bem por que acabou contando a Gholam a razão de ele e os pais terem se mudado de Cabul para cá. Ou melhor, não sabia qual das razões o levou a fazer isso. Não saberia dizer se foi para desfazer a impressão de Gholam de que ele tinha uma vida despreocupada só porque morava numa casa grande. Ou se foi uma espécie de afirmação de ser o melhor da classe. Talvez para ganhar simpatia? Para diminuir o fosso entre os dois? Ele não sabia. Talvez todas essas coisas. Tampouco Adel sabia por que parecia tão importante que Gholam gostasse dele; só entendia fugazmente que era mais complicado que mera consequência de sua solidão e da vontade de ter um amigo.

— Nós mudamos para Shadbagh porque alguém tentou nos matar em Cabul — falou. — Uma moto parou na porta da frente, e dispararam várias rajadas de balas na casa. O motociclista conseguiu escapar. Graças a Deus ninguém foi ferido.

Não sabia que reação esperar, mas ficou surpreso quando Gholam não esboçou reação nenhuma. Ainda estreitando os olhos por causa do sol, Gholam falou: — É, eu sei.

— Você sabe?

— Todo mundo sabe até quantas vezes o seu pai assoa o nariz.

Adel viu Gholam amassar o maço de cigarros vazio e enfiá-lo no bolso da frente do jeans.

— Ele *tem* inimigos — suspirou Gholam.

Adel sabia disso. *Baba jan* havia explicado que algumas pessoas que lutaram ao seu lado contra os soviéticos nos anos 1980 se tornaram depois muito corruptas e poderosas. Haviam se perdido, disse. E, como ele não participava de seus esquemas criminosos, essas pessoas faziam acusações, tentando sujar seu nome e espalhar rumores falsos e prejudiciais sobre ele. Era por isso que *baba jan* sempre tentava proteger Adel — não permitindo jornais na casa, por exemplo, não deixando Adel assistir aos noticiários da TV nem navegar na internet.

Gholam inclinou a cabeça e disse: — Também ouvi dizer que ele é ótimo fazendeiro.

Adel deu de ombros. — Você pode ver por si mesmo. São alguns acres de pomares. Bem, e as plantações de algodão em Helmand também, acho, para a fábrica.

Gholam olhou nos olhos de Adel, e um sorriso se formou em seu rosto, expondo o canino apodrecido. — Algodão. Você é uma figura. Nem sei o que dizer.

Adel não entendeu. Levantou e quicou a bola. — Você pode dizer revanche.

— Revanche.

— Vamos lá.

— Só que dessa vez eu aposto que você não faz nem um gol.

Agora foi a vez de Adel sorrir. — O que você vai apostar?

— Isso é fácil. Zidane.

— E se eu ganhar? Não. *Quando* eu *ganhar*?

— Se eu fosse você — disse Gholam —, não me preocuparia com essa improbabilidade.

Foi um golpe brilhante. Gholam mergulhou para a esquerda e para a direita, defendeu todos os chutes de Adel. Ao tirar a camiseta, Adel sentiu-se bobo por ter sido enganado e perdido algo que era seu por direito, que talvez fosse o seu bem mais precioso. Entregou a camisa. Um pouco alarmado, sentiu lágrimas lhe alfinetar os olhos e lutou para se controlar.

Pelo menos Gholam fez a gentileza de não vestir a camisa na frente dele. Quando estava indo embora, ele sorriu por cima do ombro. — Seu pai não vai ficar fora três meses, vai?

— Eu aposto com você de novo amanhã — disse Adel. — A camisa.

— Acho que preciso pensar a respeito.

Gholam saiu em direção à estrada principal. Na metade do trajeto, parou, pegou o maço de cigarros amassado do bolso e o atirou por cima do muro da casa de Adel.

TODOS OS DIAS DURANTE UMA semana, depois de suas aulas matinais, Adel pegava a bola e saía do complexo. Nas duas primeiras vezes, conseguiu sincronizar as escapadas com o rodízio dos guardas armados. Mas, na terceira tentativa, o guarda estava lá e não o deixou sair. Adel voltou para casa e retornou com um iPod e um relógio. Dali em diante, o guarda deixava sub-repticiamente Adel entrar e sair, desde que ele não se aventurasse além dos pomares. Quanto a Kabir e à mãe, eles mal notavam essas ausências de uma ou duas horas. Era uma das vantagens de morar numa casa tão grande.

Adel jogava bola sozinho atrás do complexo, perto do toco de árvore na clareira, sempre esperando que Gholam aparecesse. Mantinha-se de olho no trecho de terra que saía da estrada principal enquanto fazia embaixadas, descansava no toco observando um caça a jato rabiscar o céu ou atirava pedregulhos distraidamente sem um alvo específico. Passado algum tempo, recolhia a bola e caminhava de volta ao complexo.

Então, um dia Gholam apareceu, trazendo um saco de papel.

— Por onde você andou?

— Trabalhando — respondeu Gholam.

Contou a Adel que ele e o pai haviam sido contratados para colocar tijolos por alguns dias. O trabalho de Gholam era misturar a argamassa. Disse que carregava baldes de água para cima e para baixo, arrastava sacos de cimento e areia mais pesados que ele. Explicou a Adel como misturava a argamassa no carrinho de mão, misturava a água com uma enxada, amassando e amassando, acrescentando água e areia até a mistura adquirir uma consistência homogênea, sem esfarelar. Depois, empurrava o carrinho de mão até os pedreiros e voltava para começar uma nova remessa. Abriu as mãos e mostrou a Adel as palmas esfoladas.

— Uau — disse Adel, tolamente, mas não conseguiu pensar em outra resposta. A atividade mais próxima de trabalho braçal que experimentara havia acontecido três anos antes, numa tarde em que ajudara o jardineiro a plantar algumas mudas de maçã no quintal da casa em Cabul.

— Tenho uma surpresa para você — disse Gholam. Abriu o saco e jogou a camisa do Zidane para Adel.

— Não estou entendendo — falou Adel, surpreso, até um pouco entusiasmado.

— Vi um garoto na cidade outro dia usando a camisa — disse Gholam, pedindo a bola com os dedos. Adel chutou para ele, e Gholam fez embaixadas enquanto contava sua história. — Dá para acreditar? Eu chego nele e digo "Ei, essa camisa aí é do meu amigo". Ele me dá uma olhada. Para encurtar a história, nós resolvemos o negócio no braço. No final, ele acabou *implorando* para eu ficar com a camisa! — Pegou a bola no ar, cuspiu e sorriu para Adel.

— Tudo bem, talvez eu tenha vendido a camisa para ele dois dias antes.

— Isso não está certo. Se você vendeu, era dele.

— O quê, agora você não quer mais? Depois de tudo o que passei para recuperar para você? Não foi covardia, sabe? Ele soube se defender bem.

— Mesmo assim — resmungou Adel.

— Além do mais, enganei você naquele dia e me senti mal por causa disso. Agora você está com a camisa de volta. E eu... — Apontou para os pés, e Adel viu que estava usando um novo par de tênis azul e branco.

— E o outro cara está bem? — perguntou Adel.

— Vai sobreviver. Mas nós vamos discutir ou vamos jogar?

— O seu pai está com você?

— Hoje, não. Foi até um tribunal em Cabul. Vamos logo.

Os dois jogaram por um tempo, chutando a bola um para o outro, dando piques. Depois saíram para dar uma volta. Adel quebrou a promessa que fizera ao guarda e entrou no pomar. Comeram nêsperas tiradas do pé e tomaram Fanta gelada das latinhas que Adel havia trazido escondidas da cozinha.

Logo, os dois estavam se encontrando dessa maneira quase todos os dias. Jogavam bola, perseguiam um ao outro entre as fileiras paralelas de árvores no pomar. Conversavam sobre esportes e filmes e, quando não tinham nada para fazer, olhavam a cidade de Shadbagh-e-Nau, as suaves colinas a distância, a cadeia de montanhas coberta de nuvens mais além, e isso também era bom.

Agora, todos os dias Adel acordava ansioso para encontrar Gholam no caminho de terra, ouvir o som de sua voz alta e confiante. Estava quase sempre distraído em suas aulas matinais, a concentração fugindo quando pensava nos jogos que iriam fazer, nas histórias que iam contar um ao outro. A preocupação era perder Gholam. A preocupação era que o pai de Gholam, Iqbal, não arranjasse um trabalho fixo na cidade, ou um lugar para morar, e Gholam tivesse de se mudar para outra cidade, outra região do país, e Adel tentava se preparar para essa possibilidade, se endurecer contra a despedida que se seguiria.

Um dia, enquanto descansavam no toco da árvore, Gholam perguntou: — Você já esteve com alguma garota, Adel?

— Você diz...

— Isso mesmo.

Adel sentiu uma onda de calor nas orelhas. Por um momento pensou em mentir, mas sabia que Gholam logo perceberia. Murmurou: — Você, já?

Gholam acendeu um cigarro e ofereceu um a Adel. Dessa vez, Adel aceitou, depois de olhar por cima do ombro para garantir que o guarda não estava olhando da esquina, ou que Kabir não tinha resolvido sair. Deu uma tragada e imediatamente teve um prolongado acesso de tosse que fez Gholam sorrir e dar tapas em suas costas.

— Então, já esteve ou não? — arquejou Adel, os olhos lacrimejando.

— Um amigo meu do campo — disse Gholam num tom conspiratório — era mais velho e me levou a um bordel em Peshawar.

E contou a história. O quarto pequeno e imundo. As cortinas cor de laranja, as paredes rachadas, a única lâmpada pendurada no teto, o rato que viu passar correndo no chão. O som dos riquixás lá fora, pipocando para cima e para baixo na rua, o rugido dos motores dos automóveis. A garota no colchão, terminando de comer um prato de *biryani*, mastigando e olhando para ele sem expressão. Como ele percebeu, mesmo naquela luz difusa, que ela tinha um rosto bonito e não era muito mais velha que ele. Como ela catou os últimos grãos de arroz com um pedaço de *naan*, afastou o prato, deitou e limpou os dedos na perna antes de tirar a calça.

Adel ouviu o relato fascinado, arrebatado. Nunca tivera um amigo como aquele. Gholam sabia ainda mais sobre o mundo que os meios-irmãos de Adel, muitos anos mais velhos que ele. E os amigos de Adel em Cabul? Eram todos filhos de tecnocratas, ministros e funcionários do governo. Todos viviam um cotidiano semelhante ao de Adel. Os vislumbres que Gholam havia revelado de sua vida sugeriam uma existência de encrencas, imprevisibilidade e dureza, mas também de aventura, uma vida a quase um mundo de distância daquela de Adel, embora acontecesse praticamente debaixo de seu nariz. Ouvindo as histórias de Gholam, Adel via, às vezes, a própria vida como uma irremediável chatice.

— Então, você conseguiu? — perguntou Adel. — Você, você sabe, enfiou nela?

— Não. Nós tomamos uma xícara de *chai* e ficamos discutindo Rumi. O que você *acha*?

Adel corou. — E como foi?

Mas Gholam já tinha mudado de assunto. Normalmente, as conversas eram assim, Gholam escolhia sobre o que falariam, começava a contar uma história com o maior prazer, envolvia Adel, mas perdia o interesse e deixava tanto a história quanto Adel no ar.

Agora, em vez de concluir a narrativa que havia começado, Gholam falou: — Minha avó disse que o marido dela, meu avô Saboor, uma vez contou uma história sobre essa árvore. Bom, isso foi muito antes de ele derrubar a árvore, é claro. Meu avô contou essa história quando os dois eram crianças. A história dizia que, se você tivesse um desejo, tinha de ajoelhar na frente da árvore e sussurrar o desejo. E se a árvore atendesse, soltaria exatamente dez folhas em sua cabeça.

— Eu nunca tinha ouvido falar disso — comentou Adel.

— Bem, nem poderia ter ouvido, não é?

Só então Adel entendeu melhor o que Gholam contara. — Espera aí. O seu avô cortou a nossa árvore?

Gholam olhou para ele. — Sua árvore? Essa árvore não é sua.

Adel piscou os olhos. — Como assim?

Gholam olhou com mais intensidade para o rosto de Adel. Pela primeira vez, Adel não conseguiu detectar seu característico sorriso maroto, travesso e malicioso. O rosto se transformou, a expressão era sóbria, assustadoramente adulta.

— Essa árvore era da nossa família. Essa terra era da nossa família. Foi nossa por gerações. Seu pai construiu essa mansão na nossa terra. Enquanto estávamos no Paquistão durante a guerra. — Apontou para o pomar. — Isso aqui? Era o lugar onde ficavam as casas onde as pessoas moravam. Mas seu pai derrubou tudo. Assim como derrubou a casa onde meu pai nasceu, onde foi criado.

Adel piscou os olhos.

— Ele disse que a nossa terra era dele e construiu essa — fez uma careta ao apontar o polegar em direção ao complexo —, essa *coisa* no lugar.

Sentindo-se um pouco nauseado, o coração batendo forte, Adel replicou: — Eu pensei que nós éramos amigos. Por que está dizendo essas mentiras terríveis?

— Lembra quando eu enganei você com a camisa? — perguntou Gholam, um rubor subindo pela face. — Você quase chorou. Não negue. Eu vi. Isso por causa de uma *camisa*. Imagine o que minha família sentiu, depois de vir lá do

Paquistão, ao descer do ônibus e encontrar essa *coisa* na nossa terra. E o seu valentão de terno lilás. Mandando a gente embora da nossa terra.

— Meu pai não é um ladrão! — gritou Adel. — Pergunte a qualquer um em Shadbagh-e-Nau, pergunte o que ele já fez por esta cidade. — Pensou em como *baba jan* recebia as pessoas na mesquita da cidade, recostado no sofá, atrás de uma xícara de chá, contas de oração na mão. Uma fila solene de pessoas estendendo-se do sofá até a porta da entrada, homens com mãos enlameadas, velhas banguelas, jovens viúvas com filhos, todos passando necessidade, todos esperando a vez para pedir um favor, um emprego, um pequeno empréstimo para consertar um telhado ou um fosso de irrigação ou comprar fórmula para o bebê, como se cada pessoa na fila fosse tão importante para ele como alguém da família.

—Ah, é? Então como meu pai tem os documentos de posse? — perguntou Gholam. — Os que ele entregou ao juiz no tribunal.

— Tenho certeza de que se ele falar com *baba*...

— O seu *baba* não fala com ele. Não reconhece o que fez. Passa por nós de carro como se fôssemos cachorros de rua.

— Vocês não são cachorros — disse Adel. Era uma batalha manter a voz firme. — Vocês são abutres. Como disse Kabir. Eu devia saber.

Gholam levantou, deu um ou dois passos, fez uma parada. — Só para deixar claro — falou —, eu não tenho nada contra você. Você é apenas um garotinho ignorante. Mas da próxima vez que *baba* for a Helmand, peça pra ele levar você até a tal fábrica. Veja o que ele está plantando lá. Vou dar uma dica. Não é algodão.

Naquela noite, antes do jantar, Adel entrou numa banheira cheia de água quente com sabonete líquido. Podia ouvir a tv no andar de baixo, Kabir assistindo a um filme de piratas. A raiva, que tinha durado a tarde inteira, estava lavada, e agora Adel considerava se não tinha sido duro demais com Gholam. *Baba jan* dissera uma vez que não importa quanto a gente faça, às vezes os pobres falam mal dos ricos. Principalmente por causa das condições da vida que levam. Não se podia fazer nada a respeito. Era até natural. *E nós não podemos pôr a culpa neles, Adel*, disse.

Adel não era ingênuo a ponto de não saber que o mundo era basicamente um lugar injusto; bastava olhar pela janela do quarto. Mas imaginava que, para pessoas como Gholam, o reconhecimento dessa verdade não era satisfatório. Talvez pessoas como Gholam precisassem de alguém para culpar, um alvo de carne e osso, alguém que pudessem apontar como o agente de suas dificuldades, alguém para condenar, culpar, sentir raiva. E talvez *baba jan* estivesse certo quando dizia que a melhor resposta era entender, sem julgar. Até responder com bondade. Observando as bolhas de sabão subindo e estourando na superfície, Adel pensou no pai construindo escolas e clínicas, mesmo sabendo que havia gente na cidade que espalhava boatos maldosos sobre ele.

Enquanto estava se enxugando, a mãe botou a cabeça na porta do banheiro. — Você vai descer para jantar?

— Eu não estou com fome — respondeu.

— Ah. — Ela entrou e pegou uma toalha da prateleira. — Sente-se. Deixe-me enxugar seu cabelo.

— Eu sei fazer isso sozinho — disse Adel.

Ela ficou ao seu lado, os olhos observando-o pelo espelho. — Está tudo bem com você, Adel?

Adel deu de ombros. A mãe pousou a mão no ombro dele, olhando-o de frente, como se esperasse que ele esfregasse o rosto na mão dela. Adel não fez isso.

— Mãe, você já viu a fábrica do *baba jan*?

Notou a pausa nos movimentos da mãe. — É claro — respondeu. — Você também viu.

— Não estou falando de fotos. Você já viu de verdade? Esteve lá?

— Como eu poderia ter feito isso? — retrucou a mãe, apoiando a cabeça no espelho. — Helmand não é um lugar seguro. Seu pai jamais nos colocaria em perigo.

Adel assentiu.

No andar de baixo, canhões disparavam e piratas emitiam gritos de guerra.

Três dias depois, Gholam apareceu outra vez. Andou depressa até Adel e parou.

— Que bom que você voltou — disse Adel. — Eu tenho uma coisa para você. Do alto do toco de árvore, pegou um casaco que vinha trazendo consigo todos os dias desde a discussão. Era um casaco de couro cor de chocolate, forrado com lã de carneiro e um capuz preso com zíper. Estendeu-o para Gholam. — Eu usei poucas vezes. É um pouco grande para mim. Deve servir em você.

Gholam não se moveu. — Ontem nós tomamos um ônibus até Cabul e fomos ao tribunal — falou num tom neutro. — Adivinhe o que o juiz disse? Disse que tinha más notícias. Disse que houve um acidente. Um pequeno incêndio. Os documentos de posse do meu pai foram queimados. Sumiram. Destruídos.

Adel abaixou lentamente a mão que segurava o casaco.

— E enquanto dizia que agora não podia fazer mais nada, sem os documentos, sabe o que ele tinha no pulso? Um relógio de ouro novo em folha que não estava usando da última vez que meu pai o viu.

Adel piscou.

Gholam deu uma olhada rápida no casaco. Era um olhar cortante e acusador, com intenção de causar vergonha. Funcionou. Adel se encolheu. Na mão, sentiu o casaco mudando, transformando-se de oferta de paz em suborno.

Gholam deu meia-volta e andou depressa em direção à estrada, com passos rápidos e determinados.

NA NOITE DO MESMO DIA em que retornou, *baba jan* fez uma festa em casa. Adel estava ao lado do pai, na cabeceira da grande toalha estendida no chão para a refeição. *Baba jan* às vezes preferia sentar no chão, comer com os dedos, especialmente se estivesse reunido com amigos dos tempos da Jihad. *Para relembrar aqueles dias nas cavernas*, brincava. As mulheres comiam à mesa da sala de jantar, com garfos e colheres, a mãe de Adel na cabeceira. Adel ouvia a conversa ecoando pelas paredes de mármore. Uma das mulheres, de ancas largas e cabelo comprido tingido de vermelho, estava noiva e ia se casar com um dos amigos de *baba jan*. À tarde, tinha mostrado à mãe de Adel fotos de sua câmera digital de uma loja de artigos de casamento a que havia ido em Dubai.

Depois do jantar, durante o chá, *baba jan* contou a história de sua unidade, que certa vez emboscara uma coluna soviética na entrada de um vale do norte. Todos prestaram atenção.

— Quando eles entraram na linha de tiro — disse *baba jan*, passando distraidamente a mão na cabeça de Adel —, nós abrimos fogo. Acertamos o veículo da ponta, depois alguns jipes. Achei que eles iam recuar ou forçar a passagem. Mas os filhos da mãe pararam, desceram e responderam ao fogo. Dá para acreditar?

Um murmúrio percorreu a sala. Cabeças balançaram. Adel sabia que pelo menos metade dos homens na sala eram ex-mujahidins.

— Nós estávamos em maior número, talvez em três para um, mas eles tinham armamento pesado, e não demorou muito para *nós* sermos atacados! Nossas posições nos pomares estavam sob fogo. Logo todo mundo estava se dispersando. Saímos correndo. Eu e um sujeito, Muhammad alguma coisa, fugimos juntos. Corremos lado a lado num campo de parreiras, não desses com estacas e arames, mas do tipo que as pessoas deixam crescer da terra. Balas voavam por toda parte, nós continuamos correndo para sobreviver e, de repente, tropeçamos e caímos. Num segundo, eu estava correndo outra vez, porém não vi sinal do tal Muhammad qualquer coisa. Eu viro para trás e grito, Tira esse rabo daí, seu jumento!

Baba jan fez uma pausa para efeitos dramáticos. Levou a mão aos lábios para conter o riso. — Então, ele aparece e começa a correr, e vocês acreditam que o filho da mãe maluco está carregando duas braçadas de uvas! Uma embaixo de cada braço!

Risadas irromperam. Adel também riu. O pai esfregou as costas dele e puxou-o mais para perto. Alguém começou a contar outra história, *baba jan* pegou o maço de cigarros ao lado do prato. Mas não conseguiu acender, pois de repente um vidro se quebrou em algum lugar da casa.

As mulheres gritaram na sala de jantar. Alguma coisa metálica, talvez um garfo ou uma faca de manteiga, caiu com ruído no mármore. Os homens se levantaram. Azmaray e Kabir entraram correndo na sala, fuzis engatilhados.

— Foi na porta da frente — disse Kabir, e, assim que falou, mais um vidro foi quebrado.

— Espere aqui, comandante Sahib, nós vamos dar uma olhada — disse Azmaray.

— De jeito nenhum! — rosnou *baba jan*, já avançando. — Não vou me esconder na minha própria casa.

Partiu em direção ao vestíbulo, seguido por Adel, Azmaray, Kabir e todos os outros homens. No caminho, Adel viu Kabir pegar um espeto de metal que usavam para atiçar o fogo na lareira no inverno. Adel viu a mãe também correndo para junto deles, o rosto pálido e retraído. Quando chegaram ao vestíbulo, uma pedra entrou pela janela e estilhaços de vidro se espalharam pelo chão. A mulher de cabelo vermelho deu um grito, a que estava para se casar. Lá fora, alguém estava berrando.

— Como diabos eles passaram pelo guarda? — alguém perguntou atrás de Adel.

— Comandante Sahib, não! — bradou Kabir, porém o pai de Adel já havia aberto a porta.

A luz estava diminuindo, mas era verão, e o céu ainda estava pintado de amarelo pálido. A distância, Adel viu pequenos aglomerados de luzes, as pessoas de Shadbagh-e-Nau se preparando para jantar com as famílias. As colinas que corriam pelo horizonte já estavam escuras, e logo a noite preencheria todas as lacunas. Mas não estava tão escuro assim, ainda não, para impedir que Adel visse o velho no pé da escada da entrada, com uma pedra em cada mão.

— Leve esse garoto para cima! — disse *baba jan* por cima dos ombros para a mãe de Adel. — Já!

A mãe de Adel o conduziu pela escada segurando seus ombros, passou pelo corredor e entrou na suíte que dividia com *baba jan*. Fechou a porta, trancou, fechou as cortinas e ligou a TV. Levou Adel até a cama, e os dois se sentaram. Na tela, dois árabes, usando camisões compridos e gorros tricotados, trabalhavam num caminhão de corrida.

— O que ele vai fazer com aquele velho? — perguntou Adel. Não conseguia parar de tremer. — Mãe, o que ele vai fazer com o velho?

Olhou para a mãe e viu uma nuvem passar pelo rosto dela, e de repente sabia, soube naquele exato momento que, fosse o que fosse que saísse dos lábios da mãe, não mereceria confiança.

— Seu pai vai conversar com ele — falou com um tremor. — Vai conversar sobre o que está acontecendo. É o que seu pai faz. Conversa com as pessoas.

Adel balançou a cabeça. Agora chorava, soluçava. — O que ele vai fazer, mãe? O que ele vai fazer com o velho?

A mãe continuou repetindo a mesma coisa, que ia dar tudo certo, que ia acabar tudo bem, que ninguém ia se machucar. Mas, quanto mais ela falava, mais ele soluçava, até a exaustão, até acabar adormecendo no colo da mãe em algum momento.

Ex-comandante escapa de *tentativa de assassinato*.

Adel leu a reportagem no estúdio do pai, no computador do pai. A reportagem descrevia o ataque como "odioso", e o agressor como um ex-refugiado com "ligações suspeitas com o Talibã". No meio do artigo, o pai de Adel era citado declarando que teve medo pela segurança de sua família. *Principalmente meu filhinho inocente*, mencionava. O artigo não revelava o nome do agressor nem qualquer indicação do que poderia ter acontecido com ele.

Adel desligou o computador. Não poderia usar o computador, e também havia transgredido as regras ao entrar no estúdio do pai. Um mês atrás, ele não teria se atrevido a fazer uma coisa nem outra. Arrastou os pés andando de volta ao quarto, deitou na cama e ficou quicando uma velha bola de tênis na parede. *Tump! Tump! Tump!* Não demorou muito para a mãe enfiar a cabeça no quarto, pedir, e depois ordenar que ele parasse; mas ele não parou. Ela ficou parada na porta algum tempo, antes de sair.

Tump! Tump! Tump!

Aparentemente, nada havia mudado. Uma descrição das atividades diárias de Adel teria mostrado que ele voltara ao ritmo normal. Continuava acordando na mesma hora, lavava o rosto, tomava o café da manhã com os pais, tinha aulas com o professor particular. Depois, almoçava e passava a tarde assistindo a filmes com Kabir ou jogando videogame.

Mas nada mais era o mesmo. Gholam pode ter aberto uma brecha na porta para ele, porém foi *baba jan* quem o empurrou para o outro lado. Engrenagens dormentes começaram a girar na cabeça de Adel. Para Adel, era como se, da noite para o dia, tivesse adquirido um sentido auxiliar, totalmente novo, que facultava o poder de ver coisas que nunca havia percebido, coisas que estavam escancaradas diante dele havia anos. Percebia, por exemplo, como a mãe guardava segredos dentro de si. Quando olhava para ela, esses segredos se agitavam em sua expressão. Via sua luta para esconder dele todas as coisas que sabia, todas as coisas que mantinha trancadas, afastadas, cuidadosamente guardadas, como eles dois nesse casarão. Via, pela primeira vez, a casa do pai como a monstruosidade, a afronta, o monumento à injustiça que era para todo mundo. Via por trás da afobação das pessoas em agradar ao pai a intimidação, o medo que era a verdadeira base de todo aquele respeito e deferência. Imaginou que Gholam sentiria orgulho dele por isso. Pela primeira vez, Adel se sentiu realmente atento aos movimentos mais abrangentes que sempre tinham norteado sua vida.

E às verdades radicalmente conflitantes que residiam dentro de cada um. Não só no pai, ou na mãe ou em Kabir.

Nele próprio também.

Por alguma razão, essa última descoberta foi a mais surpreendente para Adel. As revelações do que agora sabia que seu pai havia feito — primeiro em nome da Jihad, depois do que chamava de recompensas pelo sacrifício — deixaram Adel atônito. Pelo menos por um período. Durante muitos dias depois de as pedras terem quebrado os vidros, o estômago de Adel doía sempre que o pai entrava no recinto. Quando ouvia o pai gritando no telefone celular ou mesmo o escutava cantarolando no banheiro, sentia a coluna esfarelando, a garganta seca e dolorida. O pai vinha dar um beijo de boa-noite, e o instinto de Adel era de se encolher. Tinha pesadelos. Sonhava que estava no limite dos pomares, vendo uma luta no meio das árvores, o brilho de um bastão metálico subindo e descendo, o som de metal atingindo carne e ossos. Acordava desses sonhos com um uivo sufocado no peito. Acessos de choro o surpreendiam em momentos aleatórios.

E ainda assim.

E ainda assim.

Havia ainda algo mais acontecendo. Aquela nova consciência não desapareceu de sua mente, mas, aos poucos tinha encontrado companhia. Outra corrente de consciência começou a circular por ele, uma corrente que não desalojava a primeira, mas clamava um lugar ao seu lado. Adel sentiu o despertar dessa outra parte de si mesmo, mais preocupante. A parte de si mesmo que gradualmente, com o passar do tempo, de maneira quase imperceptível, acabaria aceitando aquela nova identidade, que no presente pinicava como um suéter de lã. Adel percebeu que provavelmente acabaria aceitando essas coisas, como a mãe havia feito. Adel ficou zangado com ela no início; agora estava mais disposto a perdoar. Talvez ela tivesse aceitado aquilo por medo do marido. Ou como um preço pela vida de luxo que levava. Basicamente, suspeitava Adel, tinha aceitado aquilo pela mesma razão que ele aceitaria; porque precisava aceitar. Que escolha existia? Adel não podia fugir de sua vida, da mesma forma que Gholam não podia fugir da própria. As pessoas aprendiam a viver com as coisas mais inimagináveis. Como ele se acostumaria. Assim era a vida. Assim era a sua mãe. Assim era o seu pai. E assim era ele, mesmo que nem sempre soubesse disso.

Adel sabia que nunca mais amaria o pai como antes, quando dormia feliz aninhado em seus braços fortes. Agora isso era inconcebível. Mas aprenderia a amá-lo outra vez, mesmo que fosse de modo diferente, mais confuso, mais complicado. Adel podia quase sentir que saltava a infância. Logo iria aterrissar como um adulto. E, quando fizesse isso, não haveria como voltar, pois a idade adulta era como o que o pai dissera certa vez acerca de ser um herói de guerra. Quando você se torna um herói, morre herói.

Deitado na cama à noite, Adel pensava que um dia, em breve, talvez no dia seguinte, ou um dia depois, ou talvez um dia qualquer da semana que vem, ele sairia de casa e iria até o terreno perto do moinho, onde Gholam disse que sua família estava acampada. Achou que encontraria o terreno vazio. Ficaria ao lado da estrada, imaginando Gholam e sua mãe, os irmãos, a avó, a família transformada numa fila itinerante arrastando-se na poeira, os pertences amarrados em fardos, carregados nos ombros pelas estradas do interior, em busca de algum lugar para assentar. Agora Gholam era o chefe da família. Precisaria trabalhar. Passaria a juventude abrindo canais, cavando fossos, colocando tijolos e trabalhando em colheitas. Aos poucos, Gholam se transformaria num desses homens curvados e de pele curtida que Adel sempre via atrás dos arados.

Adel imaginava que ficaria ali parado por um tempo, no campo aberto, observando as colinas e as montanhas pairando sobre Nova Shadbagh. Depois, pegaria do bolso o que tinha encontrado um dia ao andar pelos pomares, a lente esquerda de um par de óculos, partido no nariz, uma teia de rachaduras na lente, a haste incrustada de sangue seco. Jogaria os óculos quebrados num fosso. Adel imaginava que, quando desse meia-volta e começasse a voltar para casa, iria se sentir, acima de tudo, aliviado.

Oito

Outono de 2010

Esta noite cheguei em casa da clínica e encontrei uma mensagem de Thalia na secretária eletrônica do meu quarto. Ouvi a mensagem enquanto desamarrava os sapatos, sentado na cama. Ela diz que está resfriada, que tem certeza de que pegou a gripe de mamãe, depois pergunta por mim, como vai meu trabalho em Cabul. No final, pouco antes de desligar, diz: *Odie não para de reclamar que você não liga. Claro que ela não diz nada para você. Então eu digo. Markos. Pelo amor de Deus. Ligue para sua mãe. Seu patife.*

Eu sorrio.
Thalia.

Tenho uma foto dela na minha mesa, que tirei muitos anos atrás, numa praia em Tinos, Thalia sentada numa pedra, de costas para a câmera. Mandei emoldurar a fotografia, mas quando se examina de perto ainda é possível ver uma mancha marrom-escura no canto inferior direito, cortesia de uma garota italiana maluca que tentou botar fogo na foto muitos anos atrás.

Ligo meu laptop e começo a digitar anotações das atividades do dia. Meu quarto é no andar de cima — um dos três quartos do segundo andar da casa onde moro desde que cheguei a Cabul, em 2002 —, e minha mesa está perto da janela, com vista para o jardim. Vejo as ameixeiras que meu ex-senhorio, Nabi, e eu plantamos alguns anos atrás. Posso ver também os antigos aposentos de Nabi mais ao fundo, agora pintados de novo. Depois que ele morreu, ofereci o lugar a um jovem holandês que presta serviços de TI nas escolas locais. E à direita vejo o Chevrolet 1940 de Suleiman Wahdati, parado há décadas, revestido de ferrugem como uma rocha recoberta de musgo, no momento coberto por uma fina camada da nevasca de ontem, surpreendentemente adiantada, a primeira do ano por enquanto. Depois que Nabi morreu, considerei por algum tempo chamar o guincho para levar o carro até um dos ferros-velhos de Cabul, mas não tive coragem. Para mim, o carro é uma parte essencial do passado da casa, de sua história.

Termino as anotações e olho para o relógio. Já são 21h30. Oito da noite na Grécia.

Ligue para sua mãe, seu patife.

Se for para ligar para mamãe esta noite, não posso esperar mais. Lembro que Thalia escreveu num e-mail que mamãe anda dormindo cada vez mais cedo. Respiro fundo e me preparo. Pego o receptor e disco o número.

CONHECI THALIA NO VERÃO DE 1967, quando eu tinha doze anos. Ela e a mãe, Madaline, vieram a Tinos para fazer uma visita a mamãe e a mim. Mamãe, cujo nome é Odelia, disse que fazia anos, quinze anos, para ser exato, desde a última vez em que ela e a amiga Madaline tinham se visto. Madaline havia saído da ilha com dezessete anos rumo a Atenas para se tornar, ao menos por um breve período, uma atriz de modesto renome.

— Não me surpreendeu saber que ela seguiu carreira no teatro — disse mamãe. — Por causa da beleza. Todo mundo sempre ficou impressionado com Madaline. Você vai ver quando a conhecer.

Perguntei a mamãe por que ela nunca havia mencionado a amiga.

— Não mencionei? Tem certeza?

— Tenho.

— Pois eu poderia jurar. — Depois falou: — A filha, Thalia. Você precisa ser delicado, pois ela sofreu um acidente. Foi mordida por um cachorro. Tem uma cicatriz.

Mamãe não disse mais nada, e eu sabia que não adiantava insistir. Mas essa revelação me intrigou, muito mais que a carreira de Madaline nas telas e nos palcos, com minha curiosidade alimentando a desconfiança de que a cicatriz deveria ser significativa e visível, para a garota merecer considerações especiais. Com uma ansiedade mórbida, mantive a expectativa de ver a cicatriz pessoalmente.

— Madaline e eu nos conhecemos na igreja, quando éramos pequenas — contou mamãe.

Tornaram-se amigas inseparáveis logo de cara, explicou. Ficavam de mãos dadas embaixo da carteira, ou no intervalo, na igreja ou passeando pelos campos de cevada. Juraram continuar irmãs pela vida toda. Prometeram que iriam morar uma perto da outra; mesmo depois de se casarem, elas seriam vizinhas e, se o marido de uma delas insistisse em se mudar, pediriam divórcio. Lembro que mamãe sorriu um pouco ao me contar tudo isso, zombando de si mesma, como para se distanciar daquela juventude, daquela loucura exuberante, de todos aqueles votos impulsivos e precipitados. Mas percebi no rosto dela uma mágoa reprimida, uma sombra de decepção, que mamãe era orgulhosa demais para admitir.

Madaline agora estava casada com um homem rico e muito mais velho, um tal de sr. Andreas Gianakos, que anos antes havia produzido o segundo filme dela, que acabou sendo o último. Ele trabalhava no negócio de construção e era dono de uma grande empresa em Atenas. Os dois haviam tido uma altercação recentemente, uma briga, Madaline e o sr. Gianakos. Mamãe não me passou nenhuma informação; eu soube por uma leitura rápida, clandestina e parcial da carta que Madaline enviara a mamãe, informando que pretendia nos visitar.

É tão cansativo ficar junto de Andreas e seus amigos de direita e aquelas músicas marciais. Mantenho a boca fechada o tempo todo. Não digo nada quando eles aplaudem esses militares valentões que transformaram nossa democracia numa piada. Se eu dissesse uma palavra de dissenso, tenho certeza de que me rotulariam como uma anarcocomunista, e nem a influência de Andreas me salvaria das masmorras. Talvez ele nem se desse ao trabalho, quero dizer, de exercer a influência dele. Às vezes, acredito que a intenção dele é exatamente me provocar até eu me incriminar. E como sinto saudade de você, minha querida Odie. Como sinto falta de sua companhia...

No dia em que nossas convidadas iam chegar, mamãe acordou cedo para arrumar tudo. Morávamos numa casinha construída numa encosta. Como muitas casas em Tinos, era feita de pedra branca lavada, com um telhado coberto de telhas vermelhas em forma de diamante. O pequeno quarto no segundo andar que eu e mamãe dividíamos não tinha porta — a escada estreita chegava diretamente até ele —, mas tinha uma claraboia e um terraço estreito com um gradil de ferro fundido na altura da cintura, de onde se podia ver os telhados das outras casas, além de oliveiras, cabras, tortuosas ruelas de pedra e as arcadas lá embaixo e, claro, o mar Egeu, calmo e azul nas manhãs de verão, encapelado e esbranquiçado nas tardes, quando os ventos *meltemi* sopravam do norte.

Ao terminar a limpeza, mamãe vestiu o que outrora se passava por seu melhor traje, o que usava sempre em 15 de agosto, dia da Dormição na Igreja Evangélica de Panagia, quando peregrinos chegavam a Tinos vindos de todos os cantos do Mediterrâneo para rezar em frente ao famoso ícone da igreja. Há uma foto de minha mãe com aquela roupa, o vestido longo cor de ouro enferrujado, de tecido grosso, com um decote redondo, o suéter branco encolhido, as meias, os sapatos pretos barulhentos. Mamãe parecia exatamente uma viúva ameaçadora, com a expressão severa, as sobrancelhas espessas e o nariz esnobe numa postura rígida, devota e taciturna como uma verdadeira peregrina. Eu também estou na foto, numa postura rígida ao lado do quadril de minha mãe. Visto um calção, uma camisa branca e meias enroladas até o joelho. É possível ver, pela minha expressão, que recebera ordens de permanecer imóvel, para não sorrir, que meu rosto fora esfregado e meu cabelo fora alisado com água, penteado contra minha vontade e em meio a muitas reclamações. É possível sentir uma corrente de insatisfação entre nós. Vê-se quão rígidos estamos, como nossos corpos mal fazem contato.

Ou talvez não seja perceptível. Mas eu percebo, sempre que vejo a foto, a última vez dois anos atrás. Não consigo deixar de ver o cansaço, o esforço, a impaciência. Não consigo deixar de ver duas pessoas juntas por uma questão de dever genético, fadadas a surpreender e decepcionar uma à outra, tendo como ponto de honra desafiar uma à outra.

Da janela do quarto no segundo andar, vi mamãe sair em direção ao porto da cidade de Tinos. Com um lenço amarrado sob o queixo, mamãe entrou de cabeça na manhã ensolarada. Era uma mulher magra, de ossos pequenos e corpo de criança, mas quem a visse chegando não podia deixar de notar sua figura. Lembro-me de mamãe andando em minha direção na escola todas as manhãs — agora ela está aposentada, mas era professora. Enquanto caminhávamos juntos, ela nunca segurava minha mão. As outras mães faziam isso com os filhos, mas não mamãe. Dizia que precisava me tratar como qualquer outro aluno. Andava na frente, um punho fechado ao redor da gola do suéter, e eu tentava acompanhar, lancheira na mão, seguindo seus passos. Na sala de aula, eu sempre sentava atrás. Recordo minha mãe no quadro-negro e como ela conseguia reprimir um aluno malcomportado com um único olhar de repreensão, como uma pedra lançada de um estilingue, com uma pontaria cirúrgica. Ela conseguia partir qualquer um ao meio com nada mais que um olhar sombrio ou um súbito silêncio.

Mamãe acreditava em lealdade acima de tudo, mesmo à custa de sacrifício. Principalmente à custa de sacrifício. Acreditava também que sempre era melhor dizer a verdade, dizer toda a verdade, sem alarde, e, quanto mais desagradável a verdade, mais era necessário contar. Não tinha paciência para gente sem tutano. Sempre foi, e ainda *é*, uma mulher que não pede desculpas, uma mulher com uma força de vontade enorme, e não uma pessoa com quem alguém quisesse ter uma rixa — embora eu nunca tenha realmente entendido, até agora, se esse temperamento era uma dádiva de Deus ou algo adotado por necessidade, depois da morte do marido um ano após o casamento, quando se viu totalmente sozinha para me criar.

Adormeci pouco depois de mamãe sair. Acordei de repente mais tarde, ao som de uma voz de mulher alta e melodiosa. Levantei e lá estava ela, toda de batom e pó de arroz, perfume e curvas esbeltas, como uma propaganda de linha aérea sorrindo atrás do véu diáfano de um pequeno chapéu. Ela estava no meio do quarto, num minivestido verde néon, uma valise de couro perto dos pés, o cabelo avermelhado e os membros compridos, sorrindo para mim com um brilho no olhar, as nuances de sua voz esbanjando desembaraço e alegria.

— Então você é o pequeno Markos da Odie! Ela não me disse que você era tão bonito! Ah, e vejo sua mãe em você, ao redor dos olhos, sim, vocês têm os mesmos olhos, acho, mas com certeza alguém já disse isso. Estava tão ansiosa para conhecê-lo. Sua mãe e eu, nós... ah, não, duvido que Odie tenha contado, mas você pode imaginar, pode deduzir que emoção é ver vocês dois, conhecer você, Markos. Markos Varvaris! Eu sou Madaline Gianakos e, devo dizer, estou encantada.

Tirou uma luva de cetim bege, até o cotovelo, o tipo de luva que eu tinha visto somente em revistas, usada por damas elegantes em vestidos de noite, que fumavam em grandes escadarias de teatros de ópera ou entravam em lustrosos automóveis pretos, seu rosto iluminado pelo espocar de flashes. Ela teve de puxar cada dedo várias vezes para a luva sair, depois se inclinou levemente e me estendeu a mão.

— Encantada — falou. A mão era fria e suave, apesar da luva. — E esta é minha filha Thalia. Querida, diga um alô a Markos Varvaris.

Thalia estava perto da porta da sala, ao lado de minha mãe, olhando para mim sem expressão, uma garota desengonçada, de pele clara e mechas de cabelos caídas. Fora isso, não consigo dizer mais nada sobre ela. Não consigo dizer a cor do vestido que usava naquele dia; ou melhor, nem se usava um vestido, o estilo dos sapatos, se estava de meia, se usava relógio, um colar ou anel ou um par de brincos. Não consigo dizer porque, se você estiver num restaurante e alguém de repente tirar a roupa, subir na mesa e começar a fazer malabarismo com as colheres de sobremesa, você vai olhar somente para aquilo e também vai ser a *única* coisa que conseguirá ver. A máscara que recobria a metade inferior do rosto da garota era assim. Eliminava qualquer possibilidade de alguma outra observação.

— Thalia, querida, diga um alô. Não seja mal-educada.

Pensei ter visto um leve aceno de cabeça.

— Alô — respondi com a boca seca. Houve uma ondulação no ar. Uma corrente. Eu me senti carregado por uma coisa que explodiu e coleou dentro de mim, sem saber se estava meio entusiasmado ou meio apavorado. Estava encarando a garota, sabia disso e não conseguia parar, não conseguia desviar o olhar do tecido azul-celeste da máscara, as duas fitas amarradas na nuca, a pequena brecha horizontal no lugar da boca. Soube na hora que não suportaria aquela visão, fosse o que fosse que a máscara estivesse escondendo. E sabia que não aguentaria esperar. Nada na vida poderia retomar o curso natural e ordenado enquanto eu não visse por mim mesmo o que poderia ser tão terrível, tão assustador que eu e outros tínhamos de ser protegidos daquela visão.

A possibilidade alternativa de que a máscara talvez servisse para esconder Thalia de nós não me ocorreu. Ao menos no turbilhão estonteante daquele primeiro encontro.

Madaline e Thalia subiram para desfazer as malas, enquanto mamãe empanava filés de linguado na cozinha para o jantar. Ela recomendou que eu preparasse uma xícara de *elliniko* para Madaline, o que fiz, e pediu para levar para ela, o que também fiz, numa bandeja, com um pratinho de *pastelli*.

Até hoje, décadas depois, a vergonha ainda me invade como um líquido quente e pegajoso quando me lembro do que aconteceu. Até hoje consigo visualizar a cena, imobilizada como uma fotografia. Madaline fumava na janela do quarto, olhava para o mar pelos óculos de lentes amareladas, uma das mãos no quadril, tornozelos cruzados. O chapeuzinho em cima da penteadeira. Acima da penteadeira está um espelho, e no espelho está Thalia, sentada na beira da cama, de costas para mim. Está abaixada, fazendo alguma coisa, talvez desatando o cadarço dos sapatos, e posso ver que tirou a máscara que está ao lado, na cama. Um filamento gelado sobe pela minha coluna, e eu tento me conter, mas minhas mãos tremem, o que faz a xícara de porcelana tilintar no pires, o que faz Madaline virar a cabeça em minha direção, o que faz Thalia erguer o olhar. E vejo seu reflexo no espelho.

A bandeja caiu de minhas mãos. A porcelana estilhaçou. O líquido quente se derramou, a bandeja caiu com um clangor escada abaixo. Foi um caos instantâneo, eu de quatro, quase vomitando em cima dos cacos da louça quebrada, Madaline dizendo "Meu Deus, meu Deus", e mamãe subindo a escada correndo, gritando: — O que aconteceu, o que você fez, Markos?

Mordida por um cachorro, tinha dito mamãe para me alertar. *Ela tem uma cicatriz.* O cachorro não tinha mordido o rosto de Thalia; tinha *comido*. E talvez existissem palavras para descrever o que vi no espelho naquele dia, mas "cicatriz" não estava entre elas.

Lembro-me das mãos de minha mãe me agarrando pelos ombros, puxando e girando meu corpo, dizendo: — O que está acontecendo, Markos? Qual é o seu problema? — Lembro-me de ter erguido os olhos, olhado por cima de minha cabeça. E o olhar se imobilizou. As palavras morreram em seus lábios. As mãos caíram de meus ombros. Depois testemunhei a coisa mais extraordinária, algo que pensei ser mais difícil do que ver o próprio rei Constantino aparecer em nossa porta vestido de palhaço. Uma lágrima inchando no canto do olho direito de minha mãe.

— Então, como ela era? — pergunta mamãe.
— Quem?
— Quem? A francesa. A sobrinha de seu senhorio, a professora de Paris.

Mudo o receptor para o outro ouvido. Fico surpreso de ela se lembrar. Em toda a minha vida, sempre tive a impressão de que as palavras que digo a mamãe desaparecem no espaço sem ser ouvidas, como se existisse uma estática entre nós, uma má conexão. Quando telefono de Cabul, como estou fazendo agora, sinto às vezes como se ela tivesse largado o receptor e se afastado, que eu falo para um vácuo entre dois continentes — embora sinta a presença de minha mãe na linha e ouça sua respiração. Outras vezes, comento com ela sobre alguma coisa que vi na clínica, um garoto ensanguentado carregado pelo pai, por exemplo, estilhaços cravados na face, orelha arrancada, mais uma vítima que brincava na rua errada e na hora errada do dia errado, e de repente, sem aviso, escuto um baque, e a voz de mamãe está distante e abafada, subindo e descendo, o eco do som de passos e de alguma coisa sendo arrastada no chão, e fico quieto, espero até ela voltar, o que ela faz afinal, sempre um pouco sem fôlego, explicando: *Eu disse claramente, Thalia, eu gosto de ficar na janela olhando a água quando falo com Markos, mas ela diz: Você vai se cansar, Odie, precisa sentar. De repente, ela está arrastando a poltrona, essa coisa grande forrada de couro que me comprou no ano passado, e empurrando-a até a janela. Meu Deus, ela é forte. Você nunca viu a poltrona, claro. Bem, é claro que não.* Depois suspira com uma exasperação fingida e pede para eu continuar minha história, mas então já estou distraído demais para continuar. O resultado é que ela me faz sentir vagamente repreendido e, mais ainda, merecendo aquilo, culpado de malfeitos não enunciados, ofensas pelas quais nunca fui formalmente acusado. Mesmo se continuo, minha história parece menor aos meus ouvidos. Não se compara com o drama de mamãe com Thalia e a poltrona.

— Como era o nome dela mesmo? — pergunta. — Pari alguma coisa, não?

Falei com mamãe sobre Nabi, um querido amigo meu. Ela sabe somente linhas gerais da vida dele. Sabe que deixou no testamento a casa de Cabul para a sobrinha, Pari, educada na França. Mas não falei nada com mamãe sobre Nila Wahdati, da fuga para Paris após o derrame do marido, as décadas que Nabi passou cuidando de Suleiman. *Que história*. Muitas paralelas em bumerangue. Como se fosse ler em voz alta uma acusação a si mesmo.

— Pari. Sim. Era simpática — digo. — E receptiva, para uma acadêmica.

— O que ela é mesmo, química?

— *Matemática* — respondo, fechando a tampa do laptop. Começou a nevar outra vez, levemente, minúsculos flocos volteando no escuro, atirando-se na minha janela.

Conto a mamãe sobre a visita de Pari Wahdati no verão passado. Foi realmente muito simpática. Delicada, esguia, cabelo prateado, pescoço comprido com veias azuladas nas têmporas, um caloroso sorriso com dentes separados. Pareceu um pouco alquebrada, mais velha que a idade. Artrite reumatoide grave. As mãos nodosas, principalmente, ainda funcionais, mas o dia está chegando, ela sabe disso. Me fez pensar em mamãe, quando chegar o dia *dela*.

Pari Wahdati ficou uma semana comigo na casa em Cabul. Levei-a para uma turnê, quando chegou de Paris. A última vez que viu a casa foi em 1955, e pareceu muito surpresa com a lembrança vívida que teve do lugar, da disposição geral, dos dois degraus entre a sala de visita e a de jantar, por exemplo, onde ela disse que ficava numa nesga de sol no meio das manhãs para ler seus livros. Ficou chocada com quão menor era a casa quando comparada às suas lembranças. Quando a levei ao segundo andar, ela sabia qual tinha sido seu quarto, apesar de ser ocupado atualmente por um colega alemão que trabalha para o Programa Mundial de Alimentação. Lembro que prendeu a respiração quando avistou o pequeno armário no canto do quarto — uma das poucas relíquias que sobreviveram de sua infância; lembrei-me dele ao ser mencionado nas anotações que Nabi me deixou antes de morrer. Ela se agachou na frente do armário e passou a ponta dos dedos pela pintura amarela descascada das portas, pelas girafas apagadas e pelos macacos de rabo comprido. Quando olhou para mim, percebi que seus olhos estavam cheios de lágrimas, e ela perguntou, muito tímida e contrafeita, se seria possível mandar o armário a Paris. Ofereceu-se para comprar outro armário. Foi a única coisa que quis da casa. Eu disse que seria um prazer.

Afinal, além do armário, que mandei a Paris alguns dias depois de sua partida, Pari Wahdati voltou à França apenas com o caderno de esboços de Suleiman Wahdati, a carta de Nabi e alguns poemas da mãe, Nila, que Nabi havia guardado. A única coisa que me pediu durante sua estada foi arranjar um meio de ela ir a Shadbagh, conhecer a aldeia onde havia nascido e onde esperava encontrar seu meio-irmão Iqbal.

— Imagino que ela vá vender a casa — diz mamãe —, agora que é dela.

— Ela disse que posso ficar quanto quiser — respondi. — Sem pagar aluguel.

Quase consigo ver os lábios de mamãe apertados numa expressão cética. Ela nasceu na ilha. Desconfia dos motivos de qualquer continental, olha de soslaio para suas aparentes atitudes de boa vontade. Essa foi uma das razões de eu saber, quando era garoto, que um dia teria de sair de Tinos, tão logo tivesse uma chance. Uma espécie de desespero tomava conta de mim quando eu ouvia as pessoas falando desse modo.

— Como vai indo o pombal? — pergunto, mudando de assunto.

— Estou dando um tempo. O trabalho estava me cansando.

Mamãe foi diagnosticada em Atenas seis meses atrás, por um neurologista que insisti que consultasse depois de Thalia me contar que ela tinha tremores e derrubava coisas o tempo todo. Foi Thalia quem a levou. Desde a ida ao neurologista, mamãe tem estado a toda. Sei pelos e-mails que Thalia me manda. Comandando a nova pintura da casa, consertando vazamentos de água, convencendo Thalia a fazer um novo closet no segundo andar e até substituindo telhas rachadas no teto, mas ainda bem que Thalia pôs um fim a tudo isso. Agora o pombal. Imagino mamãe de mangas arregaçadas, martelo na mão, as costas suadas, enfiando pregos e lixando pranchas de madeira. Correndo contra os neurônios que começam a falhar. Extraindo deles as últimas gotas úteis, enquanto ainda há tempo.

— Quando você vai voltar para casa? — pergunta mamãe.

— Logo — respondo. "Logo" foi o que eu disse também no ano passado, quando ela fez a mesma pergunta. Faz dois anos desde minha última visita a Tinos.

Uma breve pausa. — Não demore muito. Eu gostaria de ver você antes de me instalarem no pulmão de aço. — Dá risada. É um velho hábito, essas piadas e palhaçadas diante do infortúnio, esse desdém pela menor demonstração de autopiedade. Tem o efeito paradoxal — e eu sei, calculado — de, ao mesmo tempo, diminuir e aumentar o infortúnio.

— Venha para o Natal, se puder — continua. — Ou pelo menos antes de 4 de janeiro. Thalia diz que vai acontecer um eclipse do Sol na Grécia nesse dia. Leu a respeito na internet. Nós podíamos assistir juntos.

— Vou tentar, mamãe — respondo.

Era como acordar numa manhã e descobrir que um animal selvagem estava rondando a casa. Não havia lugar seguro para mim. Ela estava em cada curva e em cada canto, à espreita, de tocaia, sempre passando um lenço no rosto para enxugar a baba que fluía continuamente da boca. As pequenas dimensões de nossa casa tornavam impossível escapar dela. As refeições eram especialmente pavorosas, quando eu tinha de aguentar o espetáculo de Thalia levantando a borda da máscara para levar colheradas de sopa à boca. Comia fazendo barulho, pedaços de comida meio mastigados caindo com um ruído molhado no prato, na mesa e até no chão. Era obrigada a tomar qualquer líquido, até sopa, de canudinho, e a mãe mantinha uma porção deles na bolsa. Sugava ruidosamente e gorgolejava quando chupava algo sólido pelo canudinho, e sempre sujava a máscara e babava pela lateral do queixo até o pescoço. Na primeira vez, pedi licença para sair da mesa, mas mamãe me lançou um olhar severo. Por isso passei a treinar para baixar os olhos e não ouvir, porém não era fácil. Eu ia até a cozinha, e lá estava ela, quieta, enquanto Madaline passava pomada em seu rosto para evitar assaduras. Comecei a manter um calendário, uma contagem mental das quatro semanas que mamãe disse que Madaline e Thalia iam ficar.

Preferiria que Madaline tivesse vindo sozinha. Eu gostei muito de Madaline. Ficávamos sentados, os quatro, no pequeno pátio quadrado na frente da porta, ela tomando café e fumando um cigarro atrás do outro, os ângulos do rosto sombreados pela oliveira e um chapéu de palha dourado que poderia parecer absurdo nela, mas também ficaria absurdo em *qualquer* outra mulher, como mamãe, por exemplo. Mas Madaline era dessas pessoas que são elegantes sem esforço, como se fosse uma habilidade genética, como a capacidade de enrolar a língua como um tubo. Com Madaline, não havia calmaria na conversa; as histórias jorravam dela. Certa manhã nos contou de suas viagens, a Ancara, por exemplo, onde andou pelas margens do Enguri Su e tomou chá-verde temperado com *raki*, ou da ocasião em que ela e o sr. Gianakos foram ao Quênia e andaram no lombo de elefantes entre acácias espinhosas e até comeram purê de farinha de milho e arroz de coco com os aldeões locais.

As histórias de Madaline mexiam com uma antiga inquietação em mim, uma vontade que sempre tive de mergulhar de cabeça no mundo, de ser intrépido. Em comparação, minha vida em Tinos parecia ordinária e opressiva. Previa que minha vida se desenrolaria num interminável trecho de nada, por isso passei a maior parte de minha infância em Tinos debatendo-me, sentindo-me um substituto de mim mesmo, um procurador, como se minha vida real estivesse em outro lugar, esperando para me unir, algum dia, com esse eu menor e mais oco. Eu me sentia um náufrago. Um exilado em minha própria terra.

Madaline contou que tinha ido em Ancara a um lugar chamado parque Kugulu e visto cisnes flanando na água. Disse que a água era deslumbrante.

— Mas estou me entusiasmando demais — comentou, rindo.

— Não está, não — disse mamãe.

— É um velho hábito. Eu falo demais. Sempre falei. Lembra os aborrecimentos que causei a nós duas batendo papo nas aulas? Você nunca tinha culpa, Odie. Você era tão estudiosa e responsável.

— São interessantes as suas histórias. Você tem uma vida interessante.

Madaline revirou os olhos. — Bem, vocês conhecem a maldição chinesa.

— Você gostou da África? — mamãe perguntou a Thalia.

Thalia apertou o lenço na bochecha e não respondeu. Fiquei contente. Ela tinha uma fala muito esquisita. Parecia uma coisa molhada, uma estranha mistura de cicio e gargarejo.

— Ah, Thalia não gosta de viajar — disse Madaline, esmagando o cigarro. Disse aquilo como se fosse uma verdade incontestável. Não havia como olhar para Thalia para confirmar ou retrucar. — Ela não tem prazer em viajar.

— Bem, nem eu — disse mamãe outra vez para Thalia. — Eu gosto de ficar em casa. Acho que nunca encontrei boas razões para sair de Tinos.

— Eu nunca vi razão para ficar — observou Madaline. — A não ser você, naturalmente. — Tocou no pulso de mamãe. — Sabe qual era o meu maior temor, quando saí daqui? Minha maior preocupação? Como vou viver sem Odie? Juro. Eu ficava petrificada com esse pensamento.

— Você se saiu muito bem, parece — disse mamãe numa voz arrastada, afastando o olhar de Thalia.

— Você não entende — disse Madaline, e percebi que era eu quem não entendia, pois ela estava olhando diretamente para mim. — Eu não teria saído incólume se não fosse a sua mãe. Ela me salvou.

— Agora você está *exagerando* — falou mamãe.

Thalia olhou para cima. Apertou os olhos. Um avião a jato, lá em cima no azul, marcava sua silenciosa trajetória com um traço de vapor.

— Foi do meu pai que Odie me salvou — continuou Madaline. Eu não sabia mais se ela ainda estava se dirigindo a mim. — Ele era um desses tipos que nascem malvados. Tinha olhos saltados, um pescoço grosso e curto e uma verruga escura e mole na nuca. E punhos. Punhos como tijolos. Chegava em casa e nem precisava fazer nada, só o som das botas na entrada, o chocalhar das chaves, o chiado que soltava pelo nariz eram o suficiente para mim. Quando ficava zangado, sempre respirava pelo nariz e fechava os olhos com os dedos, como se estivesse numa profunda reflexão, depois esfregava o rosto e dizia: *Muito bem, garota, muito bem*, e eu já sabia o que estava por vir. Ninguém podia ajudar. Às vezes, só de ele esfregar a face, de suspirar pelo bigode, eu já entrava em pânico.

"Desde então conheci outros homens como ele. Gostaria de não ter conhecido. Mas conheci. E aprendi que basta cavar um pouco e eles se mostram todos iguais, tirando uma coisa ou outra. Alguns são mais educados, podem ter um pouco de charme — ou muito — e enganar você. Mas são todos garotos infelizes chafurdando na própria raiva. Eles se sentem enganados. Não tiveram a parte que mereciam. Ninguém os amou o bastante. Claro que desejam que você os ame. Querem ser abraçados, ninados, tranquilizados. Mas é um erro conceder-lhes isso. Eles não conseguem aceitar. Não conseguem aceitar exatamente a coisa de que precisam. E acabam odiando você por isso. E não tem fim, porque o ódio deles não tem limite, nunca termina, a infelicidade, os pedidos de desculpa, as promessas, as negações, toda essa nojeira. Meu primeiro marido era assim."

Fiquei chocado. Ninguém nunca havia falado com tanta sinceridade na minha presença, com certeza não mamãe. Ninguém que eu conhecia expunha seus infortúnios daquele modo. Me senti ao mesmo tempo constrangido por Madaline e admirado por sua sinceridade.

Quando ela mencionou o primeiro marido, percebi que, pela primeira vez desde que a conheci, uma sombra passou por sua expressão, uma intimação momentânea de alguma coisa sombria e marcante, uma mágoa, que contrastava com as risadas, as brincadeiras e o vestido floral cor de abóbora que usava. Lembro-me de ter pensado na época em como ela era boa atriz, para camuflar decepção e mágoa com um verniz de alegria. Como uma máscara, pensei, e fiquei contente comigo mesmo pela ilação inteligente.

Mais tarde, quando estava mais velho, aquilo deixou de ser tão claro para mim. Pensando em retrospecto, havia algo de afetado na maneira como ela fazia pausas ao mencionar o primeiro marido, os olhos baixos, o aperto na garganta, o leve tremor dos lábios, assim como havia a energia intensa, as brincadeiras, o encanto sólido e vivaz, o próprio modo como assumia seus menosprezos, caídos de paraquedas com uma risada e um piscar de olhos tranquilizadores. Talvez os dois fossem trunfos de afetação, talvez nenhum dos dois fosse. Tornou-se difuso para mim o que era performance e o que era real — ao menos me fez pensar nela como uma atriz *infinitamente* mais interessante.

— Quantas vezes eu cheguei correndo nesta casa, Odie? — indagou Madaline. Agora estava sorrindo outra vez, quase gargalhando. — Coitados de seus pais. Mas essa casa era o meu refúgio. Meu santuário. Era mesmo. Uma pequena ilha numa ilha maior.

Mamãe falou: — Você sempre foi bem-vinda aqui.

— Foi sua mãe quem deu fim àquelas surras, Markos. Ela jamais contou a você?

Respondi que não.

— Não me surpreende. Essa é Odelia Varvaris.

Mamãe estava outra vez desdobrando e alisando a barra do avental no colo com um olhar de devaneio.

— Cheguei aqui uma noite. A língua sangrando, um chumaço de cabelo arrancado da têmpora, o ouvido ainda zumbindo do bofetão. Ele havia caprichado daquela vez. Em que estado eu estava! Que estado! — Pela maneira como Madaline contava isso, dava para pensar que estivesse descrevendo uma lauta refeição ou um bom romance. — Sua mãe nem pergunta nada porque já sabe, é claro. Só olha para mim por um bom tempo, eu ali em pé tremendo, e diz, ainda me lembro até hoje, Odie: *Bom, agora esse negócio foi longe demais. Nós vamos fazer uma visita ao seu pai, Maddie.* E eu começo a implorar. Eu estava aflita porque ele podia matar a nós duas, mas você sabe como ela é, sua mãe.

Respondi que sabia, e mamãe me olhou com o canto dos olhos.

— Ela nem queria saber. Estava com aquele olhar dela. Com certeza você conhece o olhar. Ela sai de casa, não sem antes pegar a espingarda de caça do pai. O tempo todo, no caminho da minha casa, tento fazê-la parar, dizendo que meu pai não me machucou tanto assim. Mas ela não quer saber. Chegamos na minha casa, e lá estava meu pai, na porta, e Odie levanta o cano da arma, encosta-o no queixo dele e diz: *Se você fizer isso de novo, eu volto e dou um tiro na sua cara com essa espingarda.*

"Meu pai pisca os olhos e, por um momento, fica com a língua presa. Não consegue dizer uma palavra. E quer saber a melhor parte, Markos? Eu olho para baixo e vejo um pequeno círculo, um círculo de, bem, acho que você consegue adivinhar, um pequeno círculo que se expande em silêncio, no chão, entre os pés descalços."

Madaline jogou o cabelo para trás e disse, com mais uma risada: — E isso, meu querido, é a pura verdade.

Não precisava ter dito mais nada. Eu sabia que era verdade. Eu reconhecia essa momentosa resolução em mamãe, essa descomplicada e feroz lealdade. O impulso, a necessidade de corrigir injustiças, de proteger os fracos e oprimidos. E sabia que era verdade pelo grunhido de boca fechada que mamãe deu à menção daquele último detalhe. Ela não aprovou. Provavelmente, achou de mau gosto, e não apenas pelas razões óbvias. Do seu ponto de vista, as pessoas, mesmo quando se comportam de modo deplorável na vida, merecem um mínimo de dignidade na morte. Especialmente alguém da família.

Mamãe se mexeu na cadeira e disse: — Então, se você não gosta de viajar, Thalia, o que gosta de fazer?

Nosso olhar se voltou para Thalia. Madaline estava falando havia muito tempo, e lembro-me de ter pensado, enquanto estávamos lá com a luz do sol caindo em manchas ao nosso redor, que o fato de Thalia ter sido esquecida dava a dimensão de sua capacidade de absorver a atenção, de sugar completamente tudo para dentro de seu redemoinho. Eu também deixei espaço para a possibilidade de elas terem se adaptado àquela dinâmica por necessidade, a rotina da filha caladona eclipsada pela mãe autocentrada que chamava a atenção; que o narcisismo de Madaline talvez fosse um ato de bondade, de proteção maternal.

Thalia murmurou alguma coisa.

— Um pouco mais alto, querida — foi a sugestão de Madaline.

Thalia limpou a garganta, um som rascante e mucoso. — Ciência.

Notei pela primeira vez a cor dos olhos dela, verdes como um pasto virgem, o escuro profundo e áspero de seus cabelos, e a pele tão impecável quanto a da mãe. Ponderei se já teria sido bonita, talvez até linda como Madaline.

— Conte sobre o relógio solar, querida — disse Madaline.

Thalia deu de ombros.

— Ela construiu um relógio solar — continuou Madaline. — Lá no nosso quintal. No verão passado. Sem ajuda de ninguém. Sem a ajuda de Andreas. E sem a minha ajuda. — Deu uma risadinha.

— Equatorial ou horizontal? — perguntou mamãe.

Houve um lampejo de surpresa nos olhos de Thalia. Foi como uma reação retardada. Como o de uma pessoa andando numa rua movimentada numa cidade estrangeira ao ouvir um trecho em sua língua nativa. — Horizontal — respondeu ela, em sua voz estranha e molhada.

— E o que você usou como gnômon?

O olhar de Thalia pousou em mamãe. — Um cartão-postal recortado.

Foi a primeira vez que vi o que poderia acontecer entre aquelas duas.

— Ela gostava de desmontar os brinquedos quando era pequena — explicou Madaline. — Gostava de brinquedos mecânicos, coisas com engenhocas internas. Não para brincar com eles, não é, querida? Não, ela quebrava tudo, aqueles brinquedos caros, desmontava tudo assim que dávamos a ela. Eu ficava uma fera. Mas Andreas, tenho de reconhecer isso nele, Andreas dizia para deixar, que era sinal de mente curiosa.

— Se você quiser, podemos construir um relógio juntas — disse mamãe. — Um relógio solar, quero dizer.

— Eu já sei como construir.

— Seja mais educada, querida — disse Madaline, esticando e dobrando uma perna, como se estivesse se alongando para um ensaio de dança. — Tia Odie está tentando ser prestativa.

— Então, quem sabe alguma outra coisa — disse mamãe. — Podemos construir alguma outra coisa.

— Ah! Ah! — interrompeu Madaline, arfando, exalando fumaça com ansiedade. — Nem acredito que ainda não contei a você, Odie. Eu tenho notícias. Adivinhe.

Mamãe deu de ombros.

— Eu vou voltar a trabalhar! No cinema! Me ofereceram um papel, papel principal, numa grande produção. Dá para acreditar?

— Parabéns — falou mamãe, molemente.

— Estou com o roteiro aqui. Eu deixaria você ler, Odie, mas tenho medo de que não goste. Será ruim? Eu me sentiria aniquilada, sinceramente. Não conseguiria superar. As filmagens vão começar no outono.

NA MANHÃ SEGUINTE, DEPOIS DO café, mamãe me puxou de lado. — Tudo bem, o que acontece? Qual é o seu problema?

Respondi que não sabia do que ela estava falando.

— É melhor parar com isso. Esse fingimento bobo. Não combina com você — advertiu. Ela tinha um jeito de contrair os olhos e inclinar só um pouquinho a cabeça. Até hoje isso exerce poder sobre mim.

— Eu não consigo, mamãe. Não me obrigue a fazer isso.

— E por que não, exatamente?

A resposta saiu antes de eu conseguir fazer algo a respeito. — Ela é um monstro.

A boca de mamãe ficou pequena. Ela me olhou não com raiva, mas com desânimo, como se eu tivesse extraído sua seiva. Havia uma finalidade nesse olhar. Resignação. Como um escultor que largava a marreta e o cinzel e desistia de um bloco recalcitrante que nunca terá a forma imaginada.

— Ela é uma pessoa com quem aconteceu uma coisa terrível. Use esse termo com ela mais uma vez. Quero só ver. Faça isso e vai ver o que acontece.

Pouco mais tarde, lá estávamos nós, Thalia e eu, andando por uma ruela de pedras arredondadas flanqueada por muros de pedra dos dois lados. Eu fazia questão de andar uns passos na frente, para que os transeuntes — ou, Deus me livre, um dos garotos da escola — não pensassem que estávamos juntos, mas é claro que iam pensar de qualquer modo. Qualquer um iria perceber. Pelo menos eu imaginava que a distância entre nós mostraria meu desprazer e minha relutância. Para meu alívio, eles não prestaram muita atenção. Passamos por fazendeiros com ar cansado e queimados de sol voltando do mercado. Seus jumentos carregavam cestos de vime contendo produtos não vendidos, os cascos faziam clope-clope na trilha. Eu conhecia a maioria dos fazendeiros, mas mantive a cabeça baixa e desviei o olhar.

Levei Thalia até a praia. Escolhi uma rochosa, aonde eu ia de vez em quando, sabendo que não estaria tão cheia como outras praias, como Agios Romanos. Enrolei as pernas da calça e pulei de uma pedra escarpada para outra, escolhendo uma pedra próxima onde as ondas batiam e se retraíam. Tirei os sapatos e pus os pés numa pequena poça rasa formada entre um aglomerado de pedras. Um caranguejo-ermitão saiu correndo dos meus pés. Vi Thalia à minha direita, acomodando-se num rochedo próximo.

Ficamos sentados um longo tempo, sem falar, observando o mar rugindo nas rochas. Uma penetrante lufada de vento açoitou minhas orelhas, borrifando o aroma de sal em meu rosto. Um pelicano planava sobre a água azul-esverdeada, as asas abertas. Duas senhoras andavam lado a lado com água até os joelhos, a saia levantada. Na direção oeste, eu tinha uma visão das ilhas, o branco dominante das casas e dos moinhos, o verde dos campos de cevada, o marrom opaco das montanhas escarpadas das quais riachos transbordavam todos os anos. Meu pai morreu numa dessas montanhas. Trabalhava numa pedreira de mármore verde e, um dia — quando mamãe estava grávida de mim, já no sexto mês de gestação —, ele escorregou de um penhasco e caiu de uma altura de setenta metros. Mamãe disse que ele esqueceu de prender o cinto de segurança.

— Você devia parar — disse Thalia.

Eu estava atirando pedregulhos num velho balde de zinco galvanizado ali perto, e ela me assustou. Errei a pontaria. — O que você quer dizer com isso?

— Devia parar de se bajular. Eu não quero isso tanto quanto você.

Os cabelos de Thalia esvoaçavam com o vento, ela segurava a máscara no rosto. Fiquei pensando se vivia com esse medo todos os dias, de que uma lufada de vento arrancasse a máscara e a obrigasse a sair correndo atrás, exposta. Não disse nada. Atirei outra pedra e errei outra vez.

— Você é um imbecil — disse.

Depois de um tempo ela se levantou, e eu fingi que ia ficar. Mas, quando olhei por cima do ombro, vi que ela estava indo em direção à praia, voltando para a estrada, por isso calcei os sapatos e a segui até em casa.

Quando voltamos, mamãe estava picando quiabo na cozinha com Madaline ali perto, que fazia as unhas e fumava e batia as cinzas num pires. Fiquei chocado quando vi que o pires era do conjunto de porcelana que mamãe havia herdado da avó. Era a única coisa de real valor que mamãe possuía, o jogo de porcelana, que mal tirava da prateleira alta, perto do teto, onde ficava guardado.

Madaline soprava as unhas entre as tragadas e falava sobre Pattakos, Papadopoulos e Makarezos, os três coronéis que haviam dado um golpe militar — o Golpe dos Generais, como era então conhecido — naquele ano em Atenas. Estava dizendo que conhecia um dramaturgo, "um homem muito, muito querido", como o definiu, que havia sido preso sob a acusação de ser comunista e subversivo.

— Um absurdo, é claro! Totalmente absurdo. Sabe o que eles fazem com as pessoas, a ESA,[1] para que falem? — Dizia aquilo em voz baixa, como se a polícia militar estivesse escondida em algum lugar da casa. — Enfiam uma mangueira no traseiro e abrem a água com pressão total. É verdade, Odie. Juro que é. Molham trapos nas coisas mais nojentas, imundície humana, entende, e enfiam na boca das pessoas.

— Que horror — comentou mamãe sem emoção.

Imaginei se ela já não estava se cansando de Madaline. O fluxo de opiniões políticas esbaforidas, as histórias das festas a que tinha ido com o marido, os poetas e intelectuais e músicos com quem havia brindado com taças de champanhe, a lista de viagens desnecessárias e insensíveis que havia feito a cidades de outros países. Desfiava seus pontos de vista sobre desastre nuclear, superpopulação e poluição. Mamãe perdoava Madaline, sorrindo de suas histórias com um olhar pensativo de esguelha, mas eu sabia que desaprovava aquela atitude. Provavelmente achava que Madaline estava se exibindo. Provavelmente se sentia constrangida por ela.

É o que supura, o que polui a bondade de mamãe, os resgates que empreende, os atos de coragem: o compromisso embutido neles. As exigências, as obrigações que estabelece para os outros. A maneira pela qual usa essas atitudes como moeda corrente, negociando em troca de lealdade e alianças. Entendo agora por que Madaline foi embora tantos anos atrás. A corda que salva da enchente pode se tornar um laço ao redor do pescoço. As pessoas sempre acabam decepcionando mamãe, eu inclusive. Não conseguem pagar o que devem, não do jeito que mamãe espera que façam. O prêmio de consolação de mamãe é a cruel satisfação de manter a supremacia, de se sentir livre para dar vereditos de seu posto de vantagem estratégica, até porque ela é aquela que está sendo sempre enganada.

Isso me deixa triste, porque revela a carência de mamãe, sua ansiedade, seu medo da solidão, seu pavor de ser largada, abandonada. E pelo que diz sobre mim, que sei tudo isso sobre ela e continuo firme e deliberadamente omisso, tratando de manter um oceano, um continente, ou de preferência os dois, entre nós por quase três décadas.

---

[1] ESA é a sigla para a polícia militar grega. (N.T.)

— Eles não têm senso de humor, a junta militar — estava dizendo Madaline. — Esmagando pessoas do jeito que fazem. Na Grécia! O berço da democracia. Ah, você chegou! E como foi? O que os dois andaram aprontando?

— Nós brincamos na praia — respondeu Thalia.

— Foi bom? Vocês se divertiram?

— Nos divertimos muito — disse Thalia.

Os olhos de mamãe saltaram com um ar cético de mim para Thalia e de volta para mim, mas Madaline sorriu e aplaudiu em silêncio. — Que bom! Agora não precisamos mais nos preocupar com vocês dois, já que se deram bem. Odie e eu podemos passar um tempo juntas. O que você acha, Odie? Ainda temos tanta conversa para colocar em dia!

Mamãe deu um sorriso cordato e pegou um repolho.

Dali em diante, Thalia e eu fomos deixados por nossa conta. Devíamos explorar a ilha, brincar na praia, nos divertir do jeito que se espera que crianças se divirtam. Mamãe embrulhava um sanduíche para cada um, e saíamos juntos depois do café da manhã.

Assim que saíamos de seu campo de visão, geralmente nos separávamos. Na praia, ia nadar ou deitava numa pedra sem camisa, enquanto Thalia preferia catar conchas ou atirar pedras na água, o que não funcionava, porque as ondas eram muito grandes. Andávamos por trilhas, em estradas de terra que passavam por vinhedos e campos de centeio, cada um preocupado com os próprios pensamentos, olhando para baixo, para a própria sombra. Basicamente nós passeávamos. Não havia exatamente uma indústria de turismo em Tinos naquela época. Era uma ilha agrícola, pessoas que viviam de vacas e cabras, de oliveiras e cevada. Acabávamos entediados, comendo o lanche em algum lugar, em silêncio, à sombra de uma árvore ou de um moinho, observando as ravinas, os campos de arbustos espinhosos, as montanhas e o mar.

Um dia, fui até a cidade. Nós morávamos na praia no sudoeste da ilha, e a cidade de Tinos ficava apenas a poucos quilômetros ao sul. Havia uma loja de bugigangas, gerenciada por um viúvo de expressão severa chamado sr. Roussos. Todo dia era possível achar na vitrine daquela loja qualquer coisa, desde uma máquina de escrever dos anos 1940 até um bom par de botas, um gorila de latão, cata-ventos, um velho vaso de plantas, grandes velas de cera, cruzes e, claro, réplicas do ícone da Igreja Evangélica de Panagia. Ele era fotógrafo amador e tinha um quarto escuro improvisado nos fundos da loja. Quando os peregrinos vinham a Tinos em agosto, para visitar o ícone, o sr. Roussos vendia rolos de filmes e cobrava para revelar as fotos em seu quarto escuro.

Cerca de um mês atrás, eu tinha visto uma câmera exposta na vitrine, num estojo de couro cor de ferrugem desgastado. De tempos em tempos, eu ia até a loja e olhava para a câmera, me imaginando na Índia, o estojo de couro pendurado pela tira no ombro, tirando fotos dos arrozais e das plantações de chá que tinha visto na *National Geographic*. Eu tiraria fotos da trilha dos incas. No lombo de um camelo, a pé, ou em algum caminhão empoeirado, eu me aventuraria no calor até chegar diante da Esfinge e das pirâmides e tiraria fotos delas também, e veria as imagens publicadas em revistas em páginas brilhantes e encorpadas. Foi isso que me atraiu à loja do sr. Roussos naquela manhã — apesar de estar fechada naquele dia; eu queria estar em frente à vitrine, a testa apoiada no vidro, sonhando acordado.

— Qual é a marca?

Afastei um pouco a cabeça, avistei o reflexo de Thalia na vitrine. Ela passou o lenço no rosto.

— Da câmera.

Dei de ombros.

— Parece uma Argus C$_3$ — disse ela.

— Como você sabe?

— Simplesmente é a 35 mm mais vendida do mundo nos últimos trinta anos — respondeu, um pouco impaciente. — Mas não tem muita coisa para se olhar. É feia. Parece um tijolo. Você quer ser fotógrafo? Quero dizer, quando crescer? Sua mãe diz que é o que você quer.

— Mamãe falou isso a você?

— Então?

Fiz um gesto vago. Fiquei constrangido de mamãe ter discutido aquilo com Thalia. Fiquei imaginando como ela dissera aquilo. Poderia ter extraído de seu arsenal uma maneira grave e zombeteira de falar sobre coisas que considerava portentosas ou frívolas. Ela conseguia minimizar as aspirações de qualquer um. *Markos quer andar pelo mundo e capturar tudo com sua câmera.*

Thalia sentou na calçada, puxou a saia para cima dos joelhos. O dia estava quente, o sol mordia a pele como se tivesse dentes. Não havia quase ninguém na rua, a não ser um casal de idade andando com dificuldade na calçada. O marido, Denis alguma coisa, usava um boné cinza e um paletó de tweed marrom que parecia grosso demais para a estação. Tinha um olhar congelado e arregalado, eu me lembro bem, do mesmo modo como algumas pessoas ficam ao se sentirem perpetuamente assustadas com a monstruosa surpresa que é a velhice — só muitos anos depois, na faculdade de medicina, deduzi que ele sofresse do mal de Parkinson. Os dois acenaram de passagem, eu retribuí o cumprimento. Percebi que notaram Thalia, uma pausa momentânea na caminhada, e continuaram andando.

— Você tem uma câmera? — perguntou Thalia.
— Não.
— Já tirou alguma foto?
— Não.
— E você quer ser fotógrafo?
— Você acha isso estranho?
— Um pouco.
— Então, se eu dissesse que gostaria de ser policial você também acharia estranho? Só por que eu nunca algemei ninguém?

Percebi pela suavidade de seu olhar que, se pudesse, ela estaria sorrindo. — Então, você é um tipo espertinho — falou. — Vou dar um conselho. Não fale da câmera na frente de minha mãe, senão ela vai comprar uma para você. Ela tem muita vontade de agradar. — O lenço subiu até o rosto dela e voltou. — Mas duvido que Odelia aprovasse. Acho que você também sabe disso.

Estava impressionado e um pouco inquieto com quanto ela parecia ter entendido em tão pouco tempo. Talvez fosse por causa da máscara, pensei, a vantagem da cobertura, a liberdade da vigilância, da observação e do escrutínio.

— É provável que ela fizesse você devolver.

Suspirei. Era verdade. Mamãe não permitia essas retificações fáceis, principalmente se envolviam dinheiro.

Thalia levantou-se e tirou a poeira do traseiro. — Deixe-me fazer uma pergunta. Você tem uma caixa em casa?

MADALINE ESTAVA TOMANDO VINHO com mamãe na cozinha, e Thalia e eu estávamos no andar de cima, usando pincéis mágicos numa caixa de sapato. A caixa era de Madaline, a embalagem de um novo par de sandálias de salto alto, ainda embrulhado em papel de seda.

— Onde ela estava planejando usar *isto*? — perguntei.

Eu podia ouvir Madaline no andar de baixo, falando sobre uma aula de interpretação que tivera uma vez em que o professor havia pedido, como exercício, que fingisse ser um lagarto imóvel em cima de uma pedra. Seguiram-se risadas entusiasmadas, dela mesma.

Terminamos a segunda camada, e Thalia disse que devíamos aplicar uma terceira, para garantir que nenhum ponto exposto ficasse descoberto. A camada preta tinha de ser uniforme e sem lacunas.

— Uma câmera é só isso — falou —, uma caixa preta com um buraco para deixar a luz entrar, e algo para absorver a luz. Me passe a agulha.

Entreguei a ela uma agulha de costura de mamãe. Eu estava cético, para dizer o mínimo, quanto às perspectivas dessa câmera feita em casa, de que pudesse fazer alguma coisa — uma caixa de sapato e uma agulha? Mas Thalia havia embarcado no projeto com tanta fé e autoconfiança que tive de deixar espaço para a improvável possibilidade de talvez funcionar. Ela me fez pensar que sabia de coisas que eu não sabia.

— Fiz alguns cálculos — explicou, furando a caixa com a agulha com todo o cuidado. — Sem uma lente, não podemos fazer o furo no lado menor, pois a caixa é comprida demais. Mas a largura é de bom tamanho. A questão é fazer o furo do tamanho certo; acho que mais ou menos 0,6 milímetro. Pronto. Agora precisamos de um obturador.

Lá embaixo, a voz de Madaline havia baixado para um tom premente e sussurrado. Não conseguia ouvir o que estava dizendo, mas percebi que falava mais devagar do que antes, articulando bem as palavras, e imaginei que estava inclinada para a frente, cotovelos apoiados nos joelhos, olho no olho, sem piscar. Ao longo dos anos, vim a conhecer esse tom de voz intimamente. Quando as pessoas falam desse jeito, é provável que estejam se abrindo, revelando, confessando alguma catástrofe, suplicando ao interlocutor. Era o tom com que militares notificavam baixas na guerra de casa em casa, com que advogados enalteciam os méritos de um acordo para um cliente, usado por policiais às três da manhã e maridos infiéis. Quantas vezes já usei esse tom nos hospitais aqui em Cabul? Quantas vezes conduzi famílias inteiras a uma sala vazia, convidei-as a sentar e puxei uma cadeira para mim, reunindo coragem para dar a notícia, temendo a conversa que se seguiria?

— Ela está falando sobre Andreas — disse Thalia secamente. — Aposto. Eles tiveram uma briga terrível. Me passe a fita e aquela tesoura.

— Como ele é? Além de ser rico, quero dizer?

— Quem, Andreas? Ele é legal. Viaja muito. Quando fica em casa, está sempre convidando pessoas. Pessoas importantes, ministros, generais, esse tipo de gente. Bebem perto da lareira e conversam a noite toda, principalmente sobre negócios e política. Eu consigo ouvir do meu quarto. Preciso ficar no segundo andar quando Andreas tem visita. Não posso descer. Mas ele me dá coisas de presente. Paga um professor particular para me dar aulas em casa. E fala comigo com delicadeza.

Thalia prendeu com a fita um pedaço retangular de cartolina, também pintada de preto, sobre o furo.

Lá embaixo, as coisas estavam quietas. Coreografei a cena na cabeça. Madaline chorava sem emitir nenhum som, dedilhava distraidamente um lenço como se fosse um pedaço de massa amarrotada, mamãe não ajudava muito, o olhar severo com um pequeno sorriso na expressão contraída, como se tivesse alguma coisa azeda derretendo na língua. Mamãe não suporta gente chorando em sua presença. Mal consegue olhar para seus olhos inchados, o rosto franco e suplicante. Entende o choro como um sinal de fraqueza, um espalhafatoso apelo por atenção, e não se comove. Não consegue dar nenhum consolo. Na minha infância, aprendi que essa era uma de suas características mais marcantes. A tristeza tinha de ser algo particular, ela sempre achou, não alardeada. Certa vez, quando eu era pequeno, perguntei se ela havia chorado quando meu pai morreu na queda.

No funeral, quero dizer, no enterro.

Não, não chorei.

Porque não estava triste?

Porque não era da conta de ninguém se eu estava ou não triste.

Se eu morresse você choraria, mamãe?

Vamos esperar que eu nunca descubra isso, respondeu ela.

Thalia apanhou a caixa de papel fotográfico e disse: — Pegue a lanterna.

Passamos ao quarto de mamãe, tomando cuidado para fechar a porta e isolar toda a luz do dia com toalhas que pusemos nas frestas. Quando estávamos no escuro total, Thalia pediu para eu acender a lanterna, que tínhamos recoberto com várias camadas de papel celofane vermelho. Tudo o que eu conseguia enxergar de Thalia naquela luz difusa avermelhada eram seus dedos finos enquanto ela recortava uma folha de papel fotográfico e colava dentro da caixa no lado oposto ao furo. Nós tínhamos comprado o papel na loja do sr. Roussos no dia anterior. Quando andamos até o balcão, o sr. Roussos olhou para Thalia por cima dos óculos e perguntou: *Isso é um assalto?* Thalia apontara o indicador e engatilhara o polegar como se fosse um revólver.

Thalia fechou a tampa da caixa de sapato, cobriu o furo com o obturador. No escuro, falou: — Amanhã você vai tirar a primeira foto de sua carreira. — Não consegui saber se ela estava brincando ou não.

Resolvemos fazer aquilo na praia. Pusemos a caixa de sapato numa rocha plana e amarramos firme com uma corda — Thalia disse que não poderia haver nenhum movimento quando abríssemos o obturador. Ficou ao meu lado e deu uma espiada por cima da caixa, como se fosse um visor.

— Vai ser uma foto perfeita — falou.

— Quase. Precisamos de um tema.

Olhou para mim, entendeu o que eu estava dizendo e contestou: — Não, eu não vou fazer isso.

Ficamos argumentando por algum tempo, mas afinal ela concordou, com a condição de não mostrar o rosto. Tirou os sapatos, andou por uma fileira de pedras a alguns metros da câmera e usou os braços como se fosse o cordão de segurança de um alpinista. Abaixou-se sobre uma das pedras, de frente para o oeste, na direção de Syros e Kythnos. Arrumou o cabelo para cobrir as tiras da nuca, que seguravam a máscara no lugar. Olhou para mim por cima dos ombros.

— Lembre-se! — gritou. — Conte até cento e vinte!

Virou-se outra vez para olhar o mar.

Abaixei-me e olhei por cima da caixa, vendo as costas de Thalia, a constelação de pedras ao seu redor, os chicotes de algas marinhas enrolados entre as pedras como serpentes mortas, um rebocador flutuando a distância, a maré subindo, quebrando na praia escarpada e recuando. Levantei o obturador do buraco.

Um... dois... três... quatro... cinco...

Estamos deitados na cama. Na tela da TV, dois acordeonistas estão duelando, mas Gianna tirou o som. O sol do meio-dia atravessa as venezianas e cai em tiras sobre os restos da pizza margherita que pedimos para o almoço no cardápio do serviço de quarto. A pizza foi trazida por um homem alto e magro, com o cabelo impecavelmente penteado para trás e um paletó branco sobre uma gravata preta. Na mesa que rolou para dentro do quarto havia uma taça longa com vinho rosé. Ele tirou a tampa em forma de domo da pizza com um floreio, fazendo rápidos movimentos com a mão, como um mágico diante da plateia quando o coelho se materializa embaixo da cartola.

Espalhadas ao redor, no meio da roupa de cama desarrumada, estão as fotos que mostrei a Gianna, fotos de minhas viagens do último ano e meio. Belfast, Montevidéu, Tânger, Marselha, Lima, Teerã. Mostro as fotos da comunidade de que participei por pouco tempo em Copenhague, onde vivi com *beatniks* dinamarqueses de boina e camiseta rasgada que haviam fundado uma comunidade autogovernada numa antiga base militar desativada. *Onde você está?*, perguntou Gianna. *Você não aparece nas fotografias.*

Eu prefiro ficar atrás das lentes, explico. É verdade. Já tirei centenas de fotos sem aparecer em nenhuma. Sempre peço duas cópias quando revelo o filme. Fico com uma e mando a outra para Thalia, lá em casa.

Gianna pergunta como eu financio minhas viagens, e explico que cubro as despesas com um dinheiro que herdei. O que é parcialmente verdade, pois a herança é de Thalia, não minha. Ao contrário de Madaline, que por razões óbvias não fora mencionada no testamento de Andreas, Thalia foi. Ela me deu metade do dinheiro. Eu deveria cursar a universidade com ele.

Oito... nove... dez...

Gianna apoia-se nos cotovelos em cima da cama e se encosta em mim, os seios pequenos roçando minha pele. Estende a mão até o maço, acende um cigarro. Eu a conheci no dia anterior, na Piazza di Spagna. Estava sentado num dos degraus de pedra que ligam a praça à igreja na ladeira. Ela andou até mim e disse alguma coisa em italiano. Parecia uma das muitas garotas bonitas e aparentemente sem rumo que já tinha visto perambulando pelas igrejas e praças de Roma. Fumando, falando alto e rindo muito. Meneei a cabeça e disse *desculpe*. Ela sorriu, fez um *Ah* e depois falou, num inglês com sotaque carregado: *Isqueiro? Cigarro*. Balancei a cabeça e respondi com meu também forte sotaque que não fumava. Ela sorriu. Os olhos dela eram brilhantes e vivazes. O sol da manhã moldava seu rosto em um nimbo em forma de diamante.

Dei uma cochilada e acordei com ela cutucando minhas costelas.

La tua ragazza?, pergunta. Havia encontrado a foto de Thalia na praia, a única tirada com nossa câmera feita em casa, muitos anos atrás. Sua namorada?

Não, respondo.

Sua irmã?

Não.

La tua cugina? Sua prima, sì?

Nego com a cabeça.

Examina a foto mais um pouco, dando rápidas tragadas no cigarro. *Não*, ela diz de repente, para minha surpresa, até um pouco zangada. *Questa è la tua ragazza!* Sua namorada. Acho que sim, você é mentiroso! Então, diante do meu olhar de descrença, ela acende o isqueiro e põe fogo na foto.

Catorze... quinze... dezesseis... dezessete...

Na metade do caminho de volta ao ponto de ônibus, percebo que perdi a foto. Digo a eles que preciso voltar. Não há outra opção. Eu preciso voltar.

Alfonso, um *huaso* esguio e de lábios finos que veio conosco como nosso guia chileno informal, olha interrogativamente para Gary. Gary é americano. É o macho alfa do nosso trio. Tem o cabelo loiro sujo e marcas de espinha nas bochechas. É um rosto que estampa uma vida difícil. Gary está de péssimo humor, piorado pela fome, pela falta de álcool e por um arranhão feio na panturrilha direita, provocado por um esbarrão num arbusto de *litre* no dia anterior. Nós nos conhecemos num bar lotado em Santiago, onde, depois de seis rodadas de *piscolas*, Alfonso sugeriu um passeio até a queda-d'água de Salto de Apoquindo, aonde costumava ir com o pai quando era garoto. Fizemos a caminhada durante o dia e passamos a noite acampados na cachoeira. Fumamos maconha, a água rugindo em nosso ouvido, um céu aberto coalhado de estrelas acima de nós. Estamos agora caminhando de volta para San Carlos de Apoquindo para pegar o ônibus.

Gary empurra para trás a aba larga do chapéu de *cordoban* e enxuga a testa com um lenço. *É uma caminhada de três horas para voltar, Markos* — comenta.

¿Tres horas, hágale comprender? — ecoa Alfonso.

Eu sei.

E mesmo assim você vai voltar?

Vou.

Por causa de uma foto?, pergunta Alfonso.

Concordo com a cabeça. Fico em silêncio, pois eles não compreenderiam. Nem eu sei se entendo muito bem.

Você sabe que vai se perder, alerta Gary.

Provavelmente.

Então, boa sorte, amigo, diz Gary, estendendo a mão.

Es un griego loco, comenta Alfonso.

Dou risada. Não é a primeira vez que me chamam de grego louco. Apertamos as mãos. Gary ajusta as alças da mochila, e os dois seguem pela trilha entre desfiladeiros da montanha, Gary acena sem olhar quando fazem uma curva em cotovelo. Começo a andar pelo caminho por onde viemos. Levo quatro horas, porque me perco, como Gary havia previsto. Estou exausto quando chego ao acampamento. Procuro por toda parte, chutando arbustos, olhando entre as pedras, desmanchando estruturas durante a busca, mas é em vão. Em seguida, quando estou tentando me conformar com o pior, avisto um brilho esbranquiçado num aglomerado de arbustos em meio a um emaranhado de moráceas. Pego a foto, tiro a poeira, os olhos lacrimejando de alívio.

Vinte e três... vinte e quatro... vinte e cinco...

Em Caracas, eu durmo debaixo de uma ponte. Em Bruxelas, num Albergue da Juventude. Às vezes, esbanjo um pouco e fico num quarto de um bom hotel, tomo longos banhos de chuveiro, faço a barba, almoço e janto de roupão. Assisto à TV em cores. As cidades, as estradas, os campos, as pessoas que encontro, tudo começa a se confundir. Digo a mim mesmo que estou em busca de alguma coisa. Mas, cada vez mais, a sensação é de que estou vagando, esperando que alguma coisa aconteça comigo, alguma coisa que vai mudar tudo, alguma coisa para a qual toda a minha vida vem sendo encaminhada.

Trinta e quatro... trinta e cinco... trinta e seis...

Meu quarto dia na Índia. Estou cambaleando por uma estrada de terra, no meio de vacas errantes, o mundo balançando sob meus pés. Vomitei o dia inteiro. Minha pele está amarela como um sári, e sinto como se mãos invisíveis estivessem me descascando. Quando não consigo mais andar, deito na beira da estrada. Um velho do outro lado mexe alguma coisa num grande caldeirão de metal. Ao seu lado, vejo um papagaio vermelho e azul numa gaiola. Um vendedor de pele escura empurrando um carrinho cheio de garrafas verdes vazias passa por mim. É a última coisa de que me recordo.

Quarenta e um... quarenta e dois...

Acordo num grande salão. O ar está pastoso com o calor e cheira a algo que lembra melão apodrecido. Estou deitado numa cama com armação de ferro, separado do estrado duro e sem molas por um colchão não mais alto que um livro de capa mole. O recinto está cheio de camas iguais à minha. Vejo braços macilentos pendurados dos lados, pernas escuras e finas como palitos de fósforo despontando de lençóis manchados, bocas abertas e quase desdentadas. Ventiladores de teto ociosos. Paredes marcadas com manchas de reboco. A janela ao meu lado deixa entrar um ar quente e pegajoso, e a luz do sol pinica meus olhos. O enfermeiro, um muçulmano grandão e carrancudo chamado Gul, diz que posso morrer de hepatite.

Cinquenta e cinco... cinquenta e seis... cinquenta e sete...
Pergunto pela minha mochila. *Que mochila?*, responde Gul com indiferença. Todas as minhas coisas sumiram, minhas roupas, meu dinheiro, meus livros, minha câmera. *O ladrão só deixou isto*, diz Gul em seu inglês enrolado, apontando o beiral da janela ao meu lado. É a foto. Eu a pego. Thalia, o cabelo esvoaçando na brisa, a água espumando ao redor, os pés descalços nas pedras, o agitado Egeu ondulando atrás dela. Sinto uma bola na garganta. Não quero morrer aqui, no meio desses estranhos, tão longe dela. Encaixo a foto numa fenda entre o vidro e o batente da janela.

Sessenta e seis... sessenta e sete... sessenta e oito...
O garoto na cama ao lado da minha tem o rosto de um velho — fatigado, encovado, marcado. O abdome está inchado por um tumor do tamanho de uma bola de boliche. Cada vez que um enfermeiro toca nele, os olhos do garoto se fecham, e a boca se abre num uivo silencioso e agonizante. Esta manhã, um dos enfermeiros, não Gul, está tentando dar comprimidos a ele, mas o garoto vira a cabeça de um lado para outro, a garganta fazendo um ruído de madeira arranhada. Afinal, o enfermeiro abre sua boca, força as pílulas pela garganta. Quando sai, o garoto vira a cabeça lentamente na minha direção. Olhamos um para o outro pelo espaço entre nossas camas. Uma pequena lágrima se espreme e rola pelo seu rosto.

Setenta e cinco... setenta e seis... setenta e sete...
O sofrimento e o desespero neste lugar são como uma onda. Rola de uma cama a outra, bate nas paredes rebocadas e volta em nossa direção. É possível afogar-se nela. Eu durmo bastante. Quando não durmo, estou me coçando. Tomo os comprimidos que me dão, e eles me fazem dormir outra vez. Quando não estou dormindo, vejo a rua movimentada abaixo do dormitório, iluminada pela luz do sol derrapando pelas tendas dos bazares e por lojas de chá nas ruelas secundárias. Vejo os garotos jogando bolas de gude em calçadas que se dissolvem em bueiros enlameados, velhas sentadas nas portas, vendedores ambulantes vestindo *dhotis* agachados em suas esteiras, raspando coco, oferecendo grinaldas de cravo-de-defunto. Alguém dá um berro arrepiante do outro lado do quarto. Adormeço.

Oitenta e três... oitenta e quatro... oitenta e cinco...

Acabo sabendo que o nome do garoto é Manaar. Significa luz-guia. A mãe era prostituta, o pai é ladrão. Morava com a tia e o tio, que batiam nele. Ninguém sabe exatamente o que o está matando, só sabem que ele vai morrer. Ninguém o visita, e quando ele morrer, dali a uma semana, um mês, dois, no máximo, ninguém virá buscá-lo. Ninguém vai lamentar. Ninguém vai se lembrar. Vai morrer onde viveu, nas reentrâncias. Quando ele adormece, fico olhando para ele, as têmporas afundadas, a cabeça grande demais para os ombros, a cicatriz pigmentada no lábio inferior onde, Gul me informou, o cafetão da mãe tinha o hábito de apagar o cigarro. Tento falar com ele, em inglês, depois algumas palavras em urdu que conheço, mas ele só pisca os olhos cansados. Às vezes, junto as mãos e projeto sombras de animais na parede, para arrancar um sorriso dele.

Oitenta e sete... oitenta e oito... oitenta e nove...
Certo dia, Manaar aponta alguma coisa fora da minha janela. Sigo seu dedo e levanto a cabeça, mas não vejo nada além de uma nesga de céu azul entre as nuvens, crianças lá embaixo brincando com a água que espirra de um hidrante, um ônibus cuspindo fumaça. Então, percebo que ele aponta a foto de Thalia. Pego a foto da janela e entrego a ele. Segura a foto perto do rosto, pelo canto queimado, e fica olhando um bom tempo. Me pergunto se é o mar que o atrai. Se ele já sentiu o gosto de água salgada, se já ficou zonzo de observar a maré repuxando seus pés. Ou talvez, mesmo que não consiga ver o rosto, ele se identifique com Thalia, alguém que sabe o que é sentir dor. Faz menção de me devolver a foto. Meneio a cabeça. *Fique um pouco com ela*, digo. Uma sombra de desconfiança passa pelo seu rosto. Eu sorrio. Não sei ao certo, mas acho que ele também sorri.

Noventa e dois... noventa e três... noventa e quatro...
Consigo vencer a hepatite. Estranho, mas não sei dizer se Gul está contente ou desapontado por eu ter provado que ele estava enganado. Mas sei que o peguei de surpresa quando perguntei se podia ficar lá, trabalhando como voluntário. Ele inclina a cabeça, franze o cenho. No fim, preciso conversar com um dos enfermeiros-chefes.

Noventa e sete... noventa e oito... noventa e nove...
A sala de banho cheira a urina e enxofre. Toda manhã carrego Manaar até lá, segurando seu corpo nu nos braços, tomando cuidado para não sacudir

muito — uma vez vi um dos voluntários levando-o nos ombros como se fosse um saco de arroz. Acomodo-o com delicadeza no banco e espero que recupere o fôlego. Lavo seu corpo pequeno e franzino com água morna. Manaar sempre fica quieto, paciente, palma das mãos nos joelhos, cabeça baixa. É como um velho ossudo e assustador. Passo a espuma do sabonete por suas costelas, nos discos da coluna, nas omoplatas que parecem barbatanas de tubarão. Levo-o de volta para a cama, ministro suas pílulas. Ele se mostra aliviado quando massageio seus pés e suas panturrilhas, então faço sempre isso por ele, sem pressa. Quando adormece, a foto de Thalia desponta por baixo do travesseiro.

Cento e um... cento e dois...

Saio em longas caminhadas sem direção pela cidade, pelo menos para me afastar do hospital, dos gemidos coletivos dos doentes e moribundos. Ando sob empoeirados pores de sol em ruas ladeadas por paredes manchadas de grafites, passo por barracas cobertas de zinco espremidas umas ao lado das outras, encontro garotinhas carregando cestos cheios de esterco fresco na cabeça, mulheres recobertas de fuligem negra, fervendo trapos em grandes recipientes de alumínio. Penso muito em Manaar quando entro em algum emaranhado de ruelas estreitas, Manaar esperando a morte naquele salão cheio de figuras abatidas como ele. Penso muito em Thalia, sentada na pedra, olhando para o mar. Sinto uma coisa dentro de mim me atraindo, me puxando, como um rebocador. Quero ceder àquela sensação, ser envolvido por ela, quero renunciar a tudo, me desnudar do que sou, jogar tudo fora, como uma cobra descartando a velha pele.

Não estou dizendo que foi Manaar que mudou tudo. Não foi. Eu ainda vaguei pelo mundo mais um ano, antes de finalmente sentar a uma mesa de canto numa biblioteca de Atenas para examinar um formulário de matrícula da escola de medicina. Entre Manaar e o formulário aconteceram as duas semanas que passei em Damasco, das quais praticamente não tenho memória, a não ser de rostos sorridentes de duas mulheres com olhos muito delineados, cada uma com um dente de ouro. Ou os três meses no Cairo, no porão de um alojamento que desmoronava, administrado por um senhorio viciado em haxixe. Gastei o dinheiro de Thalia viajando de ônibus pela Islândia, seguindo uma banda punk em Munique. Em 1977, quebrei um cotovelo num protesto antinuclear em Bilbao.

Porém, nos momentos de silêncio dessas longas viagens de ônibus ou na traseira de um caminhão, meus pensamentos sempre me levavam de volta a Manaar. Pensar nele, na angústia de seus últimos dias, em minha própria impotência diante daquilo, faz tudo o que fiz, tudo o que quero fazer, parecer tão insubstancial quanto as pequenas promessas que fazemos a nós mesmos antes de dormir, que já foram esquecidas quando acordamos.

Cento e dezenove... cento e vinte...

Solto o obturador.

UMA NOITE, NO FINAL DAQUELE verão, soube que Madaline estava indo para Atenas e deixando Thalia conosco, ao menos por um período.

— Só por algumas semanas — falou.

Estávamos jantando, os quatro, um prato de uma sopa de ervilhas brancas que mamãe e Madaline haviam preparado juntas. Dei uma olhada para Thalia do outro lado da mesa, para ver se era só para mim que Madaline estava contando a novidade. Pareceu que sim. Thalia estava tranquila, levando colheradas de sopa à boca, erguendo só um pouquinho a máscara a cada viagem da colher. Àquela altura, sua fala e o modo de comer não mais me incomodavam, pelo menos não mais do que uma pessoa mais velha comendo com dentaduras mal encaixadas, como mamãe faria anos mais tarde.

Madaline disse que mandaria buscar Thalia quando terminasse a filmagem, que deveria estar concluída bem antes do Natal.

— Aliás, eu vou levar todos vocês a Atenas — prometeu, o rosto estampado da alegria costumeira. E vamos assistir juntos à pré-estreia! Não seria maravilhoso, Markos? Nós quatro, vestidos de gala, entrando no teatro em grande estilo?

Respondi que sim, embora não conseguisse imaginar mamãe vestida de gala nem entrando em grande estilo em lugar nenhum.

Madaline explicou que tudo ia funcionar muito bem, que Thalia retomaria os estudos quando a escola reabrisse em duas semanas, em casa, é claro, com mamãe. Disse que mandaria cartões-postais, cartas e fotos do set de filmagem. Disse mais, mas não ouvi boa parte. O que eu sentia era um enorme alívio e um pouco de tontura. Meu pavor com a chegada do fim do verão era como um frio na barriga, cada vez mais apertado a cada dia que passava enquanto me preparava para a despedida que se aproximava. Agora eu acordava ansioso todas as manhãs para encontrar Thalia à mesa do café, ouvir o bizarro som de sua voz. Quase não comíamos antes de sair subindo pelas árvores, perseguindo um ao outro nas plantações de cevada, nos enfiando no meio do mato bradando gritos de guerra, lagartos fugindo sob nossos pés. Escondíamos tesouros de faz de conta em cavernas, localizávamos pontos na ilha com os ecos melhores e mais altos. Tirávamos fotos de moinhos e pombais com nossa câmera caseira e as levávamos ao sr. Roussos, que as revelava para nós. Ele chegou mesmo a nos deixar entrar no quarto escuro e ensinar sobre os diferentes reveladores, fixadores e banhos interruptores.

Na noite em que Madaline anunciou sua viagem, ela e mamãe dividiram uma garrafa de vinho na cozinha; Madaline bebeu quase tudo, enquanto Thalia e eu ficamos no segundo andar, jogando uma partida de *tavli*. Thalia conseguiu a posição de *mana* e já tinha movido metade das peças para o seu lado do tabuleiro.

— Ela tem um amante — disse Thalia, jogando os dados.

Tive um sobressalto. — Quem?

— Quem, ele pergunta. Quem você acha?

Eu havia aprendido, durante aquele verão, a ler as expressões dos olhos de Thalia, e nesse momento ela olhava para mim como se estivéssemos na praia e eu perguntasse onde estava a água. Tentei me recuperar rapidamente.

— Eu sei quem — falei, as bochechas queimando. — Eu quis dizer quem é o... você sabe. — Eu era um garoto de doze anos. Meu vocabulário não incluía palavras como "amante".

— Não dá para adivinhar? É o diretor.

— Eu ia dizer isso.

— Elias. É uma figura. Usa o cabelo emplastrado, como se estivesse nos anos 1920. Também usa um bigodinho fino. Imagino que ache que isso o faz parecer jovial. Ele é ridículo. E se considera um grande artista, é claro. A mãe também acha. Você devia ver minha mãe com ele, toda tímida e submissa, como se precisasse fazer vênias e mimos por ele ser um gênio. Não consigo entender como ela não percebe.

— E a tia Madaline vai se casar com ele?

Thalia deu de ombros. — Ela tem um péssimo gosto para homens. O *pior* gosto. — Pegou os dados, pareceu reconsiderar. — Com exceção de Andreas, acho. Ele é legal. Até que é legal. Mas claro que ela vai se separar dele. Ela se apaixona somente por canalhas.

— Você quer dizer como o seu pai?

Ela franziu um pouco o cenho. — Meu pai era um estranho que ela conheceu a caminho de Amsterdã. Numa estação ferroviária no meio de uma tempestade. Passaram uma tarde juntos. Não faço ideia de quem seja. Nem ela.

— Ah. Lembro que ela falou alguma coisa sobre o primeiro marido. Disse que bebia. Por isso, deduzi.

— Ah, deve ser o Dorian — corrigiu Thalia. — Esse também era uma figura. — Moveu outra peça para seu lugar de destino. — Ele batia nela. Conseguia ir de simpático e agradável a uma peste num piscar de olhos. Como o clima. Como pode alguém mudar assim tão de repente? Ele era assim. Bebia quase o dia inteiro, não fazia mais do que andar pela casa. Ficava muito esquecido quando bebia. Deixava torneiras abertas, por exemplo, e inundava a casa. Lembro que uma vez se esqueceu de desligar o fogão e quase botou fogo em tudo.

Thalia montou uma pequena torre com uma pilha de fichas. Manteve-se em silêncio enquanto deixava a torre bem reta.

— A única coisa de que Dorian gostava era Apollo. Todas as crianças da vizinhança tinham medo dele, do Apollo, quero dizer. E quase nenhuma tinha visto o cachorro, só ouviam os latidos. Era o bastante para elas. Dorian o mantinha acorrentado no fundo do quintal. Dava pedaços de carneiro para ele comer.

Thalia não me contou muito mais. Mas deu para imaginar muito bem. Dorian desmaiou, esqueceu o cachorro andando pelo quintal sem a corrente. Uma porta de tela aberta.

— Quantos anos você tinha? — perguntei em voz baixa.

— Cinco.

Foi então que fiz a pergunta que estava na minha cabeça desde o início do verão. — Não existe alguma coisa que... quer dizer... que se possa fazer...

Thalia desviou o olhar. — Por favor, não faça essa pergunta — retrucou com amargura, e senti que refletia uma dor profunda. — Isso me deixa cansada.

— Desculpe — falei.

— Um dia eu te conto.

E ela me contou mesmo, mais tarde. A cirurgia malfeita, a catastrófica infecção do ferimento depois da operação, que se transformou em septicemia, atingiu os rins, provocou deficiência no fígado, corroeu o enxerto cirúrgico e obrigou os cirurgiões a extirpar o emplastro e também o que restava da face esquerda e parte da mandíbula. As complicações a mantiveram hospitalizada por quase três meses. Ela quase morreu. Poderia ter morrido. Depois disso, nunca mais deixou que os médicos tocassem nela.

— Thalia — falei —, desculpe por tudo o que aconteceu quando nos conhecemos.

Ela lançou um olhar em minha direção. O velho brilho jocoso estava de volta. — Você deve mesmo pedir desculpa. Mas eu sabia, mesmo antes de você mostrar tudo abertamente.

— Sabia o quê?

— Que você era um babaca.

MADALINE FOI EMBORA DOIS DIAS antes do reinício das aulas. Usava um vestido apertado amarelo-manteiga sem mangas que ressaltava sua silhueta esbelta, óculos escuros de armação igualmente escura e um lenço branco bem amarrado prendendo o cabelo. Estava vestida de modo que parecia se preocupar com partes dela que poderiam se soltar — como se acaso estivesse, literalmente, mantendo-se inteira. No porto da cidade de Tinos, ela abraçou a nós todos. Deu um abraço mais apertado, e mais demorado, em Thalia, os lábios coroando a cabeça da filha num longo e ininterrupto beijo. E sem tirar os óculos escuros.

— Me dê um abraço — ouvi-a sussurrar.

Thalia correspondeu, rígida.

Quando a balsa se afastou rangendo, deixando atrás uma trilha de água agitada, pensei que Madaline viria até a popa para nos mandar beijos. Mas foi logo para a parte frontal e ocupou um assento. Não olhou em nossa direção.

Quando voltamos para casa, mamãe pediu que sentássemos. Ficou de pé na nossa frente e falou: — Thalia, quero que você saiba que não precisa mais usar essa coisa aqui em casa. Não por minha causa. Nem dele. Só se você quiser. Não tenho mais nada a dizer sobre esse assunto.

Foi então que entendi, com uma súbita clareza, o que mamãe já havia percebido. Que a máscara era em benefício de Madaline. Para *ela* não se sentir constrangida e envergonhada.

Por um longo tempo, Thalia não se mexeu nem disse uma palavra. Depois, lentamente, ergueu as mãos e desatou as fitas atrás da cabeça. Abaixou a máscara. Olhei diretamente para o rosto dela. Senti um impulso involuntário de me encolher, como quando ouvimos um barulho súbito e estridente. Mas não fiz isso. Mantive o olhar. E fiz questão de não piscar.

Mamãe disse que iria me dar aulas em casa até Madaline voltar, para que Thalia não tivesse de ficar sozinha. Ela nos dava aula à noite, depois do jantar, e passava as lições de casa para fazer pela manhã, quando saía para lecionar na escola. Parecia viável, ao menos na teoria.

Mas mostrou-se quase impossível nos dedicarmos aos estudos, principalmente com mamãe fora de casa. Notícias do desfiguramento de Thalia correram por toda a ilha, as pessoas vinham bater à nossa porta, movidas pela curiosidade. Dava para pensar que, de repente, faltava farinha, alho e até sal na ilha, que a nossa casa era o único lugar onde essas coisas podiam ser encontradas. As pessoas mal se esforçavam para disfarçar suas intenções. Na porta, os olhos sempre passavam por cima de mim. Elas esticavam o pescoço, ficavam na ponta dos pés. A maioria delas nem era de vizinhos. Andavam quilômetros por uma xícara de açúcar. Claro que eu nunca deixei ninguém entrar. Sentia certa satisfação em fechar a porta na cara delas. Mas também me sentia tristonho, desanimado, ciente de que se ficasse ali minha vida seria transformada de modo muito profundo por aquelas pessoas. No fim, eu acabaria me tornando uma delas.

As crianças eram piores ainda, e mais ousadas. Todo dia eu pegava uma rondando do lado de fora, subindo no muro. Estávamos trabalhando, e Thalia batia no meu ombro com o lápis, apontava com o queixo, e eu virava para encontrar uma cara, às vezes mais de uma, encostada na janela. Era tão ruim que tivemos de ir para o andar de cima e fechar as cortinas. Um dia, abri a porta para um garoto que conhecia da escola, Petros, e mais três amigos. Ele ofereceu um punhado de moedas para dar uma olhada. Eu disse que não; onde ele pensava que estava, num circo?

Afinal, tive de contar a mamãe. O sangue subiu para o rosto dela quando ouviu a história. Trincou os dentes.

Na manhã seguinte, pôs nossos livros e dois sanduíches na mesa. Thalia entendeu antes de mim e se encolheu como uma folha. Os protestos começaram quando chegou a hora de sair.

— Não, tia Odie.
— Me dê a mão.
— Não. Por favor.
— Vamos. Me dê a mão.
— Eu não quero ir.
— Nós vamos chegar atrasados.
— Não faça isso comigo, tia Odie.

Mamãe puxou Thalia da cadeira pelas mãos, abaixou-se e fixou nela um olhar que eu conhecia bem. Nada neste mundo poderia detê-la agora. — Thalia — disse, conseguindo ao mesmo tempo soar firme e suave —, eu não tenho vergonha de você.

Saímos os três, mamãe com os lábios franzidos, avançando como se estivesse empurrando um arado contra um vento forte, os pés se movimentando depressa, passinhos picados. Imaginei mamãe andando com a mesma determinação para a casa do pai de Madaline, todos aqueles anos atrás, espingarda na mão.

Pessoas se assustavam quando passávamos por elas pelo caminho sinuoso. Paravam para olhar. Algumas apontavam. Eu tentava não olhar. Era um borrão desfocado de rostos pálidos e bocas abertas na periferia da minha visão.

No colégio, os alunos se afastaram para nos deixar passar. Ouvi uma garota gritar. Mamãe passou por eles como uma bola de boliche no meio dos pinos, quase arrastando Thalia. Abriu caminho a trancos e empurrões até um canto do pátio onde havia um banco. Subiu no banco, ajudou Thalia a subir e tocou o apito três vezes. O pátio ficou em silêncio.

— Esta é Thalia Gianakos — bradou mamãe. — A partir de hoje... — fez uma pausa. — Seja quem for que está chorando, pode calar a boca antes que eu dê uma boa razão para chorar. Bem, a partir de hoje, Thalia é aluna desta escola. Espero que todos a tratem com decência e bons modos. Se eu souber de alguma provocação, vou descobrir quem foi e vou fazer com que se arrependa. E vocês sabem do que sou capaz. Não tenho mais nada a dizer sobre essa questão.

Desceu do banco e saiu andando em direção à sala de aula, segurando Thalia pela mão.

Desde aquele dia, Thalia nunca mais usou máscara, nem em casa nem em público.

DUAS SEMANAS ANTES DO Natal daquele ano, recebemos uma carta de Madaline. A filmagem estava passando por atrasos inesperados. Primeiro, o diretor de fotografia — Madaline escreveu DDF, e Thalia teve de explicar a mim e a mamãe — havia caído de um andaime no set e quebrado o braço em três lugares. Depois, o clima havia comprometido todas as cenas em locação.

Então, ainda estamos em compasso de espera, como eles dizem. Não seria uma coisa tão ruim, pois nos dá tempo de trabalhar algumas asperezas do roteiro, mas significa que não vamos nos ver tão cedo como eu esperava. Estou arrasada, meus queridos. Sinto muita saudade de vocês, especialmente de você, Thalia, meu amor. Vou contar os dias até a próxima primavera, quando a filmagem estará concluída e poderemos nos reunir outra vez. Estou com vocês três no meu coração em todos os minutos do dia.

— Ela não vai voltar — disse Thalia sem emoção, devolvendo a carta a mamãe.

— É claro que vai! — contestei, estupefato. Virei para mamãe, esperando que dissesse alguma coisa, ao menos uma palavra de estímulo. Mas mamãe dobrou a carta, pôs em cima da mesa e saiu em silêncio para ferver água para o café, e me lembro de ter pensado na insensibilidade dela de não consolar Thalia, mesmo se achasse que Madaline não ia mesmo voltar. Mas eu não sabia, ainda não, que elas já se compreendiam uma à outra, talvez melhor do que eu a qualquer uma delas. Mamãe respeitava Thalia demais para afagar sua cabeça. Não iria insultá-la com falsas esperanças.

A primavera chegou com toda a sua glória verde e luxuriante e se foi. Recebemos um cartão-postal de Madaline, no qual informava sobre mais problemas na filmagem, dessa vez relacionados a financiadores que ameaçavam cair fora por causa dos atrasos. Nessa carta, diferentemente da outra, ela não estabelecia uma data para voltar.

Em uma tarde quente no início do verão — que seria de 1968 —, Thalia e eu fomos à praia com uma garota chamada Dori. Àquela altura, Thalia já morava conosco em Tinos havia um ano, e seu desfiguramento não provocava mais sussurros nem olhares demorados. Continuava sendo, e sempre seria, envolvida por uma órbita de curiosidade, mas mesmo isso estava diminuindo. Já tinha as próprias amigas — Dori era uma delas —, que não se assustavam mais com sua aparência, amigas com quem lanchava, fofocava, brincava depois da escola, estudava. Tinha se tornado alguém apenas improvável, quase comum, e eu tinha de admitir que sentia certa admiração pela maneira pela qual os ilhéus a aceitaram como uma igual.

Naquela tarde, nós três tínhamos planejado nadar, mas a água estava fria demais e acabamos deitados nas pedras, e cochilamos. Quando Thalia e eu voltamos para casa, encontramos mamãe na cozinha, descascando cenouras. Em cima da mesa havia um envelope de carta fechado.

— É do seu padrasto — disse mamãe.

Thalia pegou a carta e subiu para o segundo andar. Demorou bastante até ela voltar. Jogou a folha de papel na mesa, sentou, pegou uma faca e uma cenoura.

— Ele quer que eu volte para casa.

— Entendi — disse mamãe. Achei ter ouvido um leve tremor na voz dela.

— Não exatamente para casa. Diz que entrou em contato com uma escola particular na Inglaterra. Eu poderia me matricular no outono. Ele disse que paga.

— E quanto à tia Madaline? — perguntei.
— Foi embora. Com Elias. Fugiu com o namorado.
— E o filme?

Mamãe e Thalia trocaram um olhar, em seguida olharam ao mesmo tempo para mim, e percebi que elas sempre souberam.

NUMA MANHÃ DE 2002, MAIS de trinta anos depois, quando estava me preparando para mudar de Atenas para Cabul, topo com o obituário de Madaline no jornal. Seu sobrenome está listado como Kouris, mas reconheço no rosto daquela senhora um sorriso conhecido e um olhar brilhante, e mais que um resquício de sua beleza juvenil. O pequeno parágrafo abaixo diz que foi atriz durante um breve período na juventude, antes de fundar a própria companhia teatral no início dos anos 1980. A companhia recebera elogios dos críticos por diversas produções, as mais notáveis pelas longas temporadas de *Longa jornada noite adentro,* de Eugene O'Neill, em meados dos anos 1990, *A gaivota,* de Tchékhov, e *Engagements,* de Dimitrios Mpogris. O obituário diz que Madaline era bem conhecida pela comunidade artística de Atenas por sua inteligência, seus trabalhos beneficentes, seu estilo, suas grandes festas e sua disposição para dar oportunidades a dramaturgos iniciantes e desconhecidos. O artigo diz que ela morreu depois de uma longa batalha contra um enfisema, mas não menciona se deixava marido ou filhos. Fico mais chocado ainda ao descobrir que ela vivia em Atenas havia mais de duas décadas, numa casa a menos de seis quarteirões do lugar onde eu morava em Kolonaki.

Abaixo o jornal. Para minha surpresa, sinto uma pontada de irritação com essa mulher morta que não vejo há mais de trinta anos. Sinto certa resistência ante essa história da vida dela. Sempre a imaginei vivendo uma vida tumultuada e irrequieta, com anos difíceis de infortúnios, tropeços e recomeços, colapso, arrependimento e desespero, casos de amor mal resolvidos. Sempre imaginei que iria se autodestruir, provavelmente bebendo demais e sofrendo o tipo de morte prematura que as pessoas sempre definem como trágica. Parte de mim acreditava até na possibilidade de que ela já sabia disso e havia levado Thalia a Tinos para poupá-la, resgatá-la dos desastres que sabia não ter como evitar, desastres que poderiam se abater sobre a filha. Mas agora vejo Madaline do jeito que mamãe sempre deve ter visto; Madaline, a cartógrafa, sentada, desenhando calmamente o mapa de seu futuro, excluindo cirurgicamente o peso da filha de sua proximidade. E tinha se dado bem, de forma espetacular, ao menos segundo esse obituário e seu breve relato de uma vida rica e respeitável, cheia de graça e realizações.

Descubro que não posso aceitar isso. Esse sucesso ter saído incólume. É um absurdo. Onde estava o preço a ser pago, a retribuição?

Porém, quando fecho o jornal, uma dúvida rabugenta começa a se insinuar. Uma fraca sugestão de que julgara Madaline com muita dureza, que não éramos tão diferentes, ela e eu. Os dois não ansiávamos por uma fuga, uma reinvenção, novas identidades? Afinal, não tínhamos os dois nos livrado das âncoras que nos pesavam para nos desgarrar? Ironizo aquilo, digo a mim mesmo que não somos iguais em nada, mesmo percebendo que o ressentimento que sinto por ela pode ser uma máscara da minha inveja, por ela ter se dado bem, até melhor do que eu.

Afasto o jornal. Se Thalia ficar sabendo, não vai ser por mim.

MAMÃE TIROU AS CASCAS DE cenoura da mesa com uma faca e guardou numa cuia. Ela detestava quando as pessoas desperdiçavam comida. Ia fazer um pote de geleia com as sobras.

— Bem, você tem uma grande decisão a tomar, Thalia — disse.

Thalia me surpreendeu, virando-se para mim. — O que você faria, Markos? — perguntou.

— Ah, *eu sei* o que ele faria — mamãe foi logo dizendo.

— Eu iria — respondi a Thalia, olhando para mamãe, sentindo-me satisfeito no papel do filho insurreto que mamãe achava que eu era. Mas é claro que também estava sendo sincero. Não podia acreditar que Thalia sequer hesitasse. Eu não perderia aquela oportunidade. Uma escola particular. Em Londres.

— Você deveria pensar a respeito — disse mamãe.

— Já pensei — falou Thalia, hesitante. Depois, mais hesitante ainda, quando ergueu os olhos para encontrar os de mamãe. — Mas não quero fazer suposições.

Mamãe largou a faca. Ouvi uma leve expiração. Será que ela estava prendendo a respiração? Caso estivesse, sua expressão estoica não revelou sinal de alívio. — A resposta é sim. Claro que é sim.

Thalia esticou o braço sobre a mesa e tocou no pulso de mamãe. — Obrigada, tia Odie.

— Só vou falar isso uma vez — eu disse. — Acho que é um engano. Vocês duas estão cometendo um erro.

Elas se viraram para mim.

— Você quer que eu vá, Markos? — perguntou Thalia.

— Quero — respondi. — Eu ia sentir sua falta, você sabe disso. Mas você não pode recusar uma boa educação numa escola particular. Poderia fazer uma faculdade depois. Poderia ser uma pesquisadora, uma cientista, uma professora, uma inventora. Não é o que você quer? Você é a pessoa mais inteligente que eu conheço. Poderia ser o que quisesse.

Parei de falar.

— Não, Markos — disse Thalia com pesar. — Não, não poderia.

Disse isso com um sentido de determinação que vedou todos os canais para uma réplica.

Muitos anos depois, quando comecei a estudar para ser cirurgião plástico, entendi uma coisa que não sabia naquele dia na cozinha, enquanto argumentava para que Thalia saísse de Tinos e fosse para o internato. Aprendi que o mundo não via o seu interior, não se importava com as esperanças, os sonhos e as tristezas que pudessem existir sob a pele e os ossos. Era simples assim, absurdo e cruel. Meus pacientes sabiam disso. Percebiam que muito do que eram, do que seriam ou poderiam ser girava em torno da simetria de suas estruturas ósseas, do espaço entre os olhos, do tamanho do queixo, da projeção da ponta do nariz, se tinham ou não o melhor ângulo frontal.

A beleza é uma dádiva imensa e imerecida, distribuída aleatória e estupidamente.

Assim, escolhi minha especialidade para equilibrar as possibilidades de pessoas como Thalia, para retificar, com cada corte do meu bisturi, uma injustiça arbitrária, firmar uma pequena oposição contra uma ordem do mundo que considerava ignominiosa, em que a mordida de um cão podia roubar o futuro de uma garotinha, transformá-la numa pária, num objeto de desdém.

Ao menos é o que digo a mim mesmo. Imagino que havia outras razões de ter escolhido cirurgia plástica. Dinheiro, por exemplo, prestígio, posição social. Dizer que escolhi somente por causa de Thalia é simples demais, além de a ideia ser, por mais adorável que pareça, um tanto ordeira e equilibrada demais. Se aprendi alguma coisa em Cabul é que o comportamento humano é confuso e imprevisível, descomprometido com quaisquer simetrias convenientes. Mas existe um consolo na ideia de um padrão, de uma narrativa de minha vida ganhando forma, como uma fotografia num quarto escuro, uma história emergindo lentamente, confirmando o bem que sempre quis ver em mim mesmo. Essa história me dá força.

Passei metade da minha carreira em Atenas esticando pescoços, levantando sobrancelhas, reformando narizes defeituosos e apagando rugas. E passei a outra metade fazendo o que *realmente* queria fazer: viajar pelo mundo, pela América Central, pela África subsaariana, pelo sul da Ásia, pelo Oriente, e trabalhar com crianças, consertar lábios leporinos e palatos divididos, remover tumores faciais, reparar ferimentos da face. O trabalho em Atenas era bem menos gratificante, mas o dinheiro era bom e me propiciava o luxo de tirar folgas de semanas e meses para o meu trabalho voluntário.

Então, no começo de 2002, uma mulher que eu conhecia telefonou para o meu escritório. O nome dela era Amra Ademovic. Era enfermeira na Bósnia. Tínhamos nos conhecido numa conferência em Londres alguns anos antes e passado um fim de semana agradável, que os dois julgamos inconsequente, mas continuamos em contato e nos encontramos em outras ocasiões sociais. Ela disse que agora trabalhava em uma organização sem fins lucrativos em Cabul e que estavam procurando um cirurgião plástico para trabalhar com crianças — ajudar a corrigir lábios leporinos, reparar ferimentos faciais causados por balas e estilhaços, esse tipo de coisa. Aceitei na hora. Minha intenção era ficar três meses. Parti na primavera de 2002. E nunca mais voltei.

THALIA VAI ME BUSCAR NO porto. Está usando um lenço de lã verde e um casaco grosso e áspero cor-de-rosa, em cima de um cardigã e jeans. Agora ela está com o cabelo comprido, caído sobre os ombros, repartido ao meio. O cabelo está branco, e é esse aspecto — não o rosto mutilado abaixo — que me choca e me faz balançar quando a vejo. Não que me surpreenda; Thalia começara a ficar grisalha aos trinta e cinco anos, e no fim da década seguinte já tinha o cabelo branco como algodão. Eu sei que também mudei, a barriga que teimosamente não para de crescer, as igualmente determinadas entradas no cabelo, mas a decadência do nosso corpo é incremental, quase tão imperceptível quanto insidiosa. Ver Thalia de cabelo branco apresenta uma evidência chocante de sua marcha estável e inevitável em direção à velhice — e, por associação, também da minha.

— Você vai sentir frio — diz ela, fechando o lenço ao redor do pescoço. Estamos em janeiro, o céu está nublado e cinzento. Uma brisa fria faz as folhas secas farfalhar nas árvores.

— Quer saber o que é frio, vamos a Cabul — respondo. Pego minha mala.
— Faça como quiser, doutor. De ônibus ou a pé? Você escolhe.
— Vamos andar — digo.

Andamos em direção ao norte. Passamos pela cidade de Tinos. Os veleiros e iates ancorados no porto. Os quiosques vendendo camisetas e cartões-postais. Pessoas tomando café em mesinhas redondas na calçada das cafeterias, jogando xadrez, lendo jornais. Garçons arrumando talheres para o almoço. Em mais uma ou duas horas, o cheiro de peixe sendo cozido vai exalar das cozinhas.

Thalia se lança com energia numa história sobre um novo conjunto de bangalôs brancos que incorporadores estão construindo no sul da cidade de Tinos, com vista para Mikonos e o Egeu. Basicamente, vão ser ocupados por turistas e veranistas ricos que vêm frequentando Tinos desde os anos 1990. Explica que os bangalôs vão ter uma piscina ao ar livre e uma academia de ginástica.

Ela tem me enviado e-mails há anos, relatando essas mudanças que estão reconfigurando Tinos. Hotéis à beira-mar com antenas parabólicas e acesso à internet, clubes noturnos, bares e tavernas, restaurantes e lojas que abastecem os turistas, táxis, ônibus, multidões, mulheres estrangeiras fazendo topless nas praias. Agora os fazendeiros têm caminhões em vez de jumentos, ao menos os fazendeiros que permaneceram lá. A maioria foi embora muito tempo atrás, ainda que agora alguns estejam voltando para passar a aposentadoria na ilha.

— Odie não está gostando nada — diz Thalia, referindo-se à transformação. Ela tem me escrito sobre isso também; é a velha desconfiança da ilhoa em relação a recém-chegados e às mudanças que eles vêm importando.

— Você parece não se incomodar com a mudança — digo.

— Não adianta lutar contra o inevitável — responde ela. Depois acrescenta: — Odie me diz, "Faz sentido *você* dizer isso, Thalia. Você não nasceu aqui". — Dá uma risada alta e gostosa. — Seria de pensar que depois de quarenta e quatro anos em Tinos eu já mereceria esse direito. Mas é como as coisas são.

Thalia também mudou. Mesmo com o casaco de inverno, posso ver que alargou nos quadris, está mais gordinha — não gordinha flácida, gordinha musculosa. Agora tem um ar de desafio cordial, um jeito malicioso de comentar sobre coisas que imagino que ela considere um pouco tolas. O brilho dos olhos, essa nova risada sincera, o perpétuo rubor nas faces, a impressão geral é de esposa de um fazendeiro. Um ar de mulher da terra, cuja receptividade robusta sugere um esteio sólido e uma autoridade que é melhor não questionar.

— Como vão os negócios? — pergunto. — Ainda está trabalhando?

— Aqui e ali — responde Thalia. — Você sabe como andam os tempos.

— Nós dois concordamos com a cabeça. Em Cabul, acompanhei as notícias sobre a série de medidas de austeridade. Vi na CNN jovens gregos mascarados apedrejando a polícia na porta do Parlamento, policiais em uniformes de choque disparando gás lacrimogêneo, brandindo os cassetetes.

Thalia não tem um negócio no sentido verdadeiro. Antes da era digital, ela era essencialmente uma faz-tudo. Ia à casa das pessoas e soldava transistores nas TVs, substituía capacitores de sinal em velhos modelos de rádios a válvula. Era chamada para consertar termostatos de refrigeradores com defeito, vedar furos no encanamento. As pessoas pagavam o que podiam, e, se não pudessem pagar, ela fazia o trabalho assim mesmo. *Eu não preciso do dinheiro*, ela me explicou. *Faço isso por diversão. Continua sendo uma emoção para mim abrir coisas e ver como funcionam por dentro.* Nos dias atuais, ela trabalha como *freelance*, um departamento de TI de uma mulher só. Tudo o que sabe aprendeu sozinha. Cobra preços irrisórios pelo serviço de diagnosticar PCs das pessoas, alterar endereços de IP, consertar travamentos de arquivos de aplicativos, lentidões, falhas de inicialização ou de atualizações. Mais de uma vez liguei para ela de Cabul, desesperado, pedindo ajuda para o meu IBM travado.

Quando chegamos à casa de minha mãe, ficamos um momento do lado de fora, no quintal onde está a oliveira. Vejo evidências do recente frenesi laboral de mamãe, as paredes retocadas, o pombal quase terminado, um martelo e uma caixa de pregos aberta descansando numa prancha de madeira.

— Como ela está? — pergunto.

— Ah, espinhosa como sempre. Foi por isso que mandei instalar aquela coisa. — Aponta para uma antena parabólica empoleirada no telhado. — Nós assistimos a novelas estrangeiras. As árabes são as melhores, ou piores, o que acaba sendo a mesma coisa. Tentamos imaginar os enredos. Assim, ela me agride menos. — Entra pela porta da frente. — Seja bem-vindo. Vou preparar alguma coisa para comer.

É ESTRANHO ESTAR DE VOLTA a esta casa. Vejo poucas coisas que ainda não conhecia, como a poltrona de couro cinza na sala de visitas, um aparador de vime branco ao lado da TV. Mas todo o resto está mais ou menos como costumava ser. A mesa da cozinha, agora coberta por uma toalha de vinil com um estampado que alterna peras e berinjelas; as cadeiras de bambu com encosto reto; a velha lamparina a óleo com suporte de vime e a bandeja da chaminé enegrecida de fumaça; a foto em que apareço com mamãe — eu de camisa branca, mamãe em seu melhor vestido — ainda pendurada acima da lareira na sala de estar; o jogo de porcelana de mamãe na prateleira mais alta.

Ainda assim, quando largo a mala, sinto como se houvesse uma lacuna em meio a isso tudo. As décadas de vida de minha mãe aqui com Thalia são um vasto espaço escuro para mim. Eu estive ausente. Ausente de todas as refeições que Thalia e mamãe partilharam nessa mesa, das risadas, das discussões, das fases de tédio, das doenças, da longa série de rituais simples que compõem uma vida. Entrar no lar de minha infância é um pouco desorientador, como ler o final de um romance que comecei a ler e abandonei muito tempo atrás.

— Que tal uns ovos? — pergunta Thalia, já vestindo um avental de peitilho estampado, despejando óleo numa frigideira. Movimenta-se pela cozinha com ar de comando, com propriedade.

— Claro. Onde está mamãe?

— Dormindo. Ela teve uma noite difícil.

— Vou dar uma olhada nela rapidamente.

Thalia pega um batedor de ovos da gaveta. — Se você acordar sua mãe, vai se haver comigo, doutor.

Subo a escada na ponta dos pés. O quarto está escuro. Uma única faixa estreita de luz do sol passa pelas cortinas fechadas, atravessa a cama de mamãe. O ar é pesado de doença. Não é bem um cheiro, é mais uma presença física. Todo médico conhece isso. A doença permeia um quarto como vapor. Permaneço na porta um momento até meus olhos se acostumarem. A escuridão é violada por um retângulo de luz colorida em movimento na penteadeira, no que suponho ser o lado de Thalia na cama, o lado que era meu. É um daqueles porta-retratos digitais. Uma plantação de arroz e casas de madeira com tetos cobertos de telhas cinzentas, que muda para um movimentado bazar com cabras esfoladas penduradas em ganchos, depois para um homem de pele escura agachado perto de um rio lamacento, escovando os dentes com o dedo.

Puxo uma cadeira e sento à cabeceira da cama de mamãe. Olhando para ela agora que meus olhos se acostumaram, sinto alguma coisa ceder em mim. Fico assustado com quanto minha mãe encolheu. Já. O pijama de motivos florais parece solto nos ombros estreitos, sobre o peito afundado. Não me incomoda o modo como está dormindo, de boca aberta e virada para baixo, como se estivesse tendo um sonho azedo. Não gosto de ver que as dentaduras saíram do lugar durante o sono. As pálpebras tremelicam levemente. Fico lá sentado por um tempo. Pergunto a mim mesmo o que eu esperava, enquanto ouço o tique-taque do relógio na parede, o arranhar da espátula de Thalia na frigideira lá embaixo. Faço um inventário dos detalhes banais da vida de mamãe nesse quarto. A TV de tela plana fixada na parede, o PC no canto; o jogo de Sudoku interrompido na mesa de cabeceira, a página marcada pelos óculos de leitura; o controle remoto da TV; o frasco de lágrimas artificiais; um tubo de creme esteroide; um tubo de cola para dentadura; um vidrinho de pílulas; e, no chão, um par de chinelos felpudos cor de ostra. Ela nunca usaria aqueles chinelos. Ao lado, uma sacola de fraldas geriátricas aberta. Não consigo conciliar essas coisas com minha mãe. Resisto. Parecem pertencer a uma estranha. Alguém indolente, inofensivo. Alguém com quem ninguém consegue ficar bravo.

Atrás da cama, a imagem do porta-retrato digital muda de novo. Acompanho uma sequência. Aí percebo. Eu conheço essas fotos. Fui eu quem as tirou. Quando eu estava... onde? Andando pelo mundo, suponho. Sempre fiz questão de pegar duas cópias e mandar uma para Thalia. E ela guardou. Todos esses anos. Thalia. O afeto me permeia, doce como mel. Todo esse tempo ela tem sido minha verdadeira irmã, minha verdadeira *manaar*.

Chama meu nome do andar de baixo.

Eu me levanto em silêncio. Quando estou saindo do quarto, alguma coisa atrai meu olhar. Uma coisa emoldurada, fixada na parede embaixo do relógio. Não consigo distinguir bem no escuro. Abro meu telefone celular e dou uma olhada com seu brilho prateado. É uma reportagem da AP sobre a organização sem fins lucrativos em que trabalho em Cabul. Eu me lembro da entrevista. O jornalista era um sujeito simpático, um coreano-americano com uma leve gagueira. Dividimos uma travessa de *qabuli*, um prato afegão com arroz integral com passas e carneiro. No centro da página aparece uma foto de grupo. Eu, algumas crianças, Nabi no fundo, rígido, mãos atrás das costas, parecendo ao mesmo tempo temeroso, tímido e digno, como os afegãos costumam aparecer em fotografias. Amra também está lá, com Roshi, a filha adotada. Todas as crianças estão sorrindo.

— Markos.

Fecho o celular e começo a descer.

Thalia põe diante de mim um copo de leite e um fumegante prato de ovos sobre um leito de tomates. — Não se preocupe. Eu já coloquei açúcar no leite.

— Você lembrou.

Ela se senta, sem se preocupar em tirar o avental. Apoia os cotovelos na mesa e me observa comer, enxugando de vez em quando a face esquerda com um lenço.

Lembro-me de todas as vezes que tentei convencê-la a me deixar cuidar de seu rosto. Expliquei que as técnicas cirúrgicas tinham evoluído muito desde os anos 1960, que tinha certeza de que poderia, se não consertar, ao menos melhorar bem seu desfiguramento. Thalia recusou, para grande estupefação de minha parte. *Isso é quem eu sou*, ela me respondeu. Uma resposta insípida, insatisfatória, considerei na ocasião. O que significava aquilo? Não entendi. Tive pensamentos nada piedosos envolvendo prisioneiros condenados à prisão perpétua com medo de sair da penitenciária, aterrorizados por uma liberdade condicional, pela mudança de encarar uma nova vida sem arames farpados e torres de vigilância.

Minha proposta para Thalia continua valendo até hoje. Sei que ela não vai aceitar. Mas agora eu entendo. Porque ela tem razão, isso *é* quem ela é. Não posso pretender saber como deve ter sido olhar para aquele rosto no espelho todos os dias, fazer um levantamento da horrível ruína, reunir vontade para aceitar. A força gigantesca necessária, o esforço, a paciência. A aceitação tomando forma lentamente, ao longo dos anos, como rochas num penhasco na beira do mar, esculpidas pelas ondas que batem. Foram minutos para o cachorro dar a Thalia aquele rosto, e toda uma vida para transformá-lo numa identidade. Ela não me deixaria desfazer tudo isso com meu bisturi. Seria como infligir um novo ferimento sobre o antigo.

Espeto os ovos, sabendo que vai agradá-la, apesar de não estar com fome. — Está muito bom, Thalia.

— Então, está entusiasmado?

— Como assim?

Vira para trás e abre uma gaveta da bancada da cozinha. Retira uns óculos escuros com lentes retangulares. Demoro um momento. Depois me lembro. O eclipse.

— Ah, é claro.

— A princípio — começa —, pensei em observar só por um furinho. Mas quando Odie disse que você viria, resolvi, bem, vamos fazer isso em grande estilo.

Conversamos um pouco sobre o eclipse que deve acontecer no dia seguinte. Thalia diz que vai começar de manhã e se completar mais ou menos ao meio-dia. Ela vem acompanhando a previsão do tempo e está aliviada porque a ilha não vai estar nublada. Pergunta se quero mais ovos, eu aceito, e ela me conta sobre um cibercafé que foi aberto no lugar onde ficava a antiga loja de penhores do sr. Roussos.

— Eu vi as fotos — comento. — Lá em cima. O artigo, também.

Thalia limpa minhas migalhas de pão da mesa com a palma da mão, joga por cima do ombro na pia da cozinha sem olhar. — Ah, isso foi fácil. Bem, escanear e baixar foi fácil. A parte difícil foi organizar por países. Tive que deduzir, porque você nunca enviou legendas, só imagens. Ela foi muito específica nisso, na organização por países. Tinha de ser dessa forma. Ela insistiu.

— Quem?

Ensaia um suspiro. — "Quem?", ele pergunta. Odie. Quem mais?

— Aquilo foi ideia dela?

— O artigo, também. Foi ela quem encontrou a matéria na internet.

— Mamãe procurando por mim na internet? — pergunto.

— Eu nunca deveria ter ensinado. Agora ela não para mais. — Dá uma risada. — Ela confere a sua vida todos os dias. É verdade. Você tem uma perseguidora no ciberespaço, Markos Varvaris.

MAMÃE DESCE DO QUARTO no meio da tarde. Está usando um roupão de banho azul-escuro e o chinelo felpudo que já comecei a detestar. Parece que escovou o cabelo. Sinto-me aliviado em ver que ela parece se mexer normalmente enquanto desce a escada e abre os braços para mim, sorrindo ainda sonolenta.

Sentamos à mesa para tomar café.

— Onde está Thalia? — pergunta, soprando a xícara.

— Saiu para comprar umas guloseimas. Para amanhã. Isso é seu, mamãe? — Aponto para a bengala encostada na parede atrás da poltrona nova. Eu não tinha notado quando entrei.

— Ah, eu quase não uso. Só nos dias ruins. E para grandes caminhadas. Mesmo assim, mais por uma questão de paz de espírito — esclarece, mudando de assunto, o que me faz saber que ela usa a bengala bem mais do que revela. — É com você que eu me preocupo. Com as notícias daquele país terrível. Thalia não quer que eu acompanhe. Diz que vai me deixar agitada.

— Nós temos os nossos incidentes — digo —, mas na maior parte do tempo as pessoas vão tocando a vida. E eu sempre tomo cuidado, mamãe. — Claro que deixo de mencionar o tiroteio na casa de hóspedes do outro lado da rua, ou a recente onda de ataques a trabalhadores voluntários estrangeiros, e que ao dizer "tomo cuidado", estou falando em levar um 9 mm quando dirijo pela cidade, o que provavelmente não deveria fazer.

Mamãe toma um gole de café, faz uma careta. Ela não me força. Não sei bem se isso é bom. Não sei bem se ela divagou, recolheu-se em si mesma como fazem os velhos, ou se é uma questão de tática em não me forçar a mentir ou revelar coisas que somente a deixariam preocupada.

— Sentimos sua falta no Natal — diz ela.

— Eu não consegui uma folga, mamãe.

Ela aquiesce. — Você está aqui agora. Isso é o que importa.

Tomo também um gole de café. Recordo quando era pequeno, mamãe e eu tomando café da manhã nessa mesa todos os dias, sem falar nada, de modo quase solene, antes de irmos juntos a pé para a escola. Nós conversávamos tão pouco um com o outro...

— Sabe, mamãe, eu também me preocupo com você.

— Não precisa. Eu cuido bem de mim mesma. — Um lampejo do antigo orgulho desafiador como uma luz esmaecida na neblina.

— Mas por quanto tempo?

— Enquanto eu conseguir.

— E quando não conseguir mais, e depois? — Não estou contestando. Pergunto porque não sei. Não sei qual vai ser o meu papel, nem mesmo se vou ter algum papel.

Ela retorna meu olhar diretamente. Depois acrescenta uma colher de açúcar em sua xícara, mexe lentamente. — É uma coisa engraçada, Markos, mas normalmente as pessoas veem a coisa ao contrário. Elas pensam que vivemos pelo que queremos. Mas o que as conduz é o que elas temem. O que elas *não* querem.

— Não estou entendendo, mamãe.

— Bem, veja o seu caso, por exemplo. Saiu daqui. A vida que construiu para si mesmo. Você tinha medo de ficar confinado aqui. Comigo. Tinha medo de que eu não deixasse você ir. Ou o caso de Thalia. Ela ficou porque não queria mais ser olhada com curiosidade.

Observo quando ela experimenta o café, põe outra colher de açúcar. Lembro-me de quanto me sentia inferior quando era garoto, tentando argumentar com ela. Mamãe falava de um modo que não deixava espaço para réplica, passava suas certezas por cima de mim como um rolo compressor, certezas que eram enunciadas desde o início, de forma plena, direta. Eu sempre me sentia derrotado antes mesmo de dizer uma palavra. Sempre me pareceu injusto.

— E você, mamãe? — pergunto. — Do que você tem medo? O que você não quer?

— Ser um peso.

— Você não vai ser um peso.

— Ah, quanto a isso você tem razão, Markos.

Sou acometido por uma inquietação diante dessa observação enigmática. Minha mente remete à carta que Nabi me dera em Cabul, sua confissão póstuma. Não posso deixar de ponderar se mamãe fechou um pacto semelhante com Thalia, se escolheu Thalia para resgatá-la quando chegar o momento. Sei que Thalia poderia fazer isso. Agora ela é forte. Ela salvaria mamãe.

Mamãe está estudando meu rosto. — Você tem sua vida e seu trabalho, Markos — diz, agora com mais suavidade, redirecionando o curso da conversa, como se tivesse espiado na minha cabeça e percebido minha preocupação. A dentadura, as fraldas, o chinelo felpudo; essas coisas me fizeram subestimá-la. Ela continua sendo superior a mim. Sempre será. — Eu não quero ser um peso para você.

Finalmente uma mentira, essa última coisa que diz, mas é uma mentira bondosa. Não é a mim que ela vai pesar. Eu estou ausente, a milhares de quilômetros de distância. O desprazer, o trabalho enfadonho, recairia em Thalia. Mas mamãe está me incluindo, me conferindo algo que não mereci, nem tentei merecer.

— Não é bem assim — contesto, sem convicção.

Mamãe sorri. — Falando de seu trabalho, imagino que você sabe que não aprovei muito quando resolveu ir para aquele país.

— Tive minhas desconfianças, sim.

— Eu não entendi por que você queria ir. Por que desistir de tudo, do dinheiro, da carreira, da casa em Atenas, tudo o que conquistou, para se enfiar num buraco naquele lugar violento?

— Eu tinha minhas razões.

— Eu sei. — Ergue a xícara até os lábios, desce sem bebericar. — Eu não sou nada boa nisso — ela diz devagar, quase tímida —, mas o que estou querendo dizer é que você se deu bem. Você me fez sentir orgulhosa, Markos.

Olho para minhas mãos. Sinto palavras dela calando fundo em mim. Ela me assustou. Me pegou de surpresa pelo que disse, ou pelo suave brilho nos olhos quando falou. Estou perdido quanto ao que deveria dizer em resposta.

— Obrigado, mamãe — consigo murmurar.

Não consigo dizer mais nada, e ficamos em silêncio por algum tempo, o ar entre nós está espesso de constrangimento, espesso da nossa percepção de todo o tempo perdido, das oportunidades dissipadas.

— Eu quero fazer uma pergunta a você — diz mamãe.

— Qual pergunta?

— James Parkinson. George Huntington. Robert Graves. John Down. Agora esse novo companheiro, Lou Gehrig. Como os homens conseguem monopolizar até o nome das doenças?

Pisco os olhos, e minha mãe está rindo, e eu também. Mesmo que dilacerado por dentro.

NA MANHÃ SEGUINTE, ESTAMOS sentados nas espreguiçadeiras fora da casa. Mamãe usa um cachecol grosso e um anoraque cinzento, suas pernas agasalhadas do frio cortante por um cobertor de lã. Tomamos café e mordiscamos pedaços de biscoito de marmelo com canela que Thalia comprou para a ocasião. Estamos com nossos óculos de eclipse, olhando para o céu. O sol mostra uma pequena mordida em sua porção nordeste, meio parecida com o logotipo do laptop Apple que Thalia abre periodicamente para postar observações num fórum on-line. Por toda a rua, as pessoas se posicionaram nas calçadas ou no teto das casas para observar o espetáculo. Algumas levaram a família para o outro lado da ilha, onde a Sociedade Astronômica Helênica montara telescópios.

— A que horas está para acontecer? — pergunto.

— Perto das dez e trinta — responde Thalia. Tira os óculos, consulta o relógio. — Mais uma hora ou coisa assim. — Esfrega as mãos com entusiasmo, digita alguma coisa no teclado.

Observo as duas, mamãe de óculos escuros, mãos venosas cruzadas no peito, Thalia martelando as teclas furiosamente, cabelos brancos transbordando debaixo da boina.

Você se saiu bem.

Deitei no sofá na noite anterior, pensando sobre o que mamãe dissera, e meus pensamentos vagaram até Madaline. Lembrei que, quando era garoto, eu me remoía com todas as coisas que mamãe não fazia, coisas que as outras mães faziam. Segurar minha mão quando caminhávamos. Ler histórias para dormir, dar um beijo de boa-noite no meu rosto. Tudo isso era mesmo verdade. Mas em todos aqueles anos eu estivera cego para uma verdade maior, despercebida e desapreciada, que estava enterrada no fundo das minhas mágoas. Que era a seguinte: minha mãe jamais me abandonaria. Esse era o presente dela para mim, a certeza férrea de que ela jamais faria comigo o que Madaline fez com Thalia. Ela era minha mãe e nunca me abandonaria. Para mim, era algo que eu esperava e que aceitei. Nunca agradeci por isso, assim como nunca agradeci ao sol por brilhar sobre mim.

— Olhem! — exclama Thalia.

De repente, por toda a nossa volta, no chão, nas paredes, nas nossas roupas, pequenas adagas recurvadas de luz se materializaram, o sol em forma de lua crescente passando pelas folhas da nossa oliveira. Vejo uma cintilando no meu café na caneca, outra dançando no meu cadarço.

— Me mostre suas mãos, Odie — diz Thalia. — Rápido.

Mamãe abre as mãos, as palmas para cima. Thalia tira um quadrado de vidro cortado do bolso. Segura-o em cima das mãos de mamãe. De repente, pequenos arcos-íris em forma de lua crescente tremulam na pele ressecada das mãos de minha mãe. Ela se espanta.

— Olhe isso, Markos — diz mamãe, sorrindo abertamente, com deleite, como uma colegial. Eu nunca a vira sorrir assim de modo tão puro, tão sincero. Ficamos os três observando os tremeluzentes pequenos arcos-íris nas mãos de minha mãe, e sinto tristeza, e uma antiga dor, como uma garra no pescoço.

Você se saiu bem.
Você me fez sentir orgulhosa, Markos.

Estou com quarenta e cinco anos. Esperei toda a minha vida para ouvir essas palavras. Será tarde demais agora para isso? Para nós? Será que o desperdício de tanto tempo já foi longe demais para mim e mamãe? Parte de mim acha que é melhor continuar como estamos, agir como se não soubéssemos quão inadequados fomos um para o outro. É menos doloroso. Talvez melhor do que essa oferta atrasada. Esse pequeno vislumbre frágil e bruxuleante de como poderia ter sido entre nós. Só causaria remorsos, digo a mim mesmo, e o que há de bom no remorso? Não traz nada de volta. O que perdemos é irrecuperável.

No entanto, quando minha mãe diz: — Não é lindo, Markos? —, concordo: — É, sim, mamãe, é lindo. — Alguma coisa começa a se abrir dentro de mim, e eu estendo o braço e seguro a mão de minha mãe.

Nove

Inverno de 2010

QUANDO EU ERA GAROTINHA, meu pai e eu tínhamos um ritual noturno. Depois de eu recitar meus vinte e um *Bismillahs* e me acomodar na cama, ele sentava ao meu lado e extraía os sonhos ruins da minha cabeça com o polegar e o indicador. Os dedos passavam de minha testa às têmporas, com toda a paciência, procurando atrás das orelhas, em minha nuca, e ele fazia um som — *pop*, como uma garrafa sendo desarrolhada — para cada pesadelo que expurgava em meu cérebro. Guardava os sonhos ruins, um por um, num saco invisível no colo e amarrava o cordão bem apertado. Depois tateava o ar, procurando sonhos felizes para substituir aqueles que havia removido. Eu ficava olhando quando ele inclinava levemente a cabeça e franzia o cenho, os olhos viajando de um lado para o outro, como se ele se esforçasse para ouvir uma música distante. Eu ouvia minha respiração, esperando o momento em que a expressão de meu pai se abriria num sorriso e ele cantarolaria: *Ah, aqui está um*, e estenderia as mãos em concha para deixar o sonho pousar em suas palmas, como uma pétala caindo devagar de uma árvore. Então, delicadamente, muito delicadamente — meu pai dizia que todas as boas coisas da vida são frágeis e que podem ser perdidas com muita facilidade —, ele levava as mãos até meu rosto, esfregava as palmas em minha testa e a felicidade em minha cabeça.

Com o que eu vou sonhar esta noite, baba?, eu perguntava.

Ah, esta noite, bem, esta noite é um sonho especial, ele sempre dizia, antes de me contar sobre isso. E inventava uma história na hora. Em um dos sonhos que me deu, eu me tornava a pintora mais famosa do mundo. Em outro, era a rainha de uma ilha encantada e tinha um trono voador. Ele chegou a me dar até uma das minhas sobremesas favoritas, gelatina. Eu tinha o poder, com um gesto de mão, de transformar qualquer coisa em gelatina — um ônibus escolar, o Empire State Building, o oceano Pacífico inteiro se quisesse. Mais de uma vez eu salvei o planeta da destruição com um gesto de mão em direção a um meteoro que caía. Meu pai, que nunca falou muito do próprio pai, disse que havia herdado dele a habilidade de contar histórias. Quando era garoto, o pai dele às vezes o convidava a se sentar — quando estava disposto, o que não era muito frequente — e contava histórias povoadas por jinis, fadas e devs.

Em algumas noites, eu trocava de lugar com *baba*. Ele fechava os olhos, e eu esfregava as palmas das mãos em seu rosto, começando pela sobrancelha, passava para a barba rala e eriçada das bochechas, pelo bigode áspero.

Então, qual vai ser o meu sonho desta noite?, ele sussurrava, segurando minhas mãos. E abria um sorriso. Porque ele já sabia qual sonho eu ia lhe dar. Era sempre o mesmo. Um sonho com ele e a irmãzinha dele, deitados embaixo de uma macieira em flor, tirando uma soneca à tarde. O sol morno no rosto dos dois, a luz passando pela grama, pelas folhas e pelos ramalhetes de flores acima.

Eu era filha única, e em geral solitária. Depois que nasci, meus pais, que se conheceram no Paquistão quando já tinham quase quarenta anos, resolveram não arriscar a sorte mais uma vez. Lembro como olhava com inveja as crianças da vizinhança, na minha escola, que tinham um irmãozinho ou irmãzinha. Como me espantava a maneira como algumas tratavam umas às outras, sem dar valor à sorte que tinham. Comportavam-se como cães selvagens. Beliscando, batendo, empurrando, traindo umas às outras de todas as formas que conseguiam imaginar. Caçoando umas das outras também. Não se falavam. Eu não entendia. Passei a maior parte dos meus primeiros anos desejando um irmão ou uma irmã. O que eu queria *mesmo* era uma gêmea, alguém que tivesse chorado ao meu lado no berço, dormido ao meu lado, se alimentado do seio de minha mãe junto a mim. Alguém que pudesse amar totalmente e sem limites, em cujo rosto eu sempre me veria.

E assim, a irmãzinha de *baba*, Pari, era minha amiga secreta, invisível para todo mundo, menos para mim. Era *minha* irmã, a que sempre desejei que meus pais me dessem. Eu a via no espelho do banheiro, quando escovávamos os dentes lado a lado de manhã. Nos vestíamos juntas. Ela me seguia até a escola e sentava perto de mim na sala de aula — olhando à frente, para o quadro-negro, eu sempre podia enxergar o cabelo dela e o seu perfil com o canto dos olhos. Levava-a comigo ao pátio durante o recreio, sentia sua presença atrás de mim quando descia num escorregador, saltava de uma barra a outra. Depois da aula, enquanto eu estava à mesa da cozinha fazendo desenhos, ela rabiscava por perto, ou olhava pela janela, até eu terminar e nós duas sairmos para pular corda, nossas sombras gêmeas saltitando no concreto.

Ninguém sabia dos meus jogos com Pari. Nem mesmo meu pai. Ela era o meu segredo.

Às vezes, quando não havia ninguém por perto, chupávamos uvas e conversávamos muito, falávamos sobre brinquedos, desenhos animados de que gostávamos, colegas da escola de que não gostávamos, quais professores eram malvados, quais cereais eram os mais gostosos. Tínhamos a mesma cor favorita (amarelo), o sorvete favorito (cereja preta), o mesmo programa de TV (*Alf*), e nós duas queríamos ser pintoras quando crescêssemos. Naturalmente, eu imaginava que éramos exatamente a mesma, porque afinal éramos gêmeas. Às vezes, eu quase conseguia vê-la — realmente *ver*, quero dizer — no limite do meu campo de visão. Tentava retratá-la, e sempre dava a ela os mesmos olhos verde-claros que os meus, ligeiramente desiguais, o mesmo cabelo preto encaracolado, as mesmas sobrancelhas longas e recurvadas que quase se tocavam. Se alguém perguntasse, eu dizia que havia desenhado a mim mesma.

A história de como meu pai havia perdido a irmã era tão bem conhecida para mim quanto as histórias que minha mãe me contava sobre o Profeta, histórias que eu aprenderia de novo mais tarde, quando meus pais me matricularam na escola dominical na mesquita de Hayward. Mesmo assim, apesar de conhecida, todas as noites eu pedia para ouvir a história de Pari outra vez, apanhada pelo puxão de sua gravidade. Talvez fosse apenas por termos o mesmo nome. Talvez tenha sido a razão de eu sentir uma ligação entre nós, difusa, envolvida em mistério, mas ainda assim verdadeira. Mas era mais que isso. Eu me sentia *comovida* por ela, como se também tivesse sido marcada pelo que lhe havia acontecido. Estávamos interligadas, eu sentia, por uma espécie de ordem invisível, de um modo que eu não conseguia entender totalmente, ligadas por algo além de nosso nome, além de laços familiares, como se juntas completássemos um quebra-cabeça.

Tinha certeza de que, se ouvisse com toda atenção a história dela, eu descobriria alguma coisa reveladora sobre mim mesma.

Você acha que seu pai ficou triste? Por tê-la vendido?

Algumas pessoas escondem muito bem a própria tristeza, Pari. Ele era assim. Não se podia dizer, olhando para ele. Era um homem duro. Mas acho que sim, acho que ele ficou triste.

E você?

Meu pai sorria e dizia: Por que eu estaria triste, quando tenho você?. Mas, mesmo naquela idade, eu conseguia notar. Era como uma marca de nascença no rosto dele.

Sempre que meu pai e eu falávamos sobre isso, uma fantasia passava por minha cabeça. Eu ia economizar todo o meu dinheiro, não gastaria um dólar em doces ou adesivos, e, quando meu cofre de porquinho estivesse cheio — apesar de não ser um porco, mas sim uma sereia sobre uma pedra —, eu o quebraria, pegaria o dinheiro e partiria para encontrar a irmã do meu pai, onde ela estivesse, e, quando a encontrasse, eu ia comprá-la e trazê-la de volta para casa, para *baba*. Eu faria meu pai feliz. Não havia nada que eu desejasse mais no mundo do que acabar com a tristeza dele.

Então, qual vai ser o meu sonho desta noite?, perguntava *baba*.

Você já sabe.

Outro sorriso. *Sim, eu sei.*

Baba?

Huuummm.

Ela era uma boa irmã?

Era perfeita.
Ele beijava minha bochecha e enrolava a coberta em volta do meu pescoço. Na porta, pouco antes de apagar a luz, ele dava uma parada.
Ela era perfeita, repetia. *Assim como você.*
Eu sempre esperava até ele fechar a porta antes de sair da cama, pegava outro travesseiro e o ajeitava perto do meu. Todas as noites eu adormecia sentindo corações gêmeos batendo em meu peito.

OLHO PARA O RELÓGIO QUANDO pego a autoestrada, vindo da saída da Old Oakland Road. Já é meio-dia e meia. Vai demorar pelo menos quarenta minutos para chegar ao aeroporto de San Francisco, se não houver nenhum acidente ou obras na 101. O lado bom é que o voo é internacional, ela vai ter de passar pela alfândega, e talvez isso me dê algum tempo a mais. Entro na faixa da esquerda e acelero o Lexus até quase 120.

Recordo o pequeno milagre de uma conversa que tive com *baba* mais ou menos um mês atrás. O diálogo foi uma efêmera bolha de normalidade, um pequeno bolsão de ar no leito escuro, frio e profundo do oceano. Eu trazia seu almoço e chegara atrasada, e ele se virou para mim da poltrona reclinável e comentou, com um tom crítico muito delicado, que eu era geneticamente programada para não ser pontual. *Igual a sua mãe, que Deus guarde sua alma.*

Mas enfim, continuou, sorrindo, como para me tranquilizar, *todo mundo tem algum defeito.*

Então, esse é o único defeito que Deus pôs no meu caminho?, perguntei, descansando o prato de arroz com feijão no colo dele. *Falta de pontualidade?*

E Ele deve ter feito isso com grande relutância, devo acrescentar. Baba segurou minhas mãos. *Ele chegou muito perto, muito perto da perfeição quando fez você.*

Bem, se quiser, terei prazer em apresentar mais alguns defeitos.
Você está escondendo-os de mim, é?
Ah, um montão. Estão prontos para ser soltos. Para quando você estiver velho e indefeso.
Eu já sou velho e indefeso.
Agora você está querendo que eu sinta pena de você.

Brinco com o rádio, mudando de falação para música country, depois para jazz e mais falação. Desligo. Sinto-me inquieta e nervosa. Pego o celular no banco do passageiro. Ligo para casa e deixo o telefone aberto no colo.

— Alô?

— Salaam, *baba*. Sou eu.

— Pari?

— Sim, *baba*. Está tudo bem aí em casa com Hector?

— Tudo bem. Ele é um jovem maravilhoso. Preparou ovos para nós. Comemos com torradas. Onde você está?

— Estou dirigindo — respondo.

— Está indo ao restaurante? Você não está de plantão hoje, está?

— Não, estou indo ao aeroporto, *baba*. Vou buscar uma pessoa.

— Certo. Vou pedir à sua mãe para fazer o almoço — diz. — Ela pode trazer alguma coisa do restaurante.

— Tudo bem, *baba*.

Para meu alívio, ele não menciona minha mãe outra vez. Mas às vezes ele fala muito a respeito. *Por que você não me diz onde ela está, Pari? Está sendo operada? Não minta para mim! Por que todo mundo está mentindo para mim? Ela foi embora? Está no Afeganistão? Então eu também vou! Vou para Cabul, e você não pode me impedir.* Nós vamos e voltamos nessa arenga. *Baba* anda de um lado para outro, aflito, eu o engano com mentiras, depois tento distraí-lo com a coleção de catálogos de utilidades domésticas ou com alguma coisa na televisão. De vez em quando funciona, mas às vezes ele se mostra imune aos meus truques. Continua preocupado até cair em lágrimas, histérico. Estapeia a cabeça e balança na cadeira, para a frente e para trás, soluçando, as pernas agitadas, e então eu preciso lhe dar um Ativan. Espero até seus olhos se nublarem, e quando isso acontece eu desabo no sofá, exausta, sem fôlego, quase chorando também. Ansiosa, olho pela porta da frente, vejo o espaço aberto e tenho vontade de sair e continuar andando. Mas *baba* dá um gemido durante o sono e eu sou trazida de volta, fervilhando de culpa.

— Posso falar com Hector, *baba*?

Ouço o receptor trocar de mãos. No fundo, o som de urros de uma multidão assistindo a um jogo, depois aplausos.

— Oi, garota.

Hector Juarez mora do outro lado da rua. Somos vizinhos há muito tempo e nos tornamos amigos nos últimos anos. Ele aparece em casa duas vezes por semana, e nós dois comemos *junk food* e assistimos a programas bregas na TV até tarde da noite, quase sempre *reality shows*. Mastigamos pizza fria e balançamos a cabeça com um fascínio mórbido por curiosidades e pegadinhas. Hector foi fuzileiro, serviu no sul do Afeganistão. Dois anos atrás, ele foi ferido gravemente num ataque com um artefato explosivo improvisado. Todo mundo do quarteirão apareceu quando ele voltou para casa. Os pais dele penduraram uma faixa com a frase *Seja bem-vindo, Hector* na frente da residência, com balões e um monte de flores. Todos aplaudiram quando os pais dele estacionaram na frente da casa. Vários vizinhos prepararam tortas. As pessoas agradeciam por seus serviços. Diziam: *Seja forte. Deus o abençoe.* O pai de Hector, Cesar, veio até nossa casa alguns dias depois, e nós dois instalamos a mesma rampa para cadeira de rodas que Cesar havia construído do lado de fora da casa deles, que chegava até a porta da frente com uma bandeira americana estendida. Lembro que, enquanto trabalhávamos na rampa, senti necessidade de pedir desculpas a Cesar, pelo que havia acontecido com Hector no país do meu pai.

— Oi — digo. — Só estou verificando.

— Está tudo bem por aqui — diz Hector. — Nós comemos. Jogamos *Price is right*. Estamos agora no *Wheel*. Depois vai ser *Feud*.

— Ui. Sinto muito.

— Por que, *mija*? Nós estamos nos divertindo. Não estamos, Abe?

— Obrigada por ter preparado ovos para ele — digo.

Hector baixa um pouco a voz. — Panquecas, na verdade. E, adivinha? Ele adorou. Comeu uma pilha de quatro.

— Realmente devo uma a você.

— Ei, gostei muito de seu novo quadro, garota. O do menino com o chapéu engraçado. Abe me mostrou. Está todo orgulhoso. Eu também, puxa! *Você* devia se sentir orgulhosa, cara.

Sorrio enquanto mudo de pista e deixo um apressadinho passar. — Acho que já sei o que vou dar a você de presente de Natal.

— Me explique de novo por que *não* podemos nos casar? — diz Hector. Ouço *baba* protestando ao fundo, e Hector dá risada, longe do receptor. — Estou brincando, Abe. Pegue leve comigo. Eu sou um aleijado. — Depois, para mim: — Acho que seu pai está querendo me mostrar o *pashtun* interior dele.

Lembro que ele precisa dar a *baba* os comprimidos da manhã e desligo.

É COMO VER A FOTOGRAFIA de uma personalidade do rádio; elas nunca são do jeito que a gente imaginava quando ouvia a voz no carro. Para começar, ela é velha. Ou envelhecida. Claro que eu sabia disso. Já havia feito as contas e calculado que devia estar perto dos sessenta anos. Mas é difícil conciliar essa mulher esbelta, de cabelos grisalhos, com a garotinha que sempre visualizei, uma menina de três anos, de cabelo escuro ondulado e sobrancelhas longas quase se tocando, como as minhas. E é mais alta do que eu imaginava; percebo isso ainda que ela esteja sentada num banco, perto de um quiosque de sanduíche, olhando ao redor com timidez, como se estivesse perdida. Ela tem ombros estreitos e uma compleição delicada, um rosto agradável, o cabelo bem puxado para trás, preso por uma bandana de crochê. Está usando brincos de jade, jeans desbotado, um suéter comprido salmão e um lenço amarelo no pescoço; sua elegância europeia é informal. No último e-mail, avisou que usaria o lenço para que eu pudesse reconhecê-la com mais facilidade.

Ela ainda não me viu, e fico algum tempo entre os viajantes empurrando carrinhos de bagagem pelo terminal, os motoristas segurando cartazes com o nome dos clientes. Meu coração está pulando no peito; penso comigo mesma: *É ela. Essa é ela. Essa é realmente ela*. Logo em seguida, nossos olhares se cruzam, e a expressão dela demonstra um reconhecimento. Faz um aceno.

Nós nos encontramos perto do banco. Ela sorri, meus joelhos bambeiam. O sorriso é exatamente igual ao de *baba* — a não ser pelo intervalo do tamanho de um grão de arroz entre os dentes da frente —, caído para a esquerda, o que a faz franzir o rosto e quase fechar os olhos, e também inclinar um pouco a cabeça. Ela se levanta e olho para as mãos, as juntas nodosas, os dedos recurvados a partir da primeira articulação, os calombos do tamanho de ervilhas no pulso. Sinto uma torção no estômago, deve doer muito.

Nós nos abraçamos, e ela me beija as bochechas. A pele é suave como feltro. Quando nos afastamos, ela me mantém a distância, mãos em meu ombro, examinando meu rosto como se estivesse apreciando uma pintura. Uma umidade recobre seus olhos, que estão animados e felizes.

— Desculpe ter chegado tão tarde.

— Não tem problema — comenta. — Finalmente nos encontramos! Estou tão contente! — O sotaque francês é mais forte pessoalmente do que ao telefone.

— Também estou muito contente — digo. — Como foi a viagem?

— Tomei um comprimido, senão não conseguiria dormir. Fico acordada o tempo todo. Porque estou muito feliz e animada. — Ela mantém o olhar fixo em mim e sorri, como se tivesse medo de quebrar o encanto caso desviasse o olhar, até o alto-falante acima de nós alertar os passageiros que relatem qualquer bagagem abandonada. O rosto dela, então, relaxa um pouco.

— Abdullah já sabe que estou vindo?

— Eu disse que ia levar uma convidada para casa — respondo.

Pouco depois, quando nos acomodamos no carro, lanço olhares rápidos em direção a ela. É uma coisa muito esquisita. Existe algo estranhamente ilusório em estar com Pari Wahdati em meu carro, a centímetros de mim. Num momento a vejo com uma clareza perfeita — o lenço amarelo no pescoço, os fiapos de cabelo encaracolados escapando na testa, a verruga cor de café sob a orelha esquerda —, e no momento seguinte seus traços se dissolvem numa espécie de névoa, como se a estivesse vendo através de lentes embaçadas. Tenho uma sensação de vertigem passageira.

— Tudo bem com você? — pergunta, olhando para mim enquanto afivela o cinto de segurança.

— Eu continuo achando que você vai desaparecer.

— Como?

— É que... é meio inacreditável — digo, dando uma risada nervosa. — Que você realmente exista. Que está mesmo aqui.

Ela concorda, sorrindo. — Ah, para mim também. Para mim também é muito estranho. Sabe, em toda a minha vida nunca conheci alguém que tivesse o mesmo nome que eu.

— Nem eu. — Viro a chave na ignição. — Então, fale sobre seus filhos.

Enquanto saio do estacionamento, ela começa a falar sobre eles, usando seus nomes como se eu os conhecesse a vida toda, como se tivéssemos crescido juntos, ido a piqueniques de família e acampamentos, passando o verão em pousadas à beira-mar, como se tivéssemos feito colares de conchas e tivéssemos nos enterrado na areia.

Gostaria que tivesse sido assim.

Ela conta que o filho Alain — "o seu primo", acrescenta — teve o quinto filho, uma garota, e que se mudou para Valência, onde comprou uma casa. — *Finallement*, eles saíram daquele detestável apartamento em Madri! A filha mais velha, Isabelle, que faz música para a televisão, foi contratada para compor seu primeiro grande trabalho para o cinema. E o marido de Isabelle, Albert, agora é *chef* de um renomado restaurante em Paris.

— Você teve um restaurante, não? — pergunta. — Acho que me contou isso em seu e-mail.

— Bem, meus pais tiveram. Meu pai sempre sonhou em ter um restaurante. Eu ajudava na direção. Mas tive de vendê-lo anos atrás. Depois que minha mãe morreu, e *baba* ficou... impossibilitado.

— Ah. Sinto muito.

— Não, sem problema. Eu nunca tive o perfil adequado para trabalhar num restaurante.

— Imagino que não. Você é uma artista.

Eu havia contado, de passagem, na primeira vez que nos falamos, quando ela me perguntou o que eu fazia, que sonhava em cursar uma escola de arte algum dia.

— Eu sou o que vocês chamam de transcritora de áudio.

Ela escuta com atenção enquanto explico que trabalho para uma empresa que processa dados para as grandes companhias da *Fortune 500*. — Eu escrevo formulários para eles. Brochuras, modelos de recibos, listas de clientes, listas de e-mails, esse tipo de coisa. O principal é saber digitar. E eles pagam bem.

— Entendi — diz ela. Pensa um pouco, depois fala: — É interessante para você, esse trabalho?

Estamos passando por Redwood City em direção ao sul. Estico o braço na frente dela e aponto a janela do passageiro. — Está vendo aquele prédio? Aquele alto com um sinal azul?

— Sim.

— Eu nasci ali.

— *Ah, bon?* — Vira a cabeça e fica olhando enquanto passamos. — Você tem sorte.

— Como assim?

— De saber onde nasceu.

— Acho que nunca pensei muito a respeito.

— *Bah*, é claro que não. Mas é importante saber, conhecer as próprias raízes. Saber onde começou como pessoa. Senão, a vida parece irreal para nós. Como um enigma. *Vous comprenez?* Como se tivesse perdido o começo de uma história e agora está na metade, tentando entendê-la.

Imagino que *baba* tenha se sentido assim nos últimos tempos. Uma vida crivada de lacunas. A cada dia uma história mistificadora, um enigma para desbravar.

Seguimos em silêncio por três quilômetros.

— Se acho o meu trabalho interessante? — pergunto. — Um dia, cheguei em casa e encontrei a torneira da cozinha aberta. Tinha vidro quebrado no chão, e o gás do fogão estava aberto. Percebi, então, que não podia mais deixar meu pai sozinho. Como não podia pagar uma cuidadora que dormisse em casa, procurei um trabalho que pudesse fazer em casa. Interessante não constava da equação.

— E a escola de arte pode esperar.

— Vai ter de esperar.

Fico apreensiva que ela me diga quanta sorte *baba* tem de eu ser sua filha, mas para meu alívio e gratidão ela só aquiesce e mantém o olhar na sinalização da estrada. Outras pessoas — principalmente afegãs — estão sempre dizendo quanto *baba* tem sorte, como eu sou uma bênção. Falam de mim com admiração. Elas me veem como uma santa, a filha que heroicamente renunciou a uma vida de facilidades e privilégios para ficar em casa e cuidar do pai. *Mas primeiro foi a mãe*, dizem, as vozes altissonantes, imagino, de entusiasmo e solidariedade. *Todos aqueles anos cuidando dela. Como deve ter sido difícil. E agora o pai. Está certo que ela nunca foi muito batalhadora, mas teve um pretendente. Um americano, o sujeito das baterias solares. Poderia ter se casado com ele. Mas não se casou. Por causa dos pais. As coisas que ela sacrificou. Ah, todos os pais deveriam ter uma filha assim.* Elas me elogiam pelo meu bom humor. Admiram-se de minha coragem e nobreza, da mesma forma que as pessoas apreciam as dos que superam uma deformidade física, ou talvez uma séria dificuldade de fala.

Mas eu não me reconheço nessa versão de minha história. Por exemplo, às vezes vejo *baba* sentado na beira da cama de manhã, me olhando com olhos remelentos, impaciente para que eu vista as meias em seus pés secos sardentos, grunhindo meu nome e fazendo uma expressão infantil. Franzindo o nariz de um jeito que o faz parecer um roedor molhado e assustador, e sinto raiva de ele fazer essa cara. Sinto raiva por ele ser do jeito que é, lamento os limites restritos de minha existência, lamento que os melhores anos de minha vida estejam se escoando por causa dele. Há dias em que só desejo estar livre dele, de sua petulância e de suas necessidades. Eu não sou nada santa.

Pego a saída para a Thirteenth Street. Alguns quilômetros mais adiante, estaciono na entrada da Beaver Creek Court e desligo o motor.

Pari olha para a casa térrea pela janela, a pintura da porta da garagem descascando, os enfeites cor de oliva na janela, o par de leões cafonas que guardam os dois lados da porta da frente — não tive coragem de me livrar deles porque *baba* adora esses leões, mas duvido que ele percebesse. Moramos nessa casa desde 1989, desde os meus sete anos, primeiro alugada, depois adquirida do senhorio em 1993. Minha mãe morreu nessa casa numa ensolarada manhã, durante uma véspera de Natal, em uma cama hospitalar que instalei no quarto de hóspedes, onde ela passou os três últimos meses de vida. Ela pediu para mudar para aquele quarto por causa da vista. Disse que animava seu espírito. Deitada na cama hospitalar, as pernas inchadas e acinzentadas, minha mãe passava os dias olhando o beco sem saída pela janela, o quintal da frente, margeado por aceráceas japonesas que havia plantado anos antes, o canteiro em forma de estrela, a faixa de grama dividida por um estreito caminho de cascalho, as colinas a distância e a tonalidade profunda, dourada e brilhante que assumiam à tarde, quando a luz do sol batia em cheio nelas.

— Estou muito nervosa — diz Pari em voz baixa.

— É compreensível — comento. — Faz cinquenta e oito anos.

Ela olha para as próprias mãos, dobradas no colo. — Eu não lembro quase nada dele. E o que lembro não é o rosto, nem a voz. Mas senti que sempre faltava alguma coisa na minha vida. Uma coisa boa. Uma coisa... Ah, não sei o que dizer. Só isso.

Concordo com a cabeça. Acho melhor não dizer quanto eu entendo do que ela está dizendo. Quase pergunto se ela tinha ouvido alguma coisa sobre minha existência.

Ela brinca com a barra esfiapada do lenço. — Você acha que é possível que ele se lembre de mim?

— Você quer saber a verdade?

Examina meu rosto. — É claro que sim.

— Talvez seja melhor ele não se lembrar. — Penso no que disse o dr. Shah, o médico que cuida do meu pai há muito tempo e está se aposentando no final do ano. Disse que *baba* precisa de regras, de ordem. Um mínimo de surpresa. *Uma sensação de previsibilidade.*

Abro minha porta. — Importa-se de ficar um minuto no carro? Vou dispensar meu amigo, e depois você pode encontrar *baba*.

Ela leva uma das mãos aos olhos, e não espero para ver se está chorando.

Quando eu tinha onze anos, todas as classes da sexta série da minha escola fizeram uma excursão de dois dias para visitar o aquário da baía de Monterey. Durante a semana anterior, todos os meus colegas só falavam nisso, na biblioteca, jogando quatro cantos no recreio, do quanto ia ser divertido quando o aquário fechasse as portas no fim do dia e todo mundo estaria livre para percorrer a exposição de pijama, vendo os tubarões-martelo, as arraias, os polvos e as serpentes do mar. Nossa professora, a sra. Gillespie, disse que as barracas de alimentação seriam montadas dentro do aquário e que os alunos poderiam escolher entre sanduíche de pasta de amendoim com geleia ou macarrão com queijo. *Vocês podem comer* brownies *de sobre-*

mesa, ou sorvete de baunilha, explicou. Naquela noite, os alunos iam se enfiar em sacos de dormir, ouvir os professores contar histórias de ninar e adormeceriam entre cavalos-marinhos, sardinhas e tubarões-tigre pairando em meio a grandes frondes de algas marinhas flutuantes. Na quinta-feira, o clima de expectativa na classe era eletrizante. Até os arruaceiros habituais faziam questão de se comportar bem, por medo de que alguma travessura lhes custasse a excursão ao aquário.

Quanto a mim, era como assistir a um filme emocionante com o som desligado. Eu me sentia distante de toda aquela animação, afastada daquele estado de espírito festivo — da mesma forma que me sentia em dezembro, quando meus colegas iam para casa montar árvores de Natal, pendurar meias em lareiras e fazer pirâmides de presentes. Falei para a sra. Gillespie que não iria ao passeio. Quando me perguntou por quê, respondi que a excursão coincidia com um feriado muçulmano. Não sei bem se ela acreditou.

Na noite da excursão, fiquei em casa com meus pais assistindo a *Assassinato por escrito*. Tentei me concentrar no filme e não pensar sobre o passeio, mas não consegui prestar atenção. Imaginava os colegas naquele exato momento, de pijama, lanterna na mão, testa encostada no vidro de um gigantesco tanque cheio de percas e enguias. Senti um aperto no peito e me agitei no sofá. Recostado no outro sofá, *baba* jogou um amendoim torrado na boca e riu de algo que Angela Lansbury dizia. Ao seu lado, vi minha mãe olhando para mim, pensativa, a expressão anuviada, mas quando nossos olhares se encontraram, ela abriu um sorriso furtivo, confidencial, e tive de reunir minhas forças para retribuir o sorriso. Naquela noite, sonhei que estava numa praia, com o mar batendo na cintura, a água espelhando uma miríade de tonalidades de verde e azul, jade e safira, esmeralda e turquesa, e roçando meu quadril com delicadeza. Aos meus pés planava uma legião de peixes, como se o oceano fosse meu aquário particular. Eles se esfregavam em meus pés e faziam cócegas nas canelas, mil peixes cintilantes adejando coloridos na areia branca.

Naquele domingo, *baba* fez uma surpresa para mim. Fechou o restaurante — algo que quase nunca fazia — e nos levou de carro ao aquário de Monterey. *Baba* falou com animação o caminho todo. Como íamos nos divertir. Como estava ansioso para ver todos os tubarões, especialmente. O que iríamos comer no almoço? Enquanto falávamos, lembrei-me de quando era pequena e ele me levava ao pequeno zoológico de Kelley Park, aos jardins japoneses ao lado para ver peixes dourados e como ele dava nome a todos os peixes enquanto segurava minha mão, e eu pensava comigo mesma que nunca precisaria de ninguém mais enquanto vivesse.

No aquário, percorri impávida a exposição e fiz o melhor que pude para responder às perguntas de *baba* sobre os diferentes tipos de peixe que eu reconhecia. Mas o lugar estava muito iluminado, barulhento demais, as melhores exposições estavam muito cheias de gente. Não era nada como eu imaginava que teria sido na noite da excursão. Foi uma batalha. Fiquei cansada, tentando fingir que estava me divertindo. Senti um início de dor de estômago, e fomos embora mais ou menos uma hora depois de termos chegado. No caminho de volta, *baba* me lançou olhares amuados, como se estivesse prestes a dizer alguma coisa. Sentia os olhos dele me pressionando. Fingi que dormia.

No ano seguinte, já no ensino médio, as garotas da minha idade usavam sombra nos olhos e brilho nos lábios. Iam a concertos do Boyz II Men, frequentavam escolas de dança e se encontravam em grupos no Great America, onde vibravam com os gestos e as contorções das pintas-bravas da escola se candidatando a líderes de torcida. A garota que sentava atrás de mim na aula de espanhol, de sardas e pele clara, ia participar da equipe de natação, e um dia sugeriu casualmente, enquanto limpávamos as carteiras depois do sinal, que eu também tentasse. Ela não entendia. Meus pais se sentiriam mortificados se eu usasse um traje de banho em público. Não que eu quisesse. Eu me sentia terrivelmente constrangida com meu corpo. Era magra da cintura para cima, mas desproporcionalmente larga na parte de baixo; era chocante, como se a gravidade tivesse puxado todo o meu peso para a metade inferior do corpo. Parecia que eu havia sido montada por uma criança jogando um desses jogos de mesa em que você mistura e encaixa partes do corpo, ou, melhor dizendo, desencaixa, para ver todo mundo dar risada. Minha mãe dizia que era por eu ter ossos fortes. Ela explicava que a mãe dela tinha a mesma compleição. Acabou parando de dizer isso, acho que por ter deduzido que nenhuma garota gosta de ser chamada de ossuda.

Fiz pressão para *baba* me deixar tentar a equipe de voleibol, mas ele me pegou nos braços e pôs as mãos em concha ao redor da minha cabeça com todo o carinho. Quem me levaria para os treinos?, argumentou. Quem me levaria aos jogos? *Ah, gostaria que pudéssemos nos dar a esse luxo, Pari, como os pais de suas amigas, mas nós precisamos ganhar a vida, sua mãe e eu. Não quero voltar a viver do seguro-desemprego. Você entende, meu amor? Sei que você entende.*

Mesmo precisando ganhar a vida, *baba* arranjava tempo para me levar às aulas de persa em Campbell. Todas as tardes de terça-feira, depois da escola, eu tinha aula de persa e, como um peixe nadando contra a correnteza, tentava conduzir a caneta contra a natureza da minha mão, da direita para a esquerda. Implorei a *baba* para deixar de ter aulas de persa, mas ele recusou. Disse que mais tarde eu daria valor ao presente que ele estava me dando. Explicou que se a cultura era uma casa, a linguagem era a chave da porta que conduziria a todos os quartos interiores. Sem isso, dizia, acabamos sem rumo, sem uma casa adequada, sem uma identidade legítima.

Depois havia os domingos, quando eu me cobria com um lenço branco de algodão e ele me deixava na mesquita de Hayward para aprender o Corão. A sala onde estudávamos, eu e uma dúzia de outras garotas afegãs, era minúscula, não tinha ar-condicionado e cheirava a linóleo sujo. As janelas eram altas e pequenas, como sempre são as janelas das prisões nos filmes. A senhora que nos ensinava era mulher de um merceeiro de Fremont. Eu gostava mais quando ela contava histórias da vida do Profeta, que eu achava interessante, como tinha vivido a infância no deserto, como o anjo Gabriel havia aparecido numa caverna e ordenado que recitasse versos, quanto sua expressão iluminada surpreendia a todos os que o conheciam. Mas a maior parte do tempo ela recitava uma longa lista, alertava contra todas as coisas que tínhamos de evitar a qualquer custo por sermos virtuosas garotas muçulmanas e para não sermos corrompidas pela cultura ocidental: garotos, em primeiro lugar e acima de tudo, e também rap, Madonna, *Melrose Place*, shorts, dança, piscinas públicas, líderes de torcida, álcool, toucinho, linguiça, hambúrguer que não fosse *halal* e um monte de outras coisas. Eu ficava sentada no chão, suando por causa do calor, os pés dormentes, querendo tirar o lenço do cabelo, mas claro que não se podia fazer isso numa mesquita. Olhava para as janelas, mas só conseguia ver pequenas nesgas do céu. Ansiava pela hora de sair da mesquita, quando o ar fresco bateria em meu rosto, e eu sempre sentia algo se soltar no peito, o alívio de um desconfortável nó sendo desatado.

Porém, naquela época, a única saída era soltar as rédeas de minha imaginação. De vez em quando, eu me via pensando em Jeremy Warwick, das aulas de matemática. Jeremy tinha olhos azuis lacônicos e um penteado afro de garoto branco. Era reservado e taciturno. Tocava guitarra numa banda de garagem — no festival anual de talentos da escola, ele tocou uma versão roufenha de "House of the rising sun". Eu sentava quatro fileiras atrás e à esquerda de Jeremy na sala de aula. Às vezes, imaginava nós dois nos beijando, a mão dele em forma de concha em minha nuca, o rosto tão perto do meu que eclipsava o mundo inteiro. Uma sensação me invadia, como se uma pena quentinha tremulasse delicadamente em minha barriga, em meus membros. Claro que isso nunca poderia acontecer. *Nós* nunca poderíamos acontecer, Jeremy e eu. Se, por acaso, ele chegou a ter a mais pálida ideia de minha existência, nunca deu uma dica. O que era até bom. Assim, eu podia fazer de conta que a única razão de não ficarmos juntos era porque ele não gostava de mim.

No verão, eu trabalhava no restaurante dos meus pais. Quando era mais nova, eu adorava limpar as mesas, ajudar a dispor os pratos e talheres, dobrar guardanapos de papel, colocar uma gérbera vermelha nos vasos redondos do centro de cada mesa. Fingia que era indispensável para o negócio da família, que o restaurante desmoronaria sem mim para garantir que saleiros e pimenteiros estivessem cheios.

Quando entrei para o ensino médio, os dias na Abe's Kabob House se tornaram quentes e arrastados. Muito do esplendor que as coisas do restaurante tinham para mim na infância esmaeceu. A velha máquina de soda que zumbia no canto, as toalhas de vinil das mesas, as xícaras de plástico manchadas, os nomes bregas nos cardápios laminados (Caravan Kabob, Khyber Pass Pilaf, Silk Route Chicken?), o pôster mal emoldurado da garota afegã da *National Geographic*, aquela dos olhos. Como se tivessem passado um decreto dizendo que todos os restaurantes afegãos precisariam ter os olhos dela fitando os clientes de uma parede. Ao lado, *baba* havia pendurado uma pintura a óleo, que fiz na sétima série, dos grandes minaretes de Herat. Recordo a sensação de orgulho e glamour que senti quando ele fez isso, ao ver os clientes comendo *kabobs* de carneiro embaixo de minha obra de arte.

Na hora do almoço, enquanto eu e minha mãe entrávamos e saíamos da cozinha enfumaçada e cheirando a especiarias e servíamos as mesas com policiais, auxiliares de escritório e funcionários municipais, *baba* ficava na caixa registradora, *baba* e sua camisa branca manchada de gordura, o tufo de pelos grisalhos no peito saindo pelo colarinho aberto, os braços grossos e peludos, *baba* sorrindo animado, acenando para cada cliente que entrava. *Olá, senhor! Olá, madame! Sejam bem-vindos ao Abe's Kabob. Eu sou Abe. Querem fazer o pedido, por favor?* Eu me sentia mortificada; por que será que ele não percebia que se comportava como um imigrante do Oriente Médio no papel de pateta--coadjuvante numa *sitcom* de baixa qualidade? Depois, a cada prato que eu servia, havia o espetáculo à parte de *baba* tocando seu velho sino de cobre. No começo, era uma espécie de piada, suponho, o sino que *baba* havia pendurado na parede atrás da caixa registradora. Agora, cada mesa servida era saudada por um enérgico toque do sino de cobre. Os frequentadores regulares estavam acostumados — mal escutavam —, e os novos clientes atribuíam aquilo ao charme excêntrico do lugar, embora houvesse reclamações de vez em quando.

Você não quer mais tocar o sino, disse *baba* uma noite. Era o primeiro trimestre do meu último ano do ensino médio. Estávamos no carro na porta do restaurante, já fechado, esperando minha mãe, que havia esquecido os comprimidos antiácido e voltado para buscá-los. *Baba* fez uma expressão carregada. Havia passado o dia todo mal-humorado. Uma garoa fina caía no estacionamento. Era tarde, e o pátio estava vazio, a não ser por dois carros no *drive-thru* do KFC e uma camionete estacionada na lavanderia, com dois sujeitos dentro, fumaça se retorcendo fora das janelas.

Era mais engraçado quando eu não era obrigada, falei.

Como tudo o mais, acho. Ele deu um suspiro profundo.

Lembrei-me de como era emocionante, quando eu era pequena, quando *baba* me levantava nos braços e me deixava tocar o sino. Assim que me punha de volta no chão, meu rosto brilhava de felicidade e orgulho.

Baba ligou o aquecimento do carro, cruzou os braços.

É uma longa viagem até Baltimore.

Respondi com leveza: *A qualquer momento você pode pegar um avião e me visitar.*

A qualquer momento pegar um avião, repetiu ele com um tom de ironia. *Eu vivo de fazer* kabob, *Pari.*

Então, eu venho visitar vocês.

Baba revirou os olhos na minha direção e lançou um olhar cansado. A melancolia dele era como a escuridão lá fora, que pressionava as janelas do automóvel.

Todos os dias do último mês eu verificava a correspondência; meu coração esboçava um sinal de esperança cada vez que a camioneta do carteiro parava na porta. Eu levava a correspondência para dentro, fechava os olhos e pensava: *Este pode ser o momento.* Abria os olhos e vasculhava as contas e os cupons de ofertas. Então, terça-feira da semana passada, abri um envelope e encontrei as palavras que esperava. *Temos o prazer de informar...*

Fiquei em pé num salto. Gritei. Um verdadeiro uivo gutural fez com que meus olhos se enchessem de lágrimas. Quase no mesmo instante, uma imagem passou pela minha cabeça. *Vernissage* numa galeria, eu vestida de alguma coisa simples, preta, elegante, rodeada de patrocinadores e críticos de cenho franzido, sorrindo e respondendo às perguntas enquanto inúmeros admiradores postavam-se diante de minhas telas e garçons de luvas brancas flutuavam pela galeria, servindo vinho, oferecendo porções quadradinhas de salmão com aneto, ou talos de aspargos empanados numa massa esponjosa. Vivenciei uma daquelas súbitas explosões de euforia, como no instante em que queremos abraçar estranhos e dançar com eles em grandes passos.

É a sua mãe que me preocupa, disse *baba.*

Eu vou ligar todas as noites. Prometo. Você sabe que eu vou ligar.

Baba aquiesceu. As folhas da acerácea perto da entrada do estacionamento se agitaram com uma súbita lufada de vento.

Você pensou um pouco mais, perguntou, *sobre o que nós discutimos?*

Você quer dizer sobre o curso preparatório?

Só por um ano, talvez dois. Dar um tempo para ela se acostumar com a ideia. Depois você poderia tentar de novo.

Tive um acesso de raiva que me fez estremecer por dentro. *Baba. Essas pessoas analisaram minhas notas e minhas reproduções, avaliaram meu portfólio e não só aceitaram meu trabalho como também me ofereceram uma bolsa de estudos. Trata-se de um dos melhores institutos de arte do país. Não é uma escola para a qual se possa dizer não. Ninguém tem uma segunda chance como essa.*

Isso é verdade, concordou ele, endireitando-se no banco. Pôs as mãos em concha e soprou ar quente nelas. *É claro que eu entendo. Claro que fico feliz por você.* Eu podia ver a luta interna na expressão dele. E o medo também. Não apenas o medo *por* mim e pelo que poderia acontecer comigo a quatro mil e quinhentos quilômetros de casa. Mas medo *de* mim, de me perder. Do poder que eu exercia, com minha ausência, de tornar sua vida infeliz, ferir seu coração aberto e vulnerável se quisesse, como um dobermann subjugando um gatinho.

De repente, pensei na irmã dele. Na época, minha ligação com Pari — cuja presença já pulsara forte dentro de mim — havia muito tinha esvanecido. Eu pensava nela com pouca frequência. Esqueci-me dela com o passar dos anos, do mesmo modo que abandonei os pijamas favoritos e os animais de pelúcia a que me apegara. Mas agora pensava mais uma vez nela, nos laços que nos ligavam. Se o que havia sido feito com ela fosse como uma onda que havia quebrado longe da praia, comigo a contracorrente dessa onda se alagava ao redor dos tornozelos, recuando sob meus pés.

Baba limpou a garganta e olhou pela janela, o céu escuro e a lua coberta de nuvens, os olhos marejando de emoção.

Tudo vai me fazer lembrar você.

Foi o leve pânico e a maneira suave como ele falou essas palavras que me fizeram saber que meu pai era uma pessoa magoada, que seu amor por mim era verdadeiro, imenso e permanente como o céu, que esse amor sempre pesaria sobre mim. Era o tipo de amor que mais cedo ou mais tarde nos obriga a uma escolha: libertar-se à força ou ficar e resistir ao seu rigor, mesmo que nos reduza a algo menor do que nós mesmos.

Estendi o braço até o banco da frente e toquei no rosto dele. Ele encostou a face na palma de minha mão.

Por que ela está demorando tanto?, murmurou.

Ela está trancando tudo, respondi. Eu me sentia exausta. Vi minha mãe andando depressa para o carro. A garoa havia se transformado numa chuva torrencial.

Um mês depois, duas semanas antes da data marcada da viagem ao leste para fazer uma visita ao campus da faculdade, minha mãe procurou o dr. Shah para dizer que os comprimidos antiácido não tinham feito nada para melhorar sua dor de estômago. Ele pediu um ultrassom. Foi encontrado um tumor do tamanho de uma noz no ovário esquerdo.

— Baba?

Ele está sentado na poltrona reclinável, imóvel, o corpo pendendo para a frente. Usa calça de moletom, e suas pernas estão cobertas por um xale de lã xadrez. Veste um suéter que comprei para ele um ano atrás sobre uma camisa de flanela com todos os botões fechados. É assim que ele insiste em usar suas camisas agora, com o colarinho abotoado, o que o faz parecer jovem e frágil ao mesmo tempo, resignado com a velhice. O rosto parece um pouco mais flácido hoje, e tufos de cabelos brancos caem despenteados na testa. Está assistindo a *Quem quer ser um milionário?* com uma expressão sombria, perplexa. Quando chamo seu nome, seu olhar permanece na tela, como se não tivesse me ouvido, e quando afinal afasta os olhos, ele me olha com desprazer. Tem um pequeno terçol na pálpebra inferior do olho esquerdo. Está precisando fazer a barba.

— *Baba*, posso abaixar a TV um segundo?

— Eu estou assistindo — responde.

— Eu sei. Mas você tem uma visita. — Eu falara sobre a visita de Pari Wahdati ontem e mais uma vez na manhã de hoje. Mas não pergunto se ele se lembra. É uma coisa que aprendi desde cedo, a não colocá-lo na berlinda, pois isso o deixa constrangido e o torna defensivo, às vezes violento.

Pego o controle remoto do braço da poltrona e tiro o som, preparando-me para um acesso de raiva. Na primeira vez em que ele teve um desses acessos, eu estava convicta de que era uma paródia, uma atuação proposital. Para meu alívio, o único protesto de *baba* é um longo suspiro pelo nariz.

Faço um gesto a Pari, que está no corredor da entrada. Devagar, ela anda até nós, e puxo uma cadeira para perto da poltrona de *baba*. Ela está uma pilha de nervos, posso dizer. Senta-se ereta, inclinada para a frente da cadeira, joelhos juntos, a mão crispada e um sorriso tão apertado que os lábios estão se tornando brancos. Os olhos estão grudados em *baba*, como se tivesse apenas alguns momentos ao seu lado e tentasse memorizar seu rosto.

— *Baba*. Esta é a amiga de que falei a você.

Ele olha para a mulher grisalha à sua frente. Ultimamente, ele tem um modo enervante de olhar as pessoas, mesmo quando o faz diretamente para elas, já que não deixa transparecer nada. O olhar é descompromissado, distante, como se quisesse ver outra coisa e os olhos, sem querer, tivessem caído ali, por acaso.

Pari limpa a garganta. Ainda assim, a voz se torna trêmula quando ela fala: — Olá, Abdullah. Meu nome é Pari. É tão maravilhoso encontrar você!

Ele aquiesce devagar. Quase consigo *ver* a incerteza e a confusão perpassando seu rosto, como ondas de espasmo muscular. O olhar se afasta do rosto de Pari. Abre a boca num meio sorriso tenso, do jeito que costuma fazer quando acha que alguém está pregando uma peça nele.

— Você tem sotaque — diz, afinal.

— Ela mora na França — explico. — E, *baba*, você vai ter de falar inglês. Ela não entende persa.

Baba assente. — Então, você mora em Londres? — pergunta, em persa, a Pari.

— *Baba*.

— O que foi? — Olha para mim com ar irritado. Depois entende e dá um risinho envergonhado antes de mudar para o inglês. — Você mora em Londres?

— Em Paris — responde Pari. — Moro num pequeno apartamento em Paris. — Ela não tira os olhos dele.

— Eu sempre quis levar minha mulher a Paris. Sultana. É o nome dela. Que descanse em paz. Ela sempre dizia: "Abdullah, me leve a Paris, quando você vai me levar a Paris?".

Na verdade, minha mãe não gostava muito de viajar. Nunca entendeu por que deveria abrir mão do conforto e da familiaridade da própria casa pela provação de um voo e de carregar malas. Não tinha noção de aventura culinária — sua ideia de comida exótica era o Orange Chicken e o chinês delivery na Taylor Street. É meio espantoso como às vezes *baba* se lembra dela com uma precisão incrível — recorda, por exemplo, que ela colocava sal na comida espalhando grãos na palma da mão, de seu hábito de interromper as pessoas ao telefone de um modo que nunca fazia pessoalmente — e como, em outras ocasiões, pode ser tão impreciso. Imagino que minha mãe esteja desvanecendo para ele, o rosto desaparecendo em sombras, a lembrança diminuindo a cada dia que passa, vazando como areia de um punho fechado. Transformando-se numa silhueta fantasmagórica, uma casca oca que ele se sente compelido a preencher com falsos detalhes e traços de personalidade inventados, como se as falsas lembranças fossem melhores do que nenhuma lembrança.

— Bem, é uma cidade adorável — comenta Pari.

— Talvez eu ainda a leve nessa viagem. Mas no momento ela está com câncer. Naquela coisa de mulher, como se chama mesmo, o...

— Ovário — completo a frase.

Pari concorda com a cabeça, o olhar pulando entre mim e *baba*.

— O que ela mais quer é subir na Torre Eiffel. Você já viu? — diz *baba*.

— A Torre Eiffel? — Pari dá uma risada. — Ah, sim. Todos os dias. Não dá para não ver.

— E já subiu lá? Até lá em cima?

— Já subi, sim. É lindo lá de cima. Mas tenho medo de altura, por isso nem sempre me sinto confortável. Mas lá do alto, num dia de sol, dá para ver até mais de sessenta quilômetros. Claro que poucos dias são tão bonitos e ensolarados em Paris.

Baba dá um grunhido. Encorajada, Pari continua a falar sobre a torre, quantos anos levou para ser construída, como não era para permanecer em Paris depois da Feira Mundial de 1889, mas ela não consegue interpretar o olhar de *baba* como eu. A expressão dele é de desinteresse. Ela não percebe que já perdeu a atenção dele, que seus pensamentos já mudaram de itinerário, como folhas sopradas pelo vento. Pari aproxima-se da poltrona. — Você sabia, Abdullah, que eles precisam pintar a torre a cada sete anos?

— Qual é mesmo o seu nome? — pergunta *baba*.

— Pari.

— É o nome da minha filha.

— É, eu sei.

— Você tem o mesmo nome — diz *baba*. — Vocês duas têm o mesmo nome. Então é isso. — Dá uma tossida, toca distraidamente um rasgo no couro do braço da poltrona.

— Abdullah, posso fazer uma pergunta?

Baba dá de ombros.

Pari me olha, como se pedindo permissão. Faço um aceno afirmativo com a cabeça. Ela se inclina na cadeira. — Por que você resolveu dar esse nome para sua filha?

Baba vira os olhos para a janela, a ponta dos dedos ainda arranhando o furo no braço da poltrona.

— Você se lembra, Abdullah? Por que esse nome?

Ele abana a cabeça. Fecha a mão, puxa o suéter e o fecha na garganta. Os lábios mal se movem quando começa a cantarolar baixinho, um murmúrio rítmico a que sempre apela quando é enredado pela ansiedade e não sabe o que responder, quando tudo se transforma num borrão de incerteza que o inunda com uma torrente de pensamentos desconexos, esperando desesperadamente as trevas se aclarar.

— Abdullah? O que foi? — diz Pari.

— Nada — murmura ele.

— Não, essa canção que você estava cantarolando. Que música é essa?

Baba olha para mim, indefeso. Ele não sabe.

— Parece uma canção de ninar — observo. — Lembra, *baba*? Você disse que aprendeu quando era garoto. Disse que aprendeu com sua mãe.

— Certo.

— Você pode cantar para mim? — diz Pari, ansiosa, a voz tensa. — Por favor, Abdullah, você pode cantar para mim?

Ele abaixa a cabeça e a balança devagar.

— Pode cantar, *baba* — digo em voz baixa. Ponho a mão em seu ombro ossudo. — Tudo bem.

Hesitante, numa voz trêmula e aguda, sem olhar para cima, *baba* canta os mesmos dois versos diversas vezes:

Encontrei uma fadinha triste
Na sombra de uma árvore de papel.

— Ele me disse que havia um segundo verso — digo a Pari. — Mas que esqueceu.

Pari Wahdati solta uma risada súbita, que soa como um grito profundo e gutural, cobre a boca. — *Ah, mon Dieu* — murmura. Ergue a mão e canta em persa:

Conheço uma fadinha triste
Que foi soprada pelo vento da noite.

Aparecem rugas na testa de *baba*. Por um momento transitório, acho que detectei uma minúscula fresta de luz em seu olhar. Mas, quando ele pisca, o rosto volta à placidez. Meneia a cabeça. — Não. Acho que não é nada disso.

— Ah, Abdullah — diz Pari.

Sorri, seus olhos estão cheios de lágrimas, e Pari coloca as mãos de *baba* nas dela. Beija as costas das mãos dele e encosta as palmas no próprio rosto. *Baba* sorri, agora também com olhos umedecidos. Pari olha para mim, piscando também, lágrimas de felicidade, e vejo que acha que rompeu a barreira, que resgatou o irmão perdido com seu canto mágico, como um gênio de um conto de fadas. Acha que agora ele vê com clareza. Em pouco tempo, vai entender que ele está apenas reagindo, respondendo ao seu toque afetivo e à demonstração de carinho. É apenas instinto animal, nada mais. Isso eu sei com dolorosa clareza.

Poucos meses antes de o dr. Shah me passar o número do telefone de uma instituição mental, minha mãe e eu fizemos uma viagem às montanhas de Santa Cruz e nos hospedamos num hotel durante o fim de semana. Minha mãe não gostava de viagens longas, mas fazíamos viagens curtas de quando em quando, juntas, antes de ela ficar realmente doente. *Baba* cuidava do restaurante, e eu levava minha mãe de carro a Bodega Bay, Sausalito ou San

Francisco, onde nos hospedávamos sempre num hotel perto da Union Square. Ocupávamos um apartamento e usávamos o serviço de quarto, assistíamos a filmes *pay-per-view*. Depois íamos até o porto — mamãe caía em todas as armadilhas para turistas — e tomávamos sorvete, observávamos os leões-marinhos boiando na água perto do píer. Jogávamos moedas nos estojos abertos dos guitarristas e nas mochilas dos mímicos de rua, os homens-robôs pintados de spray. Sempre fazíamos uma visita ao Museu de Arte Moderna, onde, de braços dados com ela, eu mostrava os trabalhos de Rivera, Khalo, Matisse, Pollock. Ou, então, íamos a uma matinê, que minha mãe adorava, e assistíamos a dois, três filmes, saíamos somente à noite, olhos vermelhos, os ouvidos zumbindo, dedos cheirando a pipoca.

Era mais fácil com mamãe, sempre havia sido, menos complicado, menos traiçoeiro. Eu não tinha de ficar tão em guarda. Não precisava tomar cuidado com o que dizia o tempo todo, com medo de causar alguma mágoa. Ficar sozinha com ela nessas escapadas de fim de semana era como me aninhar numa nuvem macia, e, por alguns dias, todas as minhas inquietações se afastavam, inconsequentes, para milhares de quilômetros de distância.

Nós estávamos comemorando o fim de mais uma rodada de quimioterapia — que sempre deveria ser a última. O hotel ficava num local lindo e isolado. Tinha um spa, uma academia de ginástica, um salão de jogos com uma grande tela de TV e mesas de bilhar. Nosso quarto era um chalé com uma varanda de madeira, de onde víamos a piscina, o restaurante e um grande bosque de sequoias que se erguiam até as nuvens. Algumas árvores eram tão próximas que era possível ver as tonalidades sutis de cor dos pelos de um esquilo correndo pelo tronco. Em nossa primeira manhã, minha mãe me acordou, dizendo: *Rápido, Pari, você precisa ver isso.* Havia um cervo mordiscando os arbustos do lado de fora da janela.

Eu empurrava a cadeira de rodas pelos jardins. *Eu devo chamar a atenção*, dizia ela. Parava perto da fonte e sentava num banco ao seu lado, o sol aquecendo nosso rosto, e víamos colibris que se moviam rapidamente entre as flores até ela adormecer e eu levá-la de volta ao chalé.

Na tarde de domingo, tomamos chá com *croissants* na varanda do restaurante, um salão grande com o teto arqueado, com estantes de livros, um apanhador de sonhos numa parede e uma autêntica lareira de pedra. No piso inferior, um homem com um rosto de dervixe e uma garota com cabelo loiro e liso jogavam uma letárgica partida de pingue-pongue.

Precisamos fazer alguma coisa com essas sobrancelhas, disse minha mãe. Ela estava usando um casaco de inverno em cima de um suéter e a boina castanha de lã que havia tricotado um ano e meio atrás, que vestia antes de começar quaisquer festividades.

Eu pinto as sobrancelhas para você, falei.

Então me faça umas sobrancelhas dramáticas.

Dramáticas como as de Elizabeth Taylor em Cleópatra?

Abriu um sorriso fraco. *Por que não?* Tomou um golinho de chá. O sorriso acentuava todas as novas rugas de seu rosto. *Quando conheci Abdullah, eu vendia roupas numa rua de Peshawar. Ele disse que minhas sobrancelhas eram lindas.*

A dupla do pingue-pongue largou as raquetes. Agora os dois estavam encostados no gradil de madeira, dividindo um cigarro e olhando para o céu, que estava claro e iluminado, a não ser por algumas nuvens esfiapadas. A garota tinha braços longos e ossudos.

Eu li no jornal que está tendo uma feira de artes e artesanato em Capitola hoje, falei. *Se estiver disposta, talvez possamos dar uma olhada nela. Podemos, inclusive, jantar lá, se você quiser.*

Pari?

Sim.

Eu preciso contar uma coisa a você.

Tudo bem.

Abdullah tem um irmão no Paquistão, disse minha mãe. *Um meio-irmão.*

Virei em direção a ela abruptamente.

O nome dele é Iqbal. Ele tem filhos. Vive num campo de refugiados perto de Peshawar.

Larguei a xícara, comecei a falar, mas ela me interrompeu.

Eu estou contando agora, não estou? Isso é o que importa. Seu pai tem suas razões. Sei que você vai entender, se der algum tempo. O importante é que ele tem um meio-irmão e tem mandado dinheiro para ajudar.

Minha mãe me contou que, já havia muitos anos, *baba* estava mandando a esse Iqbal — meu tio por afinidade, pensei com uma guinada interna — mil dólares a cada três meses, pela Western Union, e depositava o dinheiro num banco em Peshawar.

Por que está me dizendo isso agora?, perguntei.

Porque acho que você deveria saber, mesmo que ele não ache. E também porque você vai ter de assumir as finanças logo e iria descobrir de qualquer modo.

Virei a cabeça e vi um gato, o rabo em pé na vertical, chegar ao lado do casal do pingue-pongue. A garota abaixou para fazer um afago nele, e no início o gato ficou tenso, mas depois começou a se esfregar nas grades, deixando a garota passar a mão em suas orelhas, suas costas. Minha cabeça estava a mil. Eu tinha uma família fora dos Estados Unidos.

Você ainda vai cuidar da contabilidade por muito tempo, mãe, falei. Fiz o melhor que pude para disfarçar o tremor em minha voz.

Houve uma longa pausa. Assim que ela voltou a falar, foi num tom mais baixo, mais lento, como fazia quando eu era pequena e nós íamos à mesquita para um funeral, e ela se abaixava ao meu lado antes e, pacientemente, explicava que eu precisava tirar os sapatos na entrada, tinha de me manter em silêncio durante as orações e não me mexer, não me queixar, e que eu devia usar o banheiro agora para não precisar ir mais tarde.

Não vou, não, disse ela. *E não adianta pensar que vou. Chegou a hora, e você precisa estar preparada para isso.*

Soltei uma golfada de ar, e uma rigidez se alojou em minha garganta. Em algum lugar, uma serra elétrica começou a chiar, o crescendo de seu lamento era um violento contraste com a quietude do bosque.

Seu pai é como uma criança. Tem um medo terrível de ser abandonado. Ele perderia o rumo sem você, Pari, e nunca mais o encontraria.

Forcei-me a olhar para as árvores, a luz do sol escorrendo pelas folhas felpudas, a casca áspera dos troncos. Enfiei a língua entre os incisivos e a mordi com força. Meus olhos se encheram de lágrimas com o gosto metálico do sangue inundando minha boca.

Um irmão, falei.

Sim.

Eu tenho muitas perguntas.

Pode me perguntar hoje à noite. Quando eu não estiver tão cansada. Vou dizer tudo o que sei.

Concordei com a cabeça. Engoli o resto do chá, que já estava frio. Numa mesa próxima, um casal de meia-idade folheava as páginas de um jornal. A mulher, de cabelos ruivos e expressão franca, nos observava discretamente por cima do jornal aberto, os olhos saltando de mim para o semblante acinzentado de minha mãe, com sua boina, as mãos mapeadas de hematomas, os olhos fundos e o esgar esquelético. Quando nossos olhos se encontraram, a mulher sorriu, só um pouquinho, como se houvesse uma cumplicidade secreta entre nós, e eu soube que ela também já havia passado por isso.

Então, o que acha, mamãe, da feira; você quer ir?

O olhar de minha mãe pairou em mim. Os olhos pareciam grandes demais para a cabeça, a cabeça parecia grande demais para os ombros.

Acho que eu poderia comprar um chapéu novo, falou.

Larguei o guardanapo e levantei, contornei a mesa até o outro lado. Soltei a alavanca do freio da cadeira de rodas e afastei-a da mesa.

Pari, disse minha mãe.

Sim?

Ela virou a cabeça para trás para me olhar. A luz do sol passava pelas folhas das árvores e pontilhava seu rosto. *Você tem ideia de como Deus fez você forte?,* perguntou. *De quanto Ele fez você forte e boa?*

Não dá para entender como a mente funciona. Esse momento, por exemplo. Dos milhares e milhares de momentos que minha mãe e eu partilhamos, em tantos anos, esse é o que soa mais fundo em minha mente: minha mãe olhando para mim por cima do ombro, o rosto virado para cima, aqueles ofuscantes pontos de luz cintilando na pele dela, e minha mãe perguntando se eu sabia quanto Deus me fizera boa e forte.

QUANDO BABA ADORMECE NA POLTRONA, Pari fecha vagarosamente o zíper do suéter e puxa o xale para cobrir seu torso. Ajeita uma mecha de cabelo solta atrás da orelha e se mantém ao seu lado, observando seu sono por um tempo. Eu também gosto de observar quando ele dorme, porque então você não pode dizer que algo está errado. Com os olhos fechados, a estupefação é encoberta, assim como o olhar embaçado e ausente. *Baba* parece mais familiar. Dormindo, ele parece mais alerta e presente, como se alguma coisa de seu antigo eu houvesse retornado. Imagino se Pari consegue ver isso ao observar o rosto dele descansando no travesseiro, como ele era, como era sua risada.

Saímos da sala de visita para a cozinha. Pego uma panela do armário e a encho na pia.

— Quero mostrar umas coisas a você — diz Pari, a voz carregada de entusiasmo. Ela está sentada à mesa, folheando com atenção um álbum de fotografias que pegou pouco antes na mala.

— Acho que o café não vai estar à altura dos padrões parisienses — digo por cima do ombro, despejando água da panela na cafeteira.

— Garanto que não sou esnobe com café. — Ela tirou o lenço amarelo e colocou os óculos de leitura, para observar as imagens.

Quando a cafeteira começa a ebulir, sento à mesa da cozinha ao lado de Pari. — *Ah, oui. Voilà.* Aqui — diz ela. Gira o álbum e o empurra em minha direção. Indica uma foto. — Este é o lugar. Onde seu pai e eu nascemos. E também seu irmão Iqbal.

Quando ligou de Paris pela primeira vez, ela mencionou o nome de Iqbal, talvez como prova, para me convencer de que não estava mentindo sobre quem dizia ser. Mas já sabia que ela estava dizendo a verdade. Sabia no momento em que peguei o receptor, quando ela falou o nome de meu pai em meu ouvido e perguntou se eu estava em sua residência e eu disse: *Sim, quem fala?*, e ela respondeu: *Eu sou irmã dele.* Meu coração bateu forte. Procurei uma cadeira e caí sentada, e tudo ao redor de repente ficou em silêncio. Foi um choque, sim, uma espécie de terceiro ato, uma coisa de teatro que raramente acontece com as pessoas na vida real. Mas, em outro nível — num nível que desafiava a razão, um nível mais frágil, cuja essência seria fraturada e esfacelada se chegasse a ser vocalizado —, eu não estava surpresa que ela estivesse ligando. Como se já esperasse, por toda a minha vida, por conta de algum estonteante surto do acaso ou da circunstância, ou do destino, do acaso, ou seja com qual nome se possa rotular, que nós acabaríamos nos encontrando, ela e eu.

Levei o telefone para o quintal de trás e sentei numa cadeira, perto da horta onde eu cuidava dos pimentões e das abóboras gigantes que minha mãe havia plantado. O sol aquecia minha nuca, e acendi um cigarro com as mãos trêmulas.

Eu sei quem você é, falei. *Sempre soube em toda a minha vida.*

Fez-se silêncio no outro lado da linha, mas tive a impressão de que ela estava chorando, em silêncio, que tinha distanciado a cabeça do telefone para chorar.

Conversamos por quase uma hora. Falei que sabia o que havia acontecido com ela, porque eu sempre fazia meu pai me contar aquela história na hora de dormir. Pari disse que desconhecia a própria história, que provavelmente teria morrido sem saber, não fosse por uma carta deixada por seu tio por afinidade, Nabi, antes de morrer em Cabul, na qual detalhava os eventos da infância dela, entre outras coisas. A carta fora deixada aos cuidados de alguém chamado Markos Varvaris, um cirurgião que trabalhava em Cabul e havia localizado Pari na França. No verão, Pari viajou a Cabul e se encontrou com Markos Varvaris, que organizou uma viagem a Shadbagh.

Perto do final da conversa, senti que ela reunia forças para finalmente dizer: *Bem, acho que estou pronta. Posso falar com ele agora?*

Foi então que tive de contar a ela.

Chego mais perto do álbum de fotos e examino a imagem que Pari está apontando. Vejo uma mansão alta aninhada ao fundo, paredes brancas e brilhantes percorridas por arame farpado. Ou uma versão tragicamente deformada de uma mansão, com três andares, roxa, verde, amarela, branca, com parapeitos e torrezinhas e beirais pontudos e mosaicos e vidro espelhado. Um monumento ao *kitsch*, um desvario total.

— Meu Deus — suspiro.

— *C'est affreux, non?* — pergunta Pari. — É horrível. Os afegãos, eles a chamam de Palácio do Narco. Essa casa é de um conhecido criminoso de guerra.

— Então foi isso o que sobrou de Shadbagh?

— Da antiga aldeia, sim. Isso e muitos acres de árvores frutíferas, de... como se diz... *Des vergers.*

— Pomares.

— Isso. — Ela passa os dedos na foto da mansão. — Gostaria de saber exatamente onde era nossa antiga casa, quer dizer, em relação a esse Palácio do Narco. Ficaria muito contente de saber qual era o local exato.

Ela me conta sobre a Nova Shadbagh — uma cidade de verdade, com escolas, clínica, um bairro comercial, até um pequeno hotel —, construída a cerca de três quilômetros do local da antiga aldeia. Foi nessa cidade que Pari e o tradutor haviam procurado pelo meio-irmão dela. Eu soube de tudo isso durante aquela primeira e longa conversa telefônica com Pari, soube que ninguém na cidade conhecia Iqbal, até Pari encontrar um velho que o conhecia, um velho amigo de infância de Iqbal, que o tinha visto acampado com a família num campo aberto próximo ao velho moinho. Iqbal disse a esse velho amigo que, enquanto estava no Paquistão, recebia dinheiro do irmão mais velho, que morava no norte da Califórnia. *Eu perguntei*, disse Pari ao telefone, *perguntei diversas vezes se Iqbal havia falado o nome do irmão, e o velho respondeu que sim* — Abdullah. *E então*, alors, *depois disso o resto não foi tão difícil. Quero dizer, encontrar você e seu pai.*

Perguntei ao amigo de Iqbal onde ele estava agora, continuou Pari. *Perguntei o que havia acontecido com ele, mas o velho respondeu que não sabia. Mas parecia muito nervoso e não olhou para mim quando disse isso. E eu acho, Pari, acho que alguma coisa ruim pode ter acontecido com Iqbal.*

Ela vira mais algumas páginas e me mostra a fotografia dos filhos, Alain, Isabelle e Thierry, imagens dos netos em festas de aniversário, ela posando de maiô na beira de uma piscina. O apartamento em Paris, as paredes em tons pastel e as venezianas brancas até o teto, as prateleiras de livros. O atulhado escritório na universidade onde ela ensinava matemática antes de ter de se aposentar por causa da artrite reumatoide.

Continuo virando as páginas do álbum enquanto ela vai enunciando as legendas das fotos, a velha amiga Collette, Albert, o marido de Isabelle, Eric, o marido de Pari, que era dramaturgo e morrera de um ataque cardíaco em 1997. Paro numa foto dos dois, impossivelmente jovens, sentados lado a lado em almofadas coloridas numa espécie de restaurante, ela com uma blusa branca, ele de camiseta, o cabelo liso e comprido, preso num rabo de cavalo.

— Essa foi a noite em que nos conhecemos — diz Pari. — Foi uma armadilha.

— Ele tinha uma cara boa.

Pari aquiesce. — Sim. Quando nos casamos, eu pensei, ah, nós ainda temos muito tempo juntos pela frente. Pensei comigo mesma, trinta anos, pelo menos, talvez quarenta, cinquenta, se tivermos sorte. Por que não? — Olha para a foto, perdida no tempo, depois abre um leve sorriso. — Mas o tempo é como um encantamento. A gente nunca tem quanto imagina. — Afasta-se e dá um gole no café. — E você, nunca se casou?

Dou de ombros e viro outra página. — Uma vez passei perto.

— Desculpe, passou perto?

— Quer dizer que quase me casei. Mas não conseguimos chegar ao anel.

Não é verdade. Foi doloroso e confuso. Até agora, a memória que tenho é como uma dor suave em meu peito.

Ela inclina a cabeça. — Desculpe. Eu sou muito indelicada.

— Não. Tudo bem. Ele encontrou uma mulher mais bonita e menos... pesada, acho. Falando de beleza, quem é essa?

Aponto uma mulher muito bonita, de cabelos pretos e longos e olhos grandes. Na foto, segura um cigarro como se estivesse entediada, o cotovelo aberto ao lado do corpo, a cabeça inclinada e desatenta, mas o olhar é penetrante, desafiador.

— Essa é mamã. Minha mãe, Nila Wahdati. Ou melhor, eu pensava que era minha mãe. Você entende.

— Ela é linda — comento.

— Era. Ela se suicidou em 1974.

— Sinto muito.

— *Non, non*. Tudo bem. — Ela passa distraidamente o polegar pela foto. — Mamã era elegante e talentosa. Lia livros e tinha opiniões fortes que sempre comunicava às pessoas. Mas tinha também uma tristeza muito profunda. Em toda a minha vida, ela me deu uma pá e disse: "Preencha esses vazios dentro de mim, Pari".

Concordo com a cabeça. Acho que entendo um pouco disso.

— Mas eu não conseguia. E, depois, não queria. Fiz coisas descuidadas. Tive atos de rebeldia. — Ela se recosta na cadeira, os ombros caídos, e descansa as mãos finas no colo. Pensa um pouco antes de dizer: — *J'aurais dû être plus gentille*. Eu devia ter sido mais delicada. É uma coisa de que a gente nunca vai se arrepender. Você nunca vai dizer a si mesma quando estiver velha: "Ah, eu preferiria não ter sido tão boa com essa pessoa". Ninguém nunca vai pensar nisso. — Por um momento, a expressão dela parece de choque. Como a de uma colegial indefesa. — Eu não deveria ter sido tão difícil — continua, com ar cansado. — Eu deveria ter sido mais generosa. Deveria ter sido mais como você.

Dá um suspiro profundo e fecha o álbum de fotografias. Depois de uma pausa, diz, mais animada: — *Ah, bon*. Agora eu queria pedir uma coisa a você.

— É claro!

— Você pode me mostrar alguns de seus quadros?

Sorrimos uma para a outra.

PARI FICA UM MÊS COMIGO e com *baba*. Todos os dias, tomamos o café da manhã juntos na cozinha. Café preto com torradas para Pari, iogurte para mim, ovos fritos com pão para *baba*, algo de que ele começara a gostar no último ano. Estava preocupada com a taxa de colesterol dele, por comer tantos ovos, e perguntei ao dr. Shah sobre isso numa das consultas com *baba*. O dr. Shah abriu um de seus sorrisos de lábios apertados e disse: *Ah, eu não me preocuparia com isso*. E aquilo me tranquilizou — ao menos até pouco mais tarde, quando estava ajudando *baba* a afivelar o cinto e me ocorreu que talvez o dr. Shah estivesse dizendo: *Já é tarde demais para se preocupar com isso*.

Depois do café da manhã eu me retiro para o escritório, também conhecido como meu quarto, e Pari faz companhia a *baba* enquanto trabalho.

Atendendo a um pedido dela, anotei a programação da TV que ele gosta de assistir, o horário de dar os remédios da manhã, quais petiscos de que gosta quando consegue pedir. Fora ideia dela, e eu anotei tudo.

Você pode simplesmente entrar e perguntar, falei.

Não quero incomodar você, explicou. *E eu quero saber. Quero saber como ele é*.

Não digo que ela nunca vai conhecer *baba* da maneira como deseja. Mesmo assim, dou algumas dicas sobre o ofício. Por exemplo, se *baba* começa a ficar agitado, geralmente, embora nem sempre, consigo acalmá-lo — por razões que ainda desconheço — com um catálogo de ofertas de produtos ou um folheto de vendas de móveis. Sempre tenho um estoque dessas coisas em casa.

Se você quiser que ele tire um cochilo, mude para o Weather Channel ou qualquer canal com golfe. E nunca deixe baba *assistir a programas de culinária.*

Por que não?

Por alguma razão, ele fica agitado.

Depois do almoço, nós três saímos para dar uma volta. É um passeio curto, por causa dos dois — porque *baba* se cansa logo e por causa da artrite de Pari. *Baba* tem os olhos animados, trota ansioso pela calçada entre Pari e eu, usa um velho boné, o suéter e um mocassim forrado de lã. Há uma escola de ensino médio no quarteirão de baixo, com um maltratado campo de futebol e, do outro lado, um pequeno playground onde costumo levar *baba*. Sempre encontramos uma ou duas jovens mães, andadores estacionados por perto, uma criança cambaleando pela caixa de areia, de vez em quando um casal de adolescentes matando aula, zanzando e fumando. Raramente olham para *baba*, os adolescentes, e quando olham é com uma indiferença fria ou um desdém sutil, como se meu pai pudesse ter evitado que a velhice e a decadência acontecessem com ele.

Um dia, interrompo o trabalho, vou até a cozinha para renovar meu café e encontro os dois assistindo a um filme juntos. *Baba* na poltrona, os sapatos despontando debaixo do xale, a cabeça pendendo para a frente, a boca ligeiramente aberta, a testa franzida expressando concentração ou confusão. E Pari, sentada ao lado, mãos cruzadas no colo, pés cruzados nos tornozelos.

— Quem é essa? — pergunta *baba*.

— Essa é Latika.

— Quem?

— Latika, a garotinha da favela. A que não conseguiu subir no trem.

— Ela não parece tão nova.

— Sim, porque já se passaram muitos anos — explica Pari. — Agora ela está mais velha, entende?

Em um dia da semana anterior, no playground, estávamos sentados num banco do parque, os três, e Pari falou: *Abdullah, você se lembra de que tinha uma irmã quando era garoto?*

Mal terminou a sentença, e *baba* começou a chorar. Pari aninhou a cabeça dele no peito, dizendo desculpe, desculpe, muitas e muitas vezes, meio em pânico, enxugando as faces dele com as mãos, mas *baba* continuou soluçando com tanta intensidade que começou a engasgar.

— E você sabe quem é aquele, Abdullah?

Baba dá um grunhido.

— É Jamal. O garoto do programa de auditório.

— Não é, não — retruca *baba* com rispidez.

— Você acha que não é?

— Ele está servindo chá!

— Sim, mas isso foi, como se diz, foi no passado. Foi antes. É um...

Flashback, digo sem som da minha xícara de café.

— O programa de auditório é agora, Abdullah. E quando ele estava servindo o chá foi antes.

Baba pisca sem entender. Na tela, Jamal e Salim estão no alto de um arranha-céu em Mumbai, os pés balançando para fora.

Pari o observa, como que esperando um momento em que alguma coisa se abrirá em seus olhos. — Deixe eu perguntar uma coisa, Abdullah — diz. — O que você faria se ganhasse um milhão de dólares um dia?

Baba faz uma careta, muda de posição, depois se estica um pouco mais na poltrona.

— Eu sei o que *eu* faria — continua Pari.

Baba olha para ela sem expressão.

— Se ganhasse um milhão de dólares, eu compraria uma casa nesta rua. Assim, nós seríamos vizinhos, você e eu, e todos os dias eu viria aqui para assistirmos à televisão juntos.

Baba sorri.

Alguns minutos mais tarde, quando já estou de volta ao quarto digitando com os fones no ouvido, escuto um som alto de algo quebrando, enquanto *baba* grita alguma coisa em persa. Arranco os fones de ouvido e corro até a cozinha. Vejo Pari encostada na parede ao lado do micro-ondas, as mãos protegendo o pescoço, e *baba* de olhos arregalados, estocando o ombro dela com a bengala. Cacos de um copo quebrado estão espalhados a seus pés.

— Tire ela daqui! — grita *baba*, quando me vê. — Eu não quero essa mulher na minha casa!

— *Baba*!

O rosto de Pari está pálido. Lágrimas rolam de seus olhos.

— Abaixe essa bengala, *baba*, pelo amor de Deus. E não saia do lugar. Você vai cortar o pé.

Consigo tirar a bengala da mão dele, mas não antes de uma boa luta.

— Eu quero que essa mulher vá embora! Ela é uma ladra!

— O que ele está dizendo? — pergunta Pari, aflita.

— Ela roubou meus comprimidos!

— Esses são dela, *baba* — explico. Coloco uma mão sobre os ombros dele e levo-o para fora da cozinha. Sinto o corpo dele tremer. Quando passamos por Pari, ele quase a ataca outra vez, e preciso contê-lo para que não faça isso. — Tudo bem, agora chega, *baba*. Aqueles comprimidos são dela, não seus. Ela toma por causa das mãos. — Pego um catálogo de compras da mesa de centro a caminho da poltrona reclinável.

— Eu não confio nessa mulher — diz *baba*, afundando-se na poltrona. — Você não sabe. Mas eu sei. Sei reconhecer uma ladra quando vejo uma! — Resfolega, arranca o catálogo da minha mão e começa a folheá-lo com violência. Em seguida, fecha o catálogo no colo e olha para mim, o cenho fechado. — E é uma grande mentirosa também. Sabe o que ela me disse, essa mulher? Sabe o que ela disse? Que era minha irmã! *Minha irmã!* Espere só até Sultana ouvir essa.

— Tudo bem, *baba*. Vamos contar a ela juntos.

— Que mulher louca.

— Vamos contar a mamãe, e depois nós três vamos mandar a mulher louca embora, morrendo de rir. Agora relaxe, *baba*. Está tudo bem. Pronto.

Mudo para o Weather Channel e sento ao seu lado, massageando seu ombro, até ele parar de tremer e a respiração se normalizar. Em menos de cinco minutos ele está cochilando.

Quando volto à cozinha, Pari está sentada no chão, encostada na lavadora de pratos. Parece abalada. Enxuga os olhos com um guardanapo de papel.

— Sinto muito — diz. — Não foi prudente de minha parte.

— Está tudo bem — respondo, pegando a pá de lixo e a vassourinha debaixo da pia. Encontro pequenos comprimidos cor de laranja espalhados pelo chão entre os cacos de vidro. Junto todos com a mão e varro os cacos do linóleo.

— *Je suis une imbécile*. Queria dizer tanta coisa a ele. Pensei que talvez se eu dissesse a verdade... Nem sei o que estava pensando.

Jogo os cacos na lata de lixo. Ajoelho, abro o colarinho de Pari e examino seu ombro, onde *baba* estava batendo. — Vai surgir um hematoma. E digo com conhecimento de causa na matéria. — Sento no chão ao seu lado.

Ela abre a mão, e eu despejo as pílulas. — É comum ele ficar assim?

— Há dias em que ele é difícil.

— Talvez você pudesse arranjar alguma ajuda profissional, não?

Dou um suspiro, aquiescendo. Ultimamente, tenho pensado bastante no inevitável dia em que vou acordar numa casa vazia, com *baba* encolhido numa cama estranha, olhando uma bandeja de café da manhã trazida por um estranho. *Baba* jogado atrás de uma mesa em alguma sala de recreação, batendo a cabeça.

— Eu sei — concordo. — Mas ainda não. Quero cuidar dele enquanto puder.

Pari sorri e assoa o nariz. — Eu entendo.

Não sei bem se ela entende. Não menciono a outra razão. Mal admito para mim mesma. Ou seja, quanto tenho medo de ser livre, apesar do meu grande desejo. Medo do que vai acontecer comigo, do que vou fazer comigo mesma quando *baba* não estiver mais por perto. Toda a minha vida foi passada num aquário, na segurança de um tanque de vidro, atrás de uma barreira tão impenetrável quanto transparente. Tendo a liberdade de observar o cintilante mundo do outro lado, de me imaginar nele quando quisesse. Mas sempre estive contida, limitada pelo inflexível e incessante confinamento da existência que *baba* construíra para mim, primeiro intencionalmente, quando eu era mais nova, e agora de fato, enquanto se apaga dia após dia. Acho que afinal me acostumei com o vidro e, agora, sinto muito medo de que se quebre, medo de ficar sozinha, de me despejar na grande amplidão do desconhecido e acabar me debatendo, indefesa, perdida, tentando respirar.

A verdade que raramente admito é que sempre precisei do peso de *baba* em minhas costas.

Por qual outra razão fora tão fácil abrir mão de meu sonho da escola de arte, mal esboçando resistência quando *baba* me pediu para não ir a Baltimore? Por qual outra razão me separei de Neal, o homem de quem fui noiva alguns anos atrás? Ele era dono de uma pequena empresa de instalação de painéis solares. Tinha um rosto marcado, quadrado, do qual gostei no momento em que o conheci na Abe's Kabob House, quando tomei seu pedido e ele olhou para mim por cima do cardápio e sorriu. Ele era paciente, companheiro e de gênio bom. Não era verdade o que eu disse a Pari sobre ele. Neal não me trocou por uma mulher mais bonita. Eu sabotei as coisas com ele. Mesmo quando ele prometeu se converter ao Islã, assistir às aulas de persa, eu encontrei outros defeitos nele, outras desculpas. Entrei em pânico, enfim, e corri de volta para os recantos, as fendas e as reentrâncias da vida em minha casa.

Ao meu lado, Pari começa a se levantar. Vejo quando desamassa as dobras do vestido e, mais uma vez, me sinto espantada com o milagre de ela estar aqui, a centímetros de mim.

— Eu quero mostrar uma coisa a você — digo.

Também me levanto e vou até o meu quarto. Uma das peculiaridades de nunca sair de casa é que ninguém limpa o seu quarto nem oferece seus brinquedos em vendas de garagem; ninguém dá as roupas que não servem mais. Sei que, para uma mulher de quase trinta anos, tenho relíquias demais de minha infância jogadas por aí, a maior parte enfurnada num grande baú ao pé da minha cama, cuja tampa agora levanto. Dentro, velhas bonecas, o pônei roxo que veio com uma escova para pentear a crina, os livros de desenho, todos os cartões de aniversário e de Natal que fiz para meus pais na escola com feijões, purpurina e pequenas estrelas brilhantes. Da última vez que nos falamos, Neal e eu, quando acabamos com tudo, ele disse: *Eu não posso ficar esperando você, Pari. Não vou ficar esperando você crescer.*

Fecho a tampa e volto à sala de visita, onde Pari se acomodara no sofá em frente a *baba*. Sento ao lado dela.

— Olhe — digo, entregando uma pilha de cartões-postais.

Pari alcança os óculos de leitura na mesa ao lado e retira a fita elástica que prende os cartões. Ao examinar o primeiro, faz uma expressão de surpresa. É uma foto de Las Vegas, do Caesar's Palace à noite, todo brilho e luzes. Vira o cartão e lê em voz alta:

21 de julho de 1992

Querida Pari,
Você não acreditaria no quanto faz calor nesse lugar. Hoje, baba fez uma bolha na mão quando encostou no capô do carro que alugamos! Mamãe teve de passar pasta de dente. No Caesar's Palace, eles têm soldados romanos com espadas, capacetes e capas vermelhas. Baba continua tentando tirar uma foto de mamãe com eles, mas ela não quer. Mas eu quis! Vou mostrar quando voltarmos para casa. Essa vai ser para você. Sinto saudade. Gostaria que estivesse aqui.
Pari

P.S. Estou tomando o sorvete mais incrível do mundo enquanto escrevo.

Ela passa ao cartão-postal seguinte. O Palácio de Hearst. Agora, lê a nota em voz baixa. *Ele tinha um zoológico! Olha que legal! Cangurus, zebras, antílopes, camelos bactrianos (são os que têm duas corcovas!).* Um enviado da Disneylândia, Mickey com o chapéu de feiticeiro, segura a varinha. *Mamãe gritou quando o sujeito enforcado caiu do teto! Você devia ter ouvido! La Jolla Cove. Big Sur. 17 Mile Drive. Muir Woods. Lago Tahoe. Sinto saudade. Com certeza, você teria adorado tudo isso. Gostaria que estivesse aqui.*

Gostaria que estivesse aqui.
Gostaria que estivesse aqui.
Pari tira os óculos. — Você escreveu cartões-postais para si mesma?
Balanço a cabeça. — Para você. — Dou risada. — É um tanto constrangedor.

Pari coloca os cartões-postais na mesa de centro e chega mais perto de mim. — Pode contar.

Olho para minhas mãos, giro meu relógio no pulso. — Eu fazia de conta que éramos irmãs gêmeas, você e eu. Ninguém podia ver você, só eu. Eu contava tudo a você. Todos os meus segredos. Para mim, você era real, estava sempre bem perto. Eu me sentia menos só por sua causa. Como se fôssemos contrapartes. Você conhece essa palavra?

Os olhos dela sorriem. — Conheço.

Eu costumava nos imaginar como duas folhas, sopradas pelo vento a quilômetros de distância, mas ainda ligadas pelas raízes profundas e emaranhadas da árvore de onde havíamos caído.

— Para mim, aconteceu o contrário — diz Pari. — Você diz que sentia uma presença, mas eu sentia somente uma ausência. Uma dor vaga, sem uma fonte definida. Era como um paciente que não consegue explicar ao médico onde dói. Mas dói. — Ela põe a mão na minha, e nenhuma das duas diz nada por um minuto.

Na poltrona, *baba* dá um gemido e se mexe.

— Eu sinto muito mesmo — digo.

— Sente muito pelo quê?

— Que vocês tenham se encontrado tarde demais.

— Mas nós nos *encontramos*, não? — contesta ela, a voz embargada de emoção. — E isso é o que ele é agora. Está tudo bem. Eu me sinto feliz. Encontrei uma parte de mim que estava perdida. — Aperta minha mão. — E encontrei você também, Pari.

As palavras dela evocam meus anseios de infância. Lembro que sussurrava o nome dela quando me sentia sozinha — o *nosso* nome — e prendia a respiração, esperando um eco, certa de que um dia o ouviria. Ouvi-la dizer meu nome agora, nesta sala de estar, é como se todos os anos que nos separaram se dobrassem sobre si mesmos, vezes e mais vezes, com o tempo se sanfonando na largura de uma fotografia, de um cartão-postal, transportando a relíquia mais cintilante de minha infância para perto de mim, para segurar minha mão e dizer meu nome. O nosso nome. Sinto uma vertigem, alguma coisa encaixando-se no lugar. Alguma coisa há muito tempo rasgada vedando-se novamente. E sinto uma leve pressão no peito, a pulsação abafada de um coração renovado, ao lado do meu.

Na poltrona, *baba* se ergue nos cotovelos. Esfrega os olhos, olha para nós. — O que essas garotas estão tramando?
Dá um sorriso.

MAIS UMA CANÇÃO DE NINAR. Essa é sobre a ponte de Avignon.
Pari cantarola para mim, depois recita a letra.

Sur le pont d'Avignon
L'on y danse, l'on y danse
Sur le pont d'Avignon
L'on y danse tous en rond.

— Mamã me ensinou quando eu era pequena — diz, atando o nó do lenço para se proteger de uma lufada de vento gelado. O dia está frio, mas o céu é azul e o sol está forte. O sol ilumina a margem cinza-metálica do rio Rhône e se espalha pela superfície em pequenos fragmentos brilhantes. — Qualquer criança francesa conhece essa canção.

Estamos sentadas em um parque num banco de madeira de frente para a água. Enquanto ela traduz as palavras, me sinto maravilhada com a cidade do outro lado do rio. Por ter descoberto meu passado recentemente, ainda me surpreendo por estar num lugar tão repleto de passado, tudo documentado, preservado. É um milagre. Como tudo nesta cidade. Estou admirada com a claridade do ar, com o vento agitando o rio, fazendo a água bater nas margens de pedra, com quanto a luz é rica e intensa e como parece se espalhar em todas as direções. Do banco do parque, posso ver as fortificações cercando o velho centro da cidade e seu emaranhado de ruas estreitas e tortuosas, a torre oeste da catedral de Avignon, a estátua dourada da Virgem Maria brilhando no alto.

Pari me conta a história da ponte, do jovem pastor do século XII que dizia que os anjos mandaram construir uma ponte atravessando o rio, que demonstrara a verdade de sua afirmação levantando uma rocha maciça e jogando-a na água. Ela conta sobre o barqueiro do rio Rhône, que subira na ponte para venerar o patrono da cidade, São Nicolau. E sobre todas as enchentes ao longo dos séculos que erodiram as arcadas e causaram o desabamento da estrutura. Fala essas palavras com a mesma energia rápida e nervosa do início do dia, quando me levou ao Palais de Papes com seu estilo gótico. Tira os fones de ouvido do guia de áudio para me mostrar um afresco, toca meu braço para chamar minha atenção para um entalhe interessante, um vitral, as vigas que se interligam acima de nós.

Do lado de fora do palácio papal, ela fala quase sem parar, os nomes de todos os santos e papas e cardeais jorram de seus lábios, enquanto caminhamos pela praça da catedral entre revoadas de pombos, turistas, mercadores africanos, com suas túnicas vistosas, vendendo braceletes e relógios de imitação, o jovem músico de óculos sentado numa caixa de maçãs, tocando "Rapsódia boêmia" ao violão. Não me lembro dessa loquacidade quando de sua visita aos Estados Unidos, e me dá a impressão de uma tática de adiamento, como se estivéssemos andando em volta da coisa que ela realmente quer fazer — que nós vamos fazer —, e que todas essas palavras são também como uma ponte.

— Mas você logo vai ver uma ponte de verdade — diz. — Quando os outros chegarem. Vamos todos juntos ver a pont du Gard. Você conhece? Não? *Oh là là. C'est vraiment merveilleux.* Foi construída pelos romanos no século I, para transportar água entre Eure e Nîmes. Cinquenta quilômetros! É uma obra-prima de engenharia, Pari.

Estou na França há quatro dias, há dois dias em Avignon. Pari e eu tomamos o TGV numa Paris gelada e encoberta, para descer aqui sob céu claro, um vento quente e um coro de cigarras cantando em cada árvore. Na estação, uma correria maluca para tirar minha bagagem quase me impede de desembarcar, e só consigo descer do trem quando as portas já estão se fechando com um chiado atrás de mim. Faço uma anotação mental para contar a *baba* como, em três segundos a mais, eu acabaria indo para Marselha.

Como ele está?, diz Pari no táxi entre o Charles de Gaulle e o apartamento dela.

Na fase seguinte do caminho, respondo.

Baba agora vive numa clínica. Quando fui conhecer as instalações e a diretora, Penny, uma mulher alta e frágil de cabelos crespos cor de palha, me mostrou o local, pensei: "Não é tão ruim".

Em seguida eu falei: *Não é tão ruim.*

O lugar era limpo, as janelas davam para um jardim onde, explicou Penny, eles organizavam um chá todas as quartas-feiras às 16h30. A entrada cheirava suavemente a pinho e canela. Os atendentes, a maioria dos quais vim a conhecer pelo primeiro nome, pareciam corteses, pacientes, competentes. Vi mulheres com rosto devastado, com tufos de pelos no queixo, babando, conversando entre si, grudadas em telas de televisão. Mas a maioria dos residentes não era tão velha. Muitos nem estavam em cadeiras de roda.

Acho que eu esperava que fosse pior, falei.

É mesmo?, disse Penny, com uma risada amável e profissional.

Foi uma indelicadeza. Desculpe.

De jeito nenhum. Estamos bem conscientes da imagem que a maioria das pessoas tem de lugares assim. Mas é claro que esta é a área de vivência da clínica, acrescentou por cima do ombro. *Pelo que me falou de seu pai, não sei bem se ele se daria bem aqui. Acho que a Unidade de Assistência à Memória seria mais adequada. Aqui estamos.*

Usou um cartão para abrir a porta. A unidade isolada não cheirava a pinho e canela. Minhas vísceras tiveram uma convulsão, e meu primeiro impulso foi dar meia-volta e sair. Penny pegou no meu braço e apertou-o. Olhou para mim com muita ternura. Lutei comigo mesma no restante do *tour*, envolvida por um grande surto de culpa.

Na manhã em que partiria para a Europa, fui visitar *baba*. Passei pela entrada da área de vivência e acenei para Carmen, que é da Guatemala e atende às ligações telefônicas. Andei pela ala comunitária, onde idosos lotavam uma sala para ouvir um quarteto de cordas com universitários vestidos em traje formal. Passei pelo salão de recreação, com computadores, estantes de livros e jogos de dominó, depois pela central de mensagens, com sua série de dicas e anúncios. *Você sabia que a soja pode reduzir o seu colesterol ruim? Não se esqueça de que a Hora do Quebra-cabeça e Reflexões é nesta quarta, às onze horas!*

Entrei na unidade isolada. Eles não têm reuniões para o chá desse lado da porta, nem bingo. Ninguém aqui começa a manhã com *tai chi chuan*. Fui até o quarto de *baba*, mas ele não estava lá. A cama tinha sido arrumada, a TV estava desligada, e havia meio copo de água na mesa de cabeceira. Senti-me um pouco aliviada. Detesto encontrar *baba* naquela cama hospitalar, deitado de lado, mão enfiada embaixo do travesseiro, os olhos fundos me fitando sem expressão.

Encontrei *baba* na sala de jogos, afundado numa cadeira de rodas perto da janela com vista para o jardim. Usava pijama de flanela e o seu boné. O colo estava coberto com o que Penny chama de Avental de Fuçar. Tem barbantes que ele pode amarrar e botões que gosta de abotoar e desabotoar. Penny diz que o avental mantém os dedos dele ligeiros.

Beijei seu rosto e puxei uma cadeira. Alguém o barbeou e molhou e penteou seu cabelo. Seu rosto cheirava a sabonete.

Então, amanhã é o grande dia, baba, digo. *Estou indo visitar Pari na França. Você lembra que eu disse que iria?*

Baba piscou. Mesmo antes do derrame, ele já tinha começado a se recolher, caía em longos lapsos de silêncio, parecia desconsolado. Desde o derrame, seu rosto se transformou numa máscara, a boca perpetuamente imobilizada num pequeno sorriso educado e assimétrico que nunca subia até os olhos. Não tinha dito uma palavra desde o derrame. Às vezes, os lábios se abrem, e ele emite um som rouco e exalado, como *Aaaah,* com uma ênfase na parte final que soa como uma surpresa, como se o que eu havia falado tivesse provocado uma pequena epifania.

Nós vamos nos encontrar em Paris e depois tomar o trem até Avignon. É uma cidade perto do sul da França. Era onde os papas viviam no século XIV. *Depois, vamos conhecer um pouco a cidade. Mas a melhor parte é que Pari falou com todos os filhos sobre minha visita e eles vão se encontrar conosco.*

Baba continuou sorrindo, do modo como sorrira quando Hector viera fazer uma visita a ele na semana anterior, do modo como sempre sorria quando eu mostrava minha matrícula no College of Arts and Humanities de San Francisco.

Sua sobrinha Isabelle e o marido Albert têm uma casa de campo em Provence, perto de uma cidade chamada Les Baux. Eu pesquisei na internet, baba. *É uma cidade incrível. Foi construída nos picos de calcário no alto da montanha Alpilles. É possível visitar as ruínas de um antigo castelo medieval lá em cima e conhecer as planícies e os pomares. Vou bater um monte de fotos e mostrar a você,* baba, *quando eu voltar.*

Ali perto, uma senhora de roupão deslizava peças de um quebra-cabeça de forma complacente. Na mesa seguinte, outra mulher de cabelo branco afofado tentava arrumar garfos, colheres e facas de manteiga num faqueiro. No canto, na grande tela da TV, Ricky e Lucy discutiam, ligados por um par de algemas nos pulsos.

Baba disse: *Aaaah.*

Alain, o seu sobrinho, e a mulher, Ana, virão da Espanha com os cinco filhos. Não sei o nome de todos, mas vou aprender. E depois, e essa é a parte que faz Pari realmente feliz, outro sobrinho seu, Thierry, o mais novo, também virá. Ela não o vê há anos. Eles não têm se falado. Mas agora ele vai tirar uma licença do trabalho na África para fazer a viagem. Vai ser uma grande reunião de família.

Beijei o rosto dele quando me levantei para sair. Fiquei com o rosto perto do dele, recordando quando ele ia me buscar no jardim de infância e me levar ao Denny's para pegar mamãe no trabalho. Sentávamos num reservado, esperando minha mãe sair, e eu tomava uma bola de sorvete que o gerente sempre me dava, e mostrava a *baba* os desenhos que havia feito no dia. Com que paciência ele olhava todos eles, observando com atenção, aquiescendo.

Baba abriu seu sorriso habitual.

Ah. Quase ia esquecendo.

Abaixei e fiz nosso costumeiro ritual de despedida, passando a ponta dos dedos por suas bochechas até as têmporas enrugadas, pelo cabelo grisalho e rarefeito, pelas cicatrizes de seu couro cabeludo atrás das orelhas, recolhendo no caminho todos os sonhos ruins de sua cabeça. Abri o saco invisível na frente dele, joguei os pesadelos dentro e amarrei firme o cordão.

Pronto.

Baba fez um som gutural.

Tenha bons sonhos, baba. *Nos vemos em duas semanas.* De repente, me ocorreu que nunca tínhamos ficado tanto tempo longe um do outro.

Quando eu estava indo embora, tive a distinta sensação de que *baba* estava me observando. Mas, quando me virei para olhar, ele estava de cabeça baixa, brincando com um botão em seu avental fuçador.

Agora, Pari está falando sobre a casa de Isabelle e Albert. Já me mostrou algumas fotos. É uma linda casa provençal de fazenda nas colinas de Luberon, restaurada, feita de pedra, com árvores frutíferas, um atracadouro na porta da frente na parte externa, telhas de terracota e vigas aparentes por dentro.

— Não dá para ver nas fotos que eu mostrei, mas tem uma vista fantástica do monte Vaucluse.

— Será que todos nós vamos caber lá? É muita gente para uma casa de fazenda.

— *Plus on est de fous, plus on rit* — diz ela. — Como se diz em inglês? Quanto mais felicidade...?

— Mais alegria.

— *Ah, voilà. C'est ça.*

— E as crianças? Onde elas...

— Pari?

Olho para ela. — Sim?

Ela esvazia o peito com um longo suspiro. — Pode me dar agora.

Concordo com a cabeça. Abro a bolsa entre meus pés.

Acho que eu poderia ter encontrado aquilo meses atrás, quando *baba* foi para a clínica de saúde. Mas, quando estava arrumando a bagagem de *baba*, fui pegar a mala do alto do armário do closet, em cima de outras três, e consegui fazer caber todas as roupas de *baba* nela. Algum tempo depois, finalmente reuni coragem para limpar o quarto de meus pais. Arranquei o velho papel de parede, pintei o quarto todo. Mudei a cama de casal dos dois de lugar, a penteadeira de minha mãe com o espelho oval, as blusas e os vestidos embalados em plástico. Fiz uma pilha na garagem para levar em uma ou duas viagens até a Goodwill. Mudei minha mesa para o quarto de casal, que agora uso como escritório e vai ser meu estúdio quando começarem as aulas no outono. Esvaziei o baú do pé de minha cama também. Num saco de lixo, todos os meus brinquedos, meus vestidos de infância, os tênis e as sandálias desgastados. Não conseguia mais olhar para os cartões de aniversário, do Dia dos Pais e Dia das Mães que havia feito para os meus pais. Não conseguia dormir à noite sabendo que estavam ali, aos meus pés. Era doloroso demais.

Enquanto eu limpava o armário do closet, quando tirei as malas restantes para guardar na garagem, senti algo chacoalhando dentro de uma delas. Abri o zíper da mala e encontrei um pacote, embrulhado num papel pardo e grosso. Um envelope havia sido colado no pacote. Na superfície estavam escritas, em inglês, as palavras *Para minha irmã, Pari*. Reconheci de imediato a letra de *baba*, da época em que trabalhava na Abe's Kabob House, quando recolhia os pedidos que ele anotava na caixa registradora.

Agora eu entrego o pacote a Pari, ainda fechado.

Ela olha para o pacote no colo, passando as mãos pelas palavras escritas no envelope. Do outro lado do rio, os sinos da igreja começam a tocar. Numa pedra despontando na superfície, um pássaro rasga as entranhas de um peixe morto.

Pari remexe a bolsa, escavando o conteúdo. — *J'ai oublié mes lunettes* — diz. — Esqueci meus óculos de leitura.

— Quer que eu leia para você?

Ela tenta descolar o envelope, mas as mãos dela hoje não estão bem, e, depois de alguma luta, ela acaba me entregando o pacote. Destaco o envelope e abro. Desdobro a nota.

— Ele escreveu em persa.

— Mas você consegue ler, não? — pergunta Pari, o cenho enodoado de preocupação. — Pode traduzir.

— Sim — respondo, sentindo um pequeno sorriso interior, agradecida, ainda que atrasada, por todas as tardes de terça-feira em que *baba* me levava até Campbell para ter aulas de persa. Penso nele agora, debilitado e perdido, cambaleando por um deserto, o caminho percorrido forrado de todos os pequenos pedaços brilhantes que a vida tirou dele.

Seguro a nota com firmeza contra o vento forte. Leio em voz alta as quatro sentenças escritas.

Eles me dizem que vou entrar em águas que logo vão me afogar. Antes de ir em frente, deixo isto na praia para você. Rezo para que a encontre, irmã, para que saiba o que estava em meu coração quando afundei.

Tem uma data também, agosto de 2007. — Agosto de 2007 — digo. — Quando ele recebeu o primeiro diagnóstico. — Três anos antes de eu saber de Pari.

Pari assente, enxugando os olhos com a palma da mão. Um jovem casal passa numa bicicleta de dois selins, a garota na frente, loira e magra, faces rosadas, o garoto com *dreadlocks* e pele cor de café. Na grama, a metros de distância, uma adolescente vestida com uma saia curta de couro preta está falando num celular e segura a guia de um pequeno terrier cor de grafite.

Eu abro o pacote para ela. Dentro, há uma velha lata de chá, com o desenho desbotado de um indiano de barba, que usa uma longa túnica vermelha, na tampa. Ele segura uma fumegante xícara de chá, como uma oferenda. O vapor da xícara quase desapareceu, e o vermelho da túnica está quase todo manchado de roxo. Abro o fecho e levanto a tampa. Encontro um monte de penas no interior da lata, de todas as cores, todas as formas. Penas curtas, verde-escuras; penas longas cor de gengibre com a haste preta; uma pena cor de pêssego, possivelmente de um pato, com um sombreado púrpura-claro; penas marrons com manchas escuras nas bárbulas internas, uma pena de pavão verde com um grande olho marcando a ponta.

Viro-me para Pari. — Você sabe o que significa isso?

Com o queixo trêmulo, Pari abana a cabeça vagarosamente. Pega a caixa de minha mão e olha dentro. — Não — responde. — Só sei que quando nos perdemos, Abdullah e eu, foi mais difícil para ele do que para mim. Eu tive sorte, pois fui protegida pela pouca idade. *Je pouvais oublier*. Ainda gozava do privilégio do esquecimento. Ele, não. — Pega uma pena, esfrega no pulso, olhando-a como se pudesse ganhar vida e sair voando. — Não sei o que essas penas significam, qual a história por trás delas. Mas sei que isso quer dizer que ele estava pensando em mim. Durante todos esses anos. Ele se lembrava de mim.

Ponho o braço em seu ombro, e ela chora em silêncio. Fico observando as árvores banhadas pelo sol, o rio fluente passando por nós e debaixo da ponte — a pont Saint-Bénezet — que a canção infantil menciona. É uma meia ponte, pois somente quatro de seus arcos originais permanecem ali. Ela termina na metade do caminho sobre o rio. Como se tentasse se reunir ao outro lado, mas não conseguisse.

Naquela noite no hotel, me mantenho acordada na cama e vejo as nuvens se empurrando na frente da grande e inchada lua que aparece na janela. Lá embaixo, saltos batem na calçada. Risos e conversas. Bicicletas motorizadas passam fazendo barulho. No restaurante do outro lado da rua, ruído de copos em bandejas. O som do piano se insinua pela janela e chega aos meus ouvidos.

Viro para o lado e vejo Pari dormindo em silêncio ao meu lado. O rosto é pálido sob a luz. Vejo *baba* no rosto dela, o jovem e esperançoso *baba*, feliz como ele costumava ser, e sei que sempre vou vê-lo quando olhar para ela. Pari é sangue do meu sangue. E logo vou conhecer seus filhos e os filhos dos filhos, e meu sangue corre por eles também. Não estou sozinha. Uma súbita felicidade me pega de surpresa. Sinto essa felicidade gotejando em mim, e meus olhos ficam cheios de lágrimas de gratidão e esperança.

Enquanto observo Pari dormir, penso no joguinho que *baba* e eu fazíamos antes de eu pegar no sono. O expurgo dos sonhos ruins, o presente dos sonhos felizes. Lembro-me do sonho que eu costumava dar a ele. Tomando cuidado para não acordar Pari, estendo o braço e encosto a mão na testa dela com toda a delicadeza. Fecho os olhos.

É uma tarde de sol. Eles são crianças outra vez, irmão e irmã, jovens, fortes e de olhar límpido. Estão deitados num campo de grama alta, embaixo da sombra de uma macieira cheia de flores. Sentem a grama morna em suas costas, e o sol em seu rosto cintila ao passar pela agitação dos botões de flores acima deles. Estão descansando sem dormir, alegres, lado a lado, a cabeça dele repousando sobre uma raiz grossa, a dela almofadada pelo casaco que ele dobrou para a irmã. Com os olhos semicerrados, ela vê um pássaro negro pousado num galho. Correntes de ar fresco passam pelas folhas e chegam ao chão.

Ela vira o rosto e olha para ele, seu irmão mais velho, seu aliado em todas as coisas, mas o rosto dele está muito próximo, e ela não consegue enxergá-lo por inteiro. Só a reentrância do cenho, a subida do nariz, a curva dos cílios. Mas não tem importância. Sente-se feliz por estar perto dele, do irmão, engolfada por uma onda de calma absoluta ao deslizar lentamente numa soneca. Fecha os olhos. Adormece, tranquila, tudo está claro e radiante, tudo de uma só vez.

Agradecimentos

Algumas questões antes de iniciar os agradecimentos. A aldeia de Shadbagh é fictícia, embora seja possível que exista uma aldeia com esse nome em algum lugar do Afeganistão. Se for o caso, nunca estive lá. A canção de ninar de Abdullah e Pari, especificamente a referência a "fadinha triste", foi inspirada em um poema do grande poeta persa Forough Farrokhzad, falecido. Por fim, o título original deste livro foi em parte inspirado pelo adorável poema de William Blake, "Canção da enfermeira".

Gostaria de agradecer a Bob Barnett e Deneen Howell pelo maravilhoso trabalho de orientação e apoio deste livro. Obrigado a vocês, Helen Heller, David Grossman, Jody Hotchkiss. Obrigado a Chandler Crawford, pelo entusiasmo, paciência e conselhos. Muito obrigado a um bando de amigos da Riverhead Books: Jynne Martin, Kate Stark, Sarah Stein, Leslie Schwartz, Craig D. Burke, Helen Yentus e muitos outros que deixo de mencionar, mas aos quais sou profundamente grato pela ajuda para levar este livro aos leitores.

Agradeço ao meu maravilhoso editor de texto, Tony Davis, que se aventura para muito além do chamado do dever.

Minha gratidão especial vai para minha editora, a talentosíssima Sarah McGrath, por suas sacadas e sua visão, pela orientação e delicadeza, e por me ajudar a moldar este livro com tantas sugestões que nem consigo mais me lembrar. Nunca gostei tanto de um processo de edição, Sarah.

Por último, agradeço a Susan Petersen Kennedy e a Geoffrey Kloske pela confiança e pela inabalável fé no meu trabalho.

Obrigado a vocês e *Tashakor* a todos os meus amigos e pessoas da minha família por estar sempre do meu lado e por me aguentarem com paciência, determinação e delicadeza. Como sempre, agradeço a minha linda esposa, Roya, não só pela leitura e edição de muitas encarnações deste livro, mas também por cuidar da nossa vida do dia a dia, sem um murmúrio de protesto, para que eu conseguisse escrever. Sem você, Roya, este livro teria morrido em algum momento do primeiro parágrafo da página um. Amo você.

Este livro, composto na fonte Fairfield,
foi impresso em papel Pólen natural 70 g/m², na Corprint.
São Paulo, Brasil, dezembro de 2022.